Minha vida fora de série

3ª temporada

PAULA PIMENTA

Minha vida fora de série

3ª temporada

14ª reimpressão

Copyright © 2015 Paula Pimenta

Todos os direitos reservados pela Editora Gutenberg. Nenhuma parte desta publicação poderá ser reproduzida, seja por meios mecânicos, eletrônicos, seja via cópia xerográfica, sem a autorização prévia da Editora.

EDITORA RESPONSÁVEL
Rejane Dias

PROJETO GRÁFICO DE CAPA
Diogo Droschi

FOTOGRAFIA DE CAPA
Daniel Mansur (Estúdio Píxel)

MODELO
Patrícia Miranda

DIAGRAMAÇÃO
Christiane Morais de Oliveira

REVISÃO
Cecília Martins
Lívia Martins
Maria Theresa Tavares

Dados Internacionais de Catalogação na Publicação (CIP)
Câmara Brasileira do Livro, SP, Brasil

Pimenta, Paula
  Minha vida fora de série : 3ª temporada / Paula Pimenta. –
1. ed.; 14. reimp. – Belo Horizonte : Gutenberg, 2022.

  ISBN 978-85-8235-255-7

  1. Ficção brasileira 2. Literatura juvenil I. Título.

15-02373   CDD-869.93

Índices para catálogo sistemático:
1. Ficção : Literatura brasileira 869.93

A **GUTENBERG** É UMA EDITORA DO **GRUPO AUTÊNTICA**

São Paulo
Av. Paulista, 2.073 . Conjunto Nacional
Horsa I . Sala 309 . Cerqueira César
01311-940 . São Paulo . SP
Tel.: (55 11) 3034 4468

Belo Horizonte
Rua Carlos Turner, 420
Silveira . 31140-520
Belo Horizonte . MG
Tel.: (55 31) 3465 4500

www.editoragutenberg.com.br
SAC: atendimentoleitor@grupoautentica.com.br

Para a Angélica.
Minha tia. E veterinária preferida.
Que desde cedo me ensinou a amar
e respeitar os animais.

Nota da autora:

Após a 1ª temporada de *Minha vida fora de série*, muitos leitores me escreveram perguntando se a ONG do livro realmente existia e como poderiam se tornar voluntários.

Para escrever, inspirei-me na "Cão Viver", localizada em Belo Horizonte-MG. Informações: www.caoviver.com.br.

Ela e tantas outras ONGs de proteção animal espalhadas pelo Brasil precisam de todo o apoio possível. Procure a da sua cidade. Sei que o Rodrigo e a Priscila iriam gostar da sua atitude!

Paula Pimenta

Agradecimentos

Quero agradecê-los porque, sem cada um de vocês, isso nunca aconteceria. Vocês me apoiaram e me amaram durante todo o drama. E é por isso que eu estou aqui.

(Glee)

Muito obrigada...

À Mamãe, à Aninha e à Elisa que mostraram se eu estava no caminho certo, ao lerem capítulo por capítulo à medida que foram escritos.

Ao Kiko, pelo apoio de sempre, por ouvir o livro em voz alta e por aguentar meus ataques de ansiedade nesses meses que fiquei hibernada escrevendo. Eu não teria conseguido sem você.

À Carol Christo, por me ouvir, me aconselhar e não me deixar surtar em alguns momentos...

Às "Gêmeas da Paula", por me ajudarem com as fanpages, com as colunas e tudo mais... e ainda tentarem me animar a todo custo, especialmente no período de escrita deste livro! Meninas, sem vocês teria sido bem mais complicado!

À Luara, por ter me dado dicas sobre São Paulo e por ter me ajudado a escolher o bairro da Pri.

À Isabela (Belú), por ter me dado informações sobre as faculdades de Veterinária e por me contar um pouco sobre o curso.

*Ao Celeiro e às meninas dos intercâmbios, por sempre
me tratarem como se eu ainda tivesse a idade delas
e com isso me fazerem voltar a ser adolescente! :)*

*À Thê e ao Emmanuel, por terem me viciado
em One Tree Hill, e ao Will, por ter
me ajudado com as citações dessa série.*

*Ao Bruno, à Mari, à Julia, à Helena, à Luiza,
à Gleid e à Larissa, pelos depoimentos emocionantes!*

*Aos meus leitores queridos,
por continuarem sendo os melhores do mundo!*

Se você pudesse voltar no tempo e mudar apenas uma
coisa na sua vida, você mudaria? E se fizesse isso,
será que essa mudança tornaria a sua vida melhor?
Ou será que ela acabaria partindo o seu coração?
Ou partindo o coração de outra pessoa? Será que
você escolheria um caminho totalmente diferente?
Ou mudaria uma única coisa? Um único momento? Um
momento que você sempre quis ter de volta?

(One Tree Hill)

Prólogo

> _Stefan:_ Tudo que você sabe, tudo que você conhece está prestes a mudar. Você está preparada para isso?
>
> (The Vampire Diaries)

Tome cuidado com o que você deseja. Eu já tinha escutado essa frase antes, mas nunca havia levado a sério. Até que um dos meus desejos se realizou... fazendo com que a minha vida saísse de órbita completamente. E só então eu entendi a tal advertência. Porque é preciso mesmo ter muito cuidado com aquilo que queremos. Simplesmente porque podemos conseguir.

Me lembro perfeitamente do desejo que fiz ao soprar as velas no meu aniversário de 17 anos. Pedi silenciosamente, com todas as minhas forças, que os meus pais voltassem a ficar juntos. Claro que, no fundo, eu sei que minha vontade de que aquilo acontecesse não teve _tanta_ influência assim... Na verdade, os dois nunca se desvincularam completamente um do outro. Sei disso por que, mesmo que eles tenham tentado ser discretos, foram muitas as recaídas. Eu via muito bem os olhares que eles lançavam um para o outro nas viagens do meu pai para BH. E perdi a conta das vezes que escutei sem querer as risadas da minha mãe ao telefone com ele, lembrando situações do passado, quando a suposta razão do telefonema seria apenas falar das minhas notas ou perguntar sobre o Arthur. E houve também os e-mails repletos de sedução que eu li sem querer, ao passar pelo quarto da minha mãe, que nunca se lembra de desligar o computador. Ok, sei que eu não deveria ter lido, mas todo mundo sabe que eu sou curiosa! E até aquele momento o meu maior sonho era que os dois se acertassem de novo...

Sim, até aquele momento. Porque o fato é que, quando em um belo dia de inverno meu pai me avisou que eu não precisava comprar minha costumeira passagem para São Paulo, percebi que tinha alguma coisa errada. Afinal, ele fazia questão de que passássemos juntos todas as minhas férias. Mas não daquela vez. Ao contrário, disse que ele mesmo iria a BH, pois precisava conversar um assunto importante comigo, *junto* com a minha mãe. E foi então que eu soube. Nunca acreditei em sexto sentido, premonição, essas coisas... Mas naquela hora tenho que admitir que minha intuição esfregou na minha cara tudo que ele iria me dizer. Por isso, no fim de semana seguinte, quando ele chegou, eu abri a porta e ele e minha mãe deram uma piscadinha um para o outro, eu já tinha certeza do que estava por vir.

Mas ainda assim não estava preparada.

"Priscila, nós temos uma boa notícia pra te dar", foi o que eles disseram, na hora do almoço, entre uma garfada e outra de salmão com alcaparras, que por sinal é o prato preferido do meu pai e que minha mãe não cozinhava havia anos, por achar que aquilo a deixaria triste ao se lembrar de bons momentos... Mas naquela hora ela não parecia nada triste, muito pelo contrário.

Sei que bombas geralmente são jogadas quando ninguém está esperando... Mas eles poderiam ter pelo menos esperado chegar a sobremesa, assim eu teria saboreado aquela mousse de chocolate na qual eu estava de olho desde o dia anterior. Mas depois do que eles disseram, eu perdi totalmente o apetite. Foi como voltar vários anos no tempo, quando, aos 13, os dois me convocaram para uma conversa bem parecida com aquela, mas para dizer que estavam se separando. A sensação que eu tive foi a mesma, apesar dos sorrisos dos dois, em vez das lágrimas da outra vez. Como se novamente eles estivessem me colocando em um foguete rumo ao desconhecido. Como se os roteiristas da série da minha vida descobrissem que a audiência estava baixa e que teriam que fazer uma mudança radical, alterando cenários, mexendo no enredo, trocando personagens...

"Prica, já tem um tempo que eu e sua mãe estamos conversando pela internet...", meu pai começou a explicação, me olhando fixamente, provavelmente tentando desvendar a minha reação através da minha expressão facial.

"E também pelo telefone", minha mãe acrescentou, com os olhos muito abertos, como ela só faz quando está tensa com alguma coisa.

"E então, quando nos encontramos aqui em janeiro, no seu aniversário de 18 anos, acabaram acontecendo umas coisas entre nós...", meu pai continuou, parecendo muito sem graça, como se eu ainda tivesse uns seis anos de idade e ele estivesse me explicando de onde vêm os bebês.

Como a minha mente já tinha se encarregado de me mostrar a cena minuciosamente – e eu estava muito desconfortável com isso –, perguntei depressa: "E?".

Ele então continuou: "E a partir de então, durante os últimos seis meses, nós percebemos que os problemas que fizeram com que nos separássemos já não existiam mais...".

"Posso saber quais problemas eram esses?", perguntei apenas para que ele parasse de fazer aquelas pausas intermináveis entre uma frase e outra.

Isso fez com que minha mãe suspirasse, como se não quisesse relembrar nada daquilo. Mas, ainda assim, ela criou forças e disse: "Especialmente os problemas do dia a dia. Na época da separação, a nossa vida tão corrida fez com que colocássemos um ao outro em último plano. Você e o Arthur vinham sempre em primeiro lugar, claro. Em segundo, os nossos trabalhos. Em terceiro, a vida social. E finalmente, na hora de nos preocuparmos com o nosso casamento, já estávamos tão cansados que apenas fomos varrendo o casal que formávamos para debaixo do tapete, colocando nossa vida conjugal em último lugar na lista de prioridades. Mas precisamos desse tempo separados para enxergar isso, Pri. Você já namora há vários anos, sabe que um relacionamento passa por fases. Acontece que deixamos que uma fase ruim se prolongasse por tanto tempo que não conseguíamos mais avistar uma saída. Precisamos de todos esses anos para encontrar um caminho de volta, para perceber que os defeitos que estávamos enxergando um no outro não eram tão graves assim... Eles apenas estavam ultradimensionados por causa da rotina, das nossas dificuldades em outras áreas... Mas o fato é que o tempo nos mostrou que nada daquilo era tão grande e tão forte quanto... o amor que nós ainda sentimos um pelo outro".

Minha mãe falou aquela última frase olhando para o chão, mas então o meu pai pegou a mão dela com carinho, ela apertou, e foi nesse instante que realmente senti a dimensão do que eles estavam tentando me explicar. Sem que dissessem nem mais uma palavra, percebi que a partir daquele momento a minha vida inteira ia mudar. Mais uma vez...

1

Peyton: Neste momento há 6 bilhões, 470 milhões, 818 mil e 671 pessoas no mundo. Algumas estão fugindo assustadas. Algumas estão indo pra casa. Algumas mentem pra conseguir superar o dia. Outras estão encarando a verdade agora. Alguns são homens maus em guerra contra o bem. E alguns são bons, lutando com o mal. Seis bilhões de pessoas no mundo. Seis bilhões de almas. E algumas vezes... você só precisa de uma.

(One Tree Hill)

"Parabéns, princesa!", a voz do Rodrigo soou supernítida ao telefone, como se ele estivesse a poucos metros de distância, e não a milhares de quilômetros. Aquilo me fez abrir o maior sorriso, mas ao mesmo tempo trouxe lágrimas aos meus olhos. Desde o começo do nosso namoro, cinco anos e meio antes, aquela era apenas a segunda vez em que eu passava o meu aniversário sem ele. Aliás, já tinha muito tempo que não ficávamos tantos dias longe um do outro... A última ocasião havia sido em uma viagem que ele fizera com a família para Morro de São Paulo, quando eu tinha acabado de completar 16 anos. Desde então compartilhávamos cada mínimo passeio que fazíamos. Até agora...

"Espero que você seja sempre muito feliz...", o Rô continuou a falar, me fazendo ter vontade de puxá-lo pelo fio do telefone. "Mas vem ser feliz perto de mim, Pri... não aguento mais de saudade!"

Enxuguei o rosto, que em poucos segundos havia ficado encharcado, e respirei fundo. Eu também estava morrendo de saudade dele! Tentando conter as lágrimas, apenas respondi: "Em três dias estarei aí!". Eu não queria que ele pensasse que eu estava triste, afinal, não estava. Aquela viagem tinha sido ideia minha. Era inclusive o meu presente de aniversário.

Na verdade, de *vários* aniversários... E tudo estava tão maravilhoso que adiei a volta! Eu não deveria mesmo estar chorando, mas é que a voz do Rô havia me lembrado de como tudo seria ainda mais perfeito se ele estivesse ali comigo...

"Vai me esperar no aeroporto, não é?", continuei a falar, já mais controlada. "Tenho a impressão de que vai amar os presentes que comprei pra você!"

"Priscila, falei que não era pra se preocupar com isso!" Mesmo sem ver a expressão dele, percebi que estava bravo. O Rodrigo só me chamava de *Priscila* quando falava muito sério. "Você trabalhou pra caramba tomando conta, passeando e dando banho em todos aqueles cachorros e gatos pra juntar dinheiro... Não precisava trazer nada pra mim! Só queria que você aproveitasse pra valer!"

Aproveitasse pra valer... Se eu aproveitasse ainda mais, era capaz de querer ficar para sempre! Aliás, aquela tinha sido de longe a melhor viagem da minha vida, os melhores dias que eu já havia passado! E se não fosse pelo Rodrigo, era mesmo bem provável que eu desse um jeito de ficar por ali... Quer dizer, eu voltaria para buscar todos os meus bichos.

"Não gastei muito...", expliquei meio sem graça. Na verdade, eu tinha gastado bastante com o presente dele. Com *os* presentes. Mas na semana anterior eu tinha passado na frente de uma loja de instrumentos musicais, então vi uns pratos incríveis para a bateria dele e também umas baquetas, e em Venice Beach eles vendem todas aquelas camisetas com desenhos de bateria e frases engraçadinhas como "*I prefer the drummer!**", então eu não tive como não comprar tudo aquilo... Claro que abri mão de adquirir alguns novos seriados, mas eu sabia que o sorriso que ele daria ao desembrulhar tudo ia compensar. "Rô, por falar em gastar, esta ligação vai ficar cara. Quer fazer uma videochamada no computador? Já está até ligado, eu estava falando com os meus pais. Você nem imagina o que eu fiz hoje! Preciso te contar cada detalhe!"

"Minha irmã está com o meu notebook, eu emprestei porque ela deixou o dela no Canadá. Poderia pegar de volta, mas aqui já

---

* Eu prefiro o baterista!

é meia-noite, acho que a Sara já deve estar dormindo. Tentei te ligar mais cedo várias vezes, mas chamou e ninguém atendeu."

Notei uma certa mágoa na voz do Rodrigo. Aquela diferença de seis horas de fuso horário realmente estava prejudicando a nossa comunicação. Para mim ainda eram seis da tarde e eu tinha passado o dia tendo o melhor aniversário da minha vida. Fui assistir à uma gravação de seriado! Mas não de um simples seriado. Nem nos meus melhores sonhos eu imaginaria que aquilo seria possível, era a minha série preferida... E ver os meus atores do coração cantando e dançando ali, de pertinho, tinha sido mágico! E eu devia tudo isso a uma pessoa... à *Fani*.

Confesso que acordei meio pensativa. Eu já estava em Los Angeles havia 23 dias. Minha intenção inicial era voltar para o Natal. Acontece que tudo ali era tão intenso que de repente os 10 dias que supostamente durariam a minha viagem começaram a parecer muito pouco. Era tanta coisa para ver, para fazer... Então acabei convencendo meu pai a adiar minha passagem. *Duas* vezes. Mas eu tinha me esquecido de um detalhe... O meu aniversário.

Nunca gostei de ter nascido no terceiro dia do ano, a comemoração é muito sem graça, porque todo mundo viaja nessa época. Mas o carinho do Rô e da minha família sempre compensou. Então, quando acordei e lembrei que naquele ano eu não estaria com eles, fiquei um tempinho meio arrependida de não ter voltado antes pra casa. Mas aquele arrependimento passou já no café da manhã, quando a Fani e a Tracy apareceram com um bolo cheio de velinhas e, em seguida, fizeram a Winnie, a cachorrinha da Fani, pular no meu colo. Foi quando percebi que ela estava com um envelope amarrado na coleira.

"O que é isso?", perguntei apenas por perguntar. Antes mesmo da resposta, eu já o estava abrindo e tirando de dentro dele uma espécie de credencial. E foi aí que percebi que esse seria o melhor aniversário de todos! Olhei para a Fani e para a Tracy, que estavam me encarando sorrindo, na maior expectativa para saber se eu tinha gostado. Ao ler, gritei tanto que a Winnie começou a latir achando que eu tinha enlouquecido ou coisa parecida...

> # Priscila Panogopoulos
> ## Guest
> ## This pass is valid for access to the Glee set on January the 3rd only
> ## No pictures allowed*

E tudo que eu mais queria agora era contar cada detalhe do meu dia para o Rodrigo. Mas pelo visto eu teria que esperar.

"Ah, que pena que está sem o computador, Rô...", falei começando a me sentir meio chateada de novo. "Você não conseguiu falar comigo mais cedo porque não fiquei aqui. Passei o dia inteiro no estúdio da Paramount, vendo a gravação de *Glee*! A Fani conseguiu um jeito de eu assistir!"

Na verdade, o verdadeiro responsável por aquilo havia sido o Christian, o ex-namorado da Fani. Mas o Rodrigo não gostava dele por causa do Leo, então achei melhor ocultar essa parte.

"Foi o máximo, não vejo a hora de te contar tudo! Estou tão feliz! E hoje à noite a gente vai sair, a Fani tem um amigo espanhol aqui, ele é muito engraçado e disse que não comemorar o aniversário dá azar pro ano todo!"

Notei que ele ficou um tempo calado, mas logo disse: "Que bom, Pri... Assim que você chegar quero ver todas as fotos da gravação!".

Eu ia começar a explicar que uma das normas do estúdio era não fotografar lá dentro, mas que, por coincidência, eu havia encontrado a Heather Morris na saída e, assim, tinha conseguido uma única foto daquele dia inesquecível, exatamente com a atriz que fazia o papel de uma das minhas personagens preferidas do seriado.

Porém, o Rodrigo continuou a falar: "Eu tenho mesmo que desligar agora, amanhã então a gente conversa com vídeo, tá?".

---

* Priscila Panogopoulos / Convidada / Esta entrada é válida para acesso ao estúdio de *Glee*, no dia 3 de janeiro apenas / Proibido tirar fotos

Apesar de ter achado o Rodrigo meio frio, concordei depressa, realmente não dava para ficar batendo papo em uma ligação internacional. Nos despedimos e, quando eu já estava tirando o telefone do ouvido, ele me chamou novamente.

"Pri, por favor, não adie sua volta mais uma vez... Esta cidade está muito chata sem você."

Então era isso. Não era frieza, era só saudade. Dei um grande sorriso e tive vontade de abraçar o telefone.

"Não vou adiar, prometo. E você não respondeu... Vai me esperar no aeroporto?"

"Você tem alguma dúvida?", ele perguntou.

Dei um suspiro, mandei um beijo enorme e desliguei, pensando que ali estava a primeira coisa que eu havia aprendido aos 19 anos: é possível se sentir triste e feliz ao mesmo tempo...

De: Priscila <pripriscilapri@aol.com>
Para: Luiz Fernando <lfpanogopoulos@mail.com.br>
   Lívia <livulcano@netnetnet.com.br>
Enviada: 04 de janeiro, 08:45
Assunto: Volta

Oi, pai e mãe mais lindos do mundo!!!

Posso adiar a minha volta mais uma vez? Queria ficar só mais uma semana, juro que só mais uma... Por favor!!!

Hahaha, brincadeira! Estou escrevendo só pra falar que vocês não precisam me buscar no aeroporto, o Rodrigo vai me esperar lá e me levar em casa.

Beijo enorme, morrendo de saudade!

Pri

P.S.: Mas se vocês me deixarem alterar a minha passagem de novo, eu vou adorar!

De: Luiz Fernando <lfpanogopoulos@mail.com.br>
Para: Priscila <pripriscilapri@aol.com>
CC: Lívia <livulcano@netnetnet.com.br>
Enviada: 04 de janeiro, 09:57
Assunto: Re: Volta

Quase um mês sem ver a gente e já está nos dispensando, né? Sei como é que é... Depois as mães e os pais viram uns chatos proibindo namoros e ninguém entende por quê!

Nada disso, mocinha. Nós vamos te esperar no aeroporto. Fala pro Rodrigo passar mais tarde aqui em casa pra te ver, quando a gente já tiver matado toda a saudade.

Papai

De: Lívia <livulcano@netnetnet.com.br>
Para: Priscila <pripriscilapri@aol.com>
Enviada: 04 de janeiro, 10:02
Assunto: Re: Re: Volta

Não liga pro seu pai, ele está apenas com ciúmes. Imagino o quanto você e o Rodrigo estão loucos para se encontrar. E é bom mesmo terem um tempinho a sós. Já convenci o seu pai a te esperar tranquilamente aqui em casa. Sei que vocês vão vir do aeroporto direto pra cá, né??? Senão eu também vou ficar com ciúmes.

Estou desesperada para saber cada segundo dessa viagem, porque com certeza ela foi maravilhosa. Afinal, você não teve tempo de mandar quase nenhuma notícia, além de e-mails pedindo para adiar a volta! E ainda bem que é brincadeira, porque agora com certeza a resposta seria NÃO. Não aguento mais de saudade da minha filha!

Beijinhos,

Mamãe

P.S.: Conseguiu fechar as malas? Espero que não tenha que pagar excesso.

2

> Ben: É impressão minha ou você está tentando destruir minha vida amorosa?
>
> (18 to Life)

Mãe, acordei e não tinha ninguém em casa. Onde está todo mundo? Estou indo buscar a Priscila, devo ficar na casa dela até mais tarde. O Bombril e a Estopa estão na cobertura. Se chover, coloque os dois pra dentro, por favor.

Beijo!
Rodrigo

De: Alan <alan_alan@mail.com.br>
Para: Rodrigo <rrrrrodrigooooo@gmail.com>
Enviada: 06 de janeiro, 10:57
Assunto: Ontem

Fala, Rodrigão!
Mandando e-mail porque acabou o crédito do meu cel.
Ontem foi demais, hein? Mas não te entendo, velho! Mulherada te querendo e você se fingindo de morto! Cara, a Priscila ficou um mês na gringa e você nem sabe o que ela aprontou por lá! Curte a vida, moleque!

Que horas você saiu do bar? Nem te vi indo embora, eu estava meio ocupado com aquela gostosa que peguei. Muito gata, mas fala demais... Tive que fechar a boca dela! Se é que me entende!!!

Estou voltando pra Bahia na semana que vem, só vim mesmo pra buscar o resto da minha mudança. Anima outra saída hoje? Vai ter show do Nabor no Entrefolhas! O Leo já topou! E olha que amanhã cedinho ele volta pro Rio de Janeiro, só veio passar uns dias com a família. Ainda bem que ele largou a Fani, aquilo era um atraso de vida! Agora que ele tá morando no Rio, cheio das cariocas em volta, nem aguenta ficar muito em BH!

Tá vendo, Rodrigo? Só você tá parado no tempo!

Como você disse que a Priscila chega hoje e eu já sei que você vai praticamente se mudar pra casa dela, já fica o convite pra ir me visitar em Caraíva! Mas termina esse namoro antes, ok? Fica chato te apresentar pras minhas amigas e você ficar desprezando as meninas! Elas se sentem rejeitadas e aí sou eu que tenho que aumentar a autoestima delas... Que problemão! Huahuahua! Pensando bem, pode ir quando quiser, acho até bom que você esteja namorando!

Abraço!

Alan

De: Rodrigo <rrrrrodrigooooo@gmail.com>
Para: Alan <alan_alan@mail.com.br>
Enviada: 06 de janeiro, 11:32
Assunto: Re: Ontem

Valeu, Alan!

Ontem foi ótimo mesmo, estava sentindo falta de sair com você e o Leo! Mas quase perdi a hora hoje, acordei tem pouco tempo!

Cara, só pra lembrar aquilo que te pedi ontem: não fala pro Leo que a Priscila foi visitar a Fani, ok??? Pra todos os efeitos, ela estava em São Paulo. Não é nada demais, mas é que eu estive no Rio mês passado e acabei ocultando esse fato... Não quero que o Leo se sinta passado pra trás ou algo assim, ele é meio ciumento com tudo que se relacione à Fani, você sabe.

Valeu pelo convite, mas hoje vou realmente matar a saudade que estou da minha namorada! Talvez um dia você arranje uma gata que te atraia mais que todas as outras juntas, aí vai me entender!

Mas vamos tentar nos encontrar antes da sua volta pro "paraíso"!

Rodrigo

De: Alan <alan_alan@mail.com.br>
Para: Rodrigo <rrrrrodrigoooo@gmail.com>
Enviada: 06 de janeiro, 11:42
Assunto: Re: Re: Ontem

Tá louco? Vê se eu vou ficar conversando com o Leo sobre a Fani! Quem vive de passado é museu!

Ok, te conto se um dia eu achar uma gata que me faça esquecer as outras. Acho que só se for em outro universo! A Priscila não tem uma prima? Preciso descobrir se isso é de família, porque pra te segurar assim, por tantos anos, ou a garota fez algum feitiço ou o beijo dela tem gosto de cerveja!

Fui!

Alan

Rodrigo, onde você está que não atende ao telefone? Já tentei no celular e no fixo! A mamãe e o papai foram naquele almoço beneficente, você pode me buscar na casa da minha amiga? Ela mora no Belvedere, dormi aqui ontem. A gente podia aproveitar e ir ao cinema no BH Shopping, o que você acha? Foi ótimo fazer isso na semana passada, amo sair com meu irmãozinho! Love you! Sara

Hoje não vai dar, Sara... Estou indo buscar a Pri no aeroporto e já estou atrasado! Depois a gente combina de ver outro filme. Você pode voltar de táxi? Beijo! Rô

Ah, nem!!! Tinha esquecido que essa grudenta chega hoje! Poxa, Rodrigo, você tem o ano inteiro pra namorar, mas eu só fico de férias no Brasil até o final de janeiro! :(Sara

Tem quase um mês que não vejo a Pri, Sarinha... E já combinei de ir buscá-la. Prometo que ainda vou passar muito tempo com você antes da sua volta pro Canadá! Beijão! Rô

3

> *Nathan: Se você tiver sorte, se você for a pessoa mais sortuda do mundo inteiro, a pessoa que você ama vai te amar também.*
>
> (One Tree Hill)

Eu estava dormindo profundamente quando cheguei a Belo Horizonte. Na ida, o avião tinha apenas um telão e o filme que passaram era um tédio... Mas na volta cada pessoa tinha a sua pequena tela particular, fixada no encosto do banco da frente, e eram tantos seriados perfeitos na programação que eu simplesmente não consegui adormecer! Fiquei vendo todos os episódios possíveis durante o tempo de voo. Apenas já em solo brasileiro, depois de ter feito conexão no Rio, quando me sentei no avião para BH – que por sinal não tinha TV nenhuma –, é que eu senti todo o cansaço bater. E então apaguei. Acordei com a aeromoça cutucando o meu ombro, avisando que eu tinha que desembarcar. Fiquei uns 30 segundos tentando entender onde eu estava, ainda mais depois de ter olhado para o meu relógio, que estava marcando 6 da manhã, e lá fora o sol estar rachando! Mas aos poucos me situei e percebi que, apesar de ainda estar no fuso horário de Los Angeles, eu havia chegado em casa.

Desci do avião me sentindo meio estranha. Apesar de ter ficado quase um mês fora, era como se o tempo não tivesse passado. Tudo estava igual no aeroporto... Os terminais, a lanchonete, a banca de revista e até as pessoas pareciam as mesmas! Mas quando peguei minhas malas e passei pela porta do desembarque, percebi que eu realmente havia ficado muito tempo longe. Porque ao olhar para o Rodrigo, que estava me esperando na saída, senti de uma só vez toda a saudade me atingir e não entendi como eu tinha conseguido ficar tanto tempo sem ele.

Nas séries, quando casais se reencontram depois de um tempo separados, a cena é quase sempre a mesma: um correndo em direção ao outro, se agarrando, largando as malas no chão, atrapalhando a passagem das outras pessoas, aquele drama todo. Mas acho que na vida real não é assim. Pelo menos não na minha vida. Porque, no momento em que o vi, eu parei e fiquei apenas matando a saudade de olhá-lo.

Ele estava em meio a vários desconhecidos, mas parecia bem mais colorido que todos eles, mesmo com a blusa cinza que estava usando. Apesar do sorriso ao me ver, ele continuava com aqueles olhos tristes que eu amava tanto, que me davam vontade de cuidar dele, de colocá-lo no colo... Percebi que ele tinha cortado o cabelo e que estava mais bronzeado. Mas apesar disso, continuava sendo o meu Rodrigo. Que era parte tão grande da minha vida que eu nem conseguia mais me lembrar de como era antes de ele aparecer.

Aproximei devagar, e, sem dizer uma palavra, ele tirou da minha mão a bolsa que eu estava carregando e a mochila das minhas costas. Apenas depois de colocar tudo com cuidado no carrinho que já estava com minhas outras malas, ele me abraçou.

"Senti tanto a sua falta, Pri...", ele falou no meu ouvido, com o corpo colado no meu. E então afastou o rosto e ficou me analisando, como se estivesse conferindo se eu havia voltado inteira. Sorri, puxei-o novamente e dei um longo beijo, pra ele ver de uma vez só que eu continuava a mesma. E foi aí que entendi o que a minha mãe tinha escrito sobre "irmos direto pra casa". Realmente a vontade era de matar toda a saudade o mais depressa possível. Mas percebi que íamos ter que esperar um pouco, porque no meio do beijo o telefone dele começou a tocar.

"Deve ser seu pai...", ele falou meio contrariado. "Ele já me ligou umas três vezes perguntando se você tinha chegado."

O Rodrigo pegou o celular no bolso e vimos que havia acertado. Ele passou o telefone pra mim e fez sinal para irmos andando para o estacionamento enquanto eu conversava.

Meu pai queria saber como tinha sido o voo, se haviam me parado na alfândega para abrir minhas malas, se eu tinha comido alguma coisa durante a conexão, pois comida de avião não sustenta... Em seguida ele passou para a minha mãe. Com toda a paciência, respondi as mesmas indagações. Eu sabia que eles poderiam deixar para me perguntar tudo pessoalmente, dali a menos de uma hora, mas acho que ficar longe da filha por quase um mês deve diminuir mesmo um pouco a coerência das pessoas.

Quando eles saciaram toda a curiosidade, o Rodrigo já tinha até guardado a minha bagagem no porta-malas. Ele então abriu a porta para que eu entrasse e eu perguntei rindo: "Ué, que cavalheirismo é esse? A saudade faz milagres, hein?".

Ele deu um sorriso meio sem graça, como se estivesse pensando sobre aquilo, entrou do outro lado e deu a partida.

"Como foi lá no Rio?", perguntei assim que ele começou a dirigir. Era um longo percurso até a minha casa, com certeza teríamos tempo de colocar a conversa em dia. E eu queria começar exatamente por aquele tema: a viagem dele para o Rio de Janeiro. O Rodrigo havia passado uns dias lá especialmente para visitar o Leo, que tinha se mudado havia seis meses. Mas quase não nos comunicamos nesse período, por isso eu estava morrendo de curiosidade para saber se o Leo ainda gostava da Fani, se tinha se arrependido de ter terminado com ela e tudo mais... Só que eu tinha certeza de que o Rô não ia me entregar isso assim de bandeja. Ainda mais agora, depois de eu ter passado todos esses dias com a Fani... Ele devia estar pensando que eu ia contar tudo pra ela no segundo seguinte! Mas ele estava muito enganado, porque ou a Fani era uma atriz muito boa ou ela realmente tinha virado a página. Nós só falamos sobre o Leo em um dia e assim mesmo porque eu puxei esse assunto. Mas ela apenas respondeu superficialmente e pediu para conversarmos sobre outra coisa. Aliás, aquela tinha sido a única vez que eu vi um resquício da antiga melancolia que a Fani tinha. Em Los Angeles era como se ela tivesse desabrochado, mal a reconheci quando cheguei. Ela estava tão falante e até... extrovertida! Cheia de amigos, saindo à noite... Mas em alguns momentos, quando ela baixava a guarda, eu ainda via nela aquela Fani de sempre. E isso era bom, porque apesar de ter adorado a mudança, eu sentia um pouco de saudade daquela menininha tímida e sonhadora que ela era.

O Rô deu uma olhadinha para mim e disse: "Foi normal, aquilo mesmo que eu te falei por e-mail. Muito sol, muita praia... Você entendeu por que eu não te liguei por vídeo no período que fiquei lá, né, Pri? Eu falei pro Leo que você estava em São Paulo. Sei lá, achei que ele pudesse se sentir meio traído. Mas depois que cheguei ao Rio vi que ele não se importaria, afinal, não é como se *eu* tivesse ido pra Los Angeles visitar a ex dele. Só que achei melhor não desmentir, pois aí, sim, ele se sentiria enganado. O Leo é meio temperamental, você sabe".

"Vocês falaram da Fani?", perguntei de uma vez só e encarei o Rodrigo. Ele não sabia mentir, a expressão dele sempre denunciava. Então, se eles tivessem conversado sobre ela, certamente eu perceberia.

"Falamos", ele assentiu, para minha grande surpresa. "Ele ainda gosta dela. Não que tenha me confessado isso, mas o Luigi e o Danilo, um colega novo dele, deram a entender. Mas o Leo está se esforçando para esquecê-la. Já até arrumou uma namorada nova e tudo..."

"Verdade?", perguntei surpresa. Eu achava que, depois da Fani, o Leo ia ficar com várias meninas, mas que demoraria muito para namorar sério outra vez. "A Fani também já arrumou outro namorado...", falei olhando pela janela. Ao contrário do que eu pensava sobre o Leo, eu sabia que ela não ia ficar muito tempo sozinha. A Fani é o tipo de pessoa que nasceu pra namorar. "Eu conheci o cara, ele é da faculdade dela. Mas enquanto eu estava lá, eles terminaram... Durou apenas três meses."

O Rodrigo desviou os olhos da estrada e se virou para mim. Percebi que ficou admirado com essa informação.

"O Leo terminou com a tal garota também..."

Ficamos nos olhando um tempinho e, sem dizer uma palavra, soubemos que estávamos pensando a mesma coisa. O Leo e a Fani não iam se acertar com ninguém tão cedo... Os dois eram tão perfeitos juntos que se relacionar com qualquer outra pessoa devia parecer incompleto para eles. Eu não concordava com o que o Leo havia feito com a Fani, com o jeito que ele tinha terminado com ela, mas ainda assim e mesmo tendo certeza de que eles não reatariam, desejei que algum dia, depois de o tempo já ter curado todas as mágoas, eles se reencontrassem. E então tudo faria sentido novamente.

Eu me virei para o Rô, que tinha tornado a prestar atenção na estrada. Acho que todas as pessoas que nos conheciam também deviam ter aquela impressão. Que éramos perfeitos juntos. Que havíamos sido feitos um para o outro. Que nada nem ninguém poderia nos separar.

Alarguei um pouco o cinto de segurança, me sentei um pouco mais para o lado e encostei a cabeça no ombro dele. Ele olhou para mim e me abraçou, me puxando para ainda mais perto.

Então eu também tive aquela certeza. Nada nem ninguém nunca iria nos separar.

4

Cam: Confie em mim, eu tenho outro plano.
(Modern Family)

De: Sara <sararochette@mail.com.br>
Para: João Marcelo <marcelorochette@netnetnet.com.br>
Enviada: 06 de janeiro, 13:32
Assunto: Contato

Hello, brother!

Tudo bom por aí? Continua esquiando em Whistler? Morra de inveja, aqui no Brasil está um calor de 40 graus! Fiquei uma semana em Búzios (inclusive passei o Réveillon lá) e vou esnobar total meu bronze quando voltar!

Caso você já esteja em Vancouver, pode verificar se a Cloud está bem? A filha da minha vizinha ficou de ir no meu apartamento todos os dias para colocar água e comida para ela, mas não confio em adolescentes! Tenho medo de que ela esteja trancada no quarto hipnotizada pelo computador e celular, enquanto minha gata morre de fome! Confere lá pra mim, por favor? A chave está no esconderijo de sempre.

Mas, João, estou escrevendo é pra saber se você tem aí aquele e-mail que você usou para mandar seus documentos para a faculdade, quando estava tentando ser admitido. Já me formei há tantos anos que nem tenho mais isso. Arruma pra mim?

Thanks! Te vejo no fim do mês!

Sara

De: João Marcelo <marcelorochette@netnetnet.com.br>
Para: Sara <sararochette@mail.com.br>
Enviada: 06 de janeiro, 14:08
Assunto: Re: Contato

Hello. Quê isso agora? Está realmente querendo ser multi-instrumentista? Já não basta ter se formado em piano, harpa e canto lírico? Vai gostar de fazer faculdade assim lá longe...

Foi a mamãe que mandou os documentos pra mim. Mas fiz uma pesquisa na internet e encontrei. O e-mail é: admissions@ubc.ca

Voltei de Whistler ontem. Ok, vou dar uma passada hoje à noite pra ver sua gata. Espero que ela não me arranhe como da última vez ou vou jogá-la pela janela!

Beijo.

João Marcelo

De: Sara <sararochette@mail.com.br>
Para: João Marcelo <marcelorochette@netnetnet.com.br>
Enviada: 06 de janeiro, 14:12
Assunto: Re: Re: Contato

Se quando eu voltar a minha gata estiver com um fio do bigode fora do lugar, quem vai ser arremessado vai ser você!

Sobre a faculdade, relaxa, não é pra mim... Estou com um plano aqui. Logo você vai ter notícias.

Beijinhos,

Sara

P.S.: Nada de levar namoradas para passar a noite no meu apartamento!

De: Sara <sararochette@mail.com.br>
Para: Admissions <admissions@ubc.ca>
Enviada: 06 de janeiro, 14:30
Assunto: Information
Attachment: CVRRochette.pdf

Dear Sir,

I am a former student at the University of British Columbia and I can't thank you enough for all you have done for me. Because of UBC, today I am a happy fulfilled professional! I enjoyed so much the years I studied there that I would now like to recommend my youngest brother, Rodrigo Rochette, to be a student there too. He is a musician, plays the guitar, the drums and also sings. He currently attends college in Brazil, but I wonder how the transfer process is done. Attached you will find his résumé for consideration in addition to a recording I made of him singing and playing. My other brother, João Marcelo Rochette, also graduated from UBC and loved his years there.

Thank you,

Sara Rochette*

---

* *Caro senhor, sou ex-aluna da Universidade de British Columbia e não tenho como agradecer tudo que vocês fizeram por mim. Por causa da UBC, hoje sou uma profissional realizada e feliz! Gostei tanto do período em que estudei aí que gostaria de recomendar o meu irmão mais novo, Rodrigo Rochette, para estudar aí também. Ele é músico, toca violão, bateria e também canta. Atualmente ele faz faculdade no Brasil, mas gostaria de saber como é o processo de transferência. Estou mandando em anexo o currículo dele, para a sua apreciação, além de uma gravação que fiz dele cantando e tocando. Meu outro irmão, João Marcelo Rochette, também se formou na UBC e adorou os anos que passou aí. Obrigada, Sara Rochette*

De: Sara <sararochette@mail.com.br>
Para: João Marcelo <marcelorochette@netnetnet.com.br>
Daniel <danielrochette@netnetnet.com.br>
Lúcia <lucialrochette@mail.com.br>
Maurício <drmrochette@clinimedic.com.br>
Enviada: 06 de janeiro, 14:42
Assunto: Rodrigo

Olá, família!

Estou mandando este e-mail coletivo porque acho que temos que conversar a respeito do Rodrigo, peço que mantenham o que vou escrever aqui em sigilo e que leiam com atenção.

Nesses 10 dias desde que cheguei ao Brasil, achei meu "irmãozinho" meio perdido... Sem motivação, sem rumo, sem um objetivo maior na vida. Já tinha mais de um ano que eu não o encontrava e essa foi a primeira vez que pude vê-lo por um tempo sozinho, desde que ele e a Priscila começaram a namorar. E, exatamente porque ela estava viajando, pude finalmente observar o Rodrigo individualmente, sem a presença constante dela por perto. Por isso, notei nitidamente a diferença. Quando estão juntos ele conversa, conta novidades, é charmoso e sorridente. Sem ela, o Rô é o oposto. Sem vida, sem assunto, sem vontade de fazer nada... Outro dia tive que arrastá-lo para o cinema, e durante a sessão percebi que ele ficou o tempo todo de olho no celular, provavelmente para ver se tinha chegado alguma mensagem ou e-mail dela...

Pior foi quando perguntei se ele estava animado com o estágio que está prestes a começar. Ele apenas balançou os ombros e falou que estava "normal". Ou seja, sem a menor empolgação! Eu perguntei pra ele com o que ele pensa trabalhar depois de se formar e ele falou:

"Com administração". Bem, disso eu já sabia, afinal, se ele está estudando Administração de Empresas, está na cara que ele vai administrar alguma coisa! Mas foi aí que eu comecei a me perguntar... Que coisa vai ser essa? Lembro que na época do vestibular tive a impressão de que ele havia escolhido esse curso em grande parte porque o Leonardo também tinha feito essa opção. Mas o pai do Leo é dono de uma empresa... Pra ele isso faz sentido. E mesmo assim, nem o próprio Leo prosseguiu com essa escolha.

Por experiência própria sei que, mesmo quando amamos o nosso trabalho, alguns dias são difíceis, nem dá vontade de levantar da cama. Imagina trabalhar com algo que você nem gosta?? Na época em que o Rô passou no vestibular para esse curso lembro que perguntei por que ele não tinha tentando entrar na faculdade de Música ou de Veterinária. Ele me respondeu que a música para ele era um hobby e que amava muito os animais para vê-los sofrer. Mas acho que passou da hora do Rodrigo descobrir que os melhores trabalhos são aqueles que faríamos até de graça, ou até que pagaríamos pra fazer! Saber que sou remunerada para tocar e cantar - coisas que eu já fazia por prazer - é tão gratificante que nem parece trabalho... Me sinto constantemente de férias. E eu realmente gostaria que o meu irmão também sentisse isso.

A Priscila não pode ser a única fonte de felicidade do Rodrigo. Se algum dia esse namoro acabar, o que vai ser da vida dele? Não quero que ele se dê conta tarde demais do que perdeu... E muito menos que fique deprimido por não ver mais nenhum sentido em seu cotidiano.

Voltando ao começo, o único momento em que peguei o Rodrigo empolgado, desde que cheguei aqui de férias, foi em um dia em que o encontrei no estúdio, compondo uma música. Ele escrevia a letra, aí corria para tocar no violão, em seguida marcava o ritmo na bateria, depois gravava tudo... Pena que ele me pediu para sair quando percebeu que eu estava observando da janela, disse que eu estava minando a inspiração dele.

Por isso, tive uma ideia e conto com a ajuda de vocês. Acho que seria maravilhoso para o Rodrigo morar um tempo no Canadá comigo. Mãe, você deve se lembrar do quanto reclamava das atitudes do João Marcelo antes de ele se mudar pra lá, e depois viu como ele melhorou! Assim como o João, o Rodrigo só está sem perspectivas aqui... Aposto que lá ele poderia se tornar um homem muito mais completo, realizado e feliz.

Tomei a liberdade de já escrever para a UBC e mandar um currículo que fiz para o Rô. Sei que eles vão adorar e não tenho dúvidas de que ele possa ser admitido. Assim, peço, por favor, a ajuda de vocês para abrir os olhos do Rodrigo para essa oportunidade. Sei que todos só queremos o melhor pra ele, e assim concordarão comigo que a condição atual em que ele está não é nada boa...

Beijos!

Sara

De: Daniel <danielrochette@netnetnet.com.br>
Para: Sara <sararochette@mail.com.br>
   João Marcelo <marcelorochette@netnetnet.com.br>
   Lúcia <lucialrochette@mail.com.br>
   Maurício <drmrochette@clinimedic.com.br>
Enviada: 06 de janeiro, 14:45
Assunto: Re: Rodrigo

Também acho que o Rodrigo não tem nada a ver com administração, mas o que tem menos a ver ainda é ele se mudar pro Canadá! Tem gente que gosta do

Brasil, ok, Sara? Tipo eu. E tem gente que gosta da Priscila. Tipo eu também. Acho que seria muito bom se o Rô fizesse Música ou Veterinária no Brasil. Mas ele tem a vida toda pra isso.

Mãe, pai, aproveitando o e-mail, está tudo bem aqui em Florianópolis, a banda está ótima, estamos tocando todos os dias, sempre muito cheio.

A Dani está mandando beijo para todos. E eu também.

Daniel

De: João Marcelo <marcelorochette@netnetnet.com.br>
Para: Daniel <danielrochette@netnetnet.com.br>
    Sara <sararochette@mail.com.br>
    Lúcia <lucialrochette@mail.com.br>
    Maurício <drmrochette@clinimedic.com.br>
Enviada: 06 de janeiro, 14:55
Assunto: Re: Re: Rodrigo

Tamo junto, Sara! Acho que já passou da hora do Rodrigo vir pra cá! E, francamente, essa Priscila já deu, né? Não queria voltar lá atrás, mas fui o primeiro que falou que ela não servia pra ele. Mas mesmo que ela fosse a mulher perfeita, quem hoje em dia se casa com a namoradinha de escola?? Porque, caso não estejam enxergando, tudo está caminhando pra isso. Daqui a pouco o Rodrigo vai aparecer aí distribuindo convites de casamento.

Beijos!

Marcelo

P.S.: Mãe, de quais atitudes minhas você reclamava antes de eu me mudar pro Canadá? Não entendi essa parte do e-mail da Sara. Sempre fui um santo... hehehe!

P.S. 2: Pai, o cartão de crédito está com problema? Foi recusado três vezes já.

P.S. 3: Sara, sua cama é tão macia... A Lauren, minha namorada nova, adorou. Ah, sua gata está viva, mas estava faminta. Achei melhor trazê-la para o meu apartamento, pra cuidar melhor dela.

De: Lúcia <lucialrochette@mail.com.br>
Para: João Marcelo <marcelorochette@netnetnet.com.br>
Daniel <danielrochette@netnetnet.com.br>
Sara <sararochette@mail.com.br>
Maurício <drmrochette@clinimedic.com.br>
Enviada: 06 de janeiro, 15:37
Assunto: Re: Re: Re: Rodrigo

Sara, toda vez que você vem no Brasil fica insistindo nessa ideia do seu irmão ir para o Canadá com você. Pois vou te falar o que é o melhor para o Rodrigo. O melhor para ele é o que ELE quer fazer. Sim, eu sei que ele teria uma carreira maravilhosa na Música, mas essa não é a vontade dele! O Rodrigo é caseiro, é sossegado, gosta dos pequenos prazeres da vida. Ele não precisa ir muito longe para encontrar a felicidade, já a encontrou dentro dele. Sinto muito se você não consegue enxergar isso. E não é apenas quando a Priscila (que por sinal é uma moça maravilhosa) está perto. Não venha julgar o seu irmão com apenas 10 dias de convívio. Isso que você chamou de falta de motivação eu defino com outro nome: saudade. Sim, ele estava amuadinho nos últimos dias, mas apenas porque estava com saudade da namorada! Ser SENSÍVEL é uma grande qualidade dele, e sei que exatamente por isso ele vai longe na profissão que escolher.

Desculpe, filha, mas o Rodrigo já vai fazer 20 anos e até hoje soube se virar muito bem. Ouso dizer que bem melhor do que você e os seus outros irmãos.

Beijos,

Mamãe

P.S.: Nos primeiros dias depois da sua chegada você também estava morrendo de saudade do Ethan, eu percebi sua tristeza, não pense que me engana. Bem que eu avisei que era pra trazê-lo de novo, eu e o seu pai o achamos um ótimo rapaz.

De: Maurício <drmrochette@clinimedic.com.br>
Para: Lúcia <lucialrochette@mail.com.br>
   João Marcelo <marcelorochette@netnetnet.com.br>
   Daniel <danielrochette@netnetnet.com.br>
   Sara <sararochette@mail.com.br>
Enviada: 06 de janeiro, 16:01
Assunto: Re: Re: Re: Re: Rodrigo

Interessante discussão. Eu deveria ter pensado nisso e enviado um e-mail em grupo quando tentei que cada um de vocês (meus filhos) seguisse meus passos na Medicina, quem sabe assim eu conseguiria persuadi-los? Mas, ao contrário, aceitei bem quando vocês decidiram quais cursos estudar na faculdade, pensando que isso seria um bom exemplo... Julguei que assim os ensinaria que devemos sempre respeitar as escolhas das outras pessoas.

Que pena que vocês não aprenderam.

Papai

5

> _Gloria:_ Família é família. Quer seja aquela na qual você começou. Aquela na qual você vai parar... Ou a família que você ganha ao longo da vida.
>
> (Modern Family)

"Surpresa!!!"

Olhei em volta e não pude acreditar. Em vez de encontrar apenas o meu pai e a minha mãe me esperando, ao abrir a porta de casa vi mais umas 10 pessoas: A Marina, a Natália, o Alberto, a Gabi, a Bruna, a Larissa, minhas tias, minha avó... E também meus gatos, cachorros e meu porquinho!

"Vocês fizeram uma festa surpresa pra mim?", perguntei o óbvio apenas pelo choque, já que estava na cara que era exatamente aquilo. Tinha inclusive balões na parede! E minha mãe estava segurando um bolo de brigadeiro enorme.

Olhei para o Rodrigo, para saber se ele era cúmplice daquilo, pois no carro ele não tinha dado a menor pista de que havia uma festa me esperando. Ele apenas deu uma piscadinha, sorrindo, e colocou as minhas malas para dentro. Então quer dizer que o meu namorado era um bom ator... Aquela, sim, era uma surpresa, algo que eu não havia descoberto sobre ele em cinco anos e meio.

Me abaixei para fazer carinho na Duna e no Biscoito, que não paravam de pular nas minhas pernas. Na sequência peguei a Snow e o Floquinho no colo, e eles ronronaram tão alto que fiquei até com pena de colocá-los de volta no chão. Mas eu ainda precisava abraçar o Rabicó. E só depois disso fui cumprimentar o pessoal. Eu nem acreditava que a Bruna e a Larissa tinham vindo de São Paulo! Eu não via as duas desde o meu aniversário do ano anterior. E a Gabi eu também não encontrava já havia seis meses, desde a partida da Fani para Los Angeles...

Beijei minha mãe, agradecendo imensamente por aquela surpresa. Eu estava meio para baixo por ter voltado da viagem, mas depois de encontrar o Rodrigo e, agora, com aquela recepção calorosa, eu não podia estar mais feliz!

"Agradeça o seu pai", minha mãe disse, depois de me dar um abraço apertado. "A ideia foi dele."

Fiquei surpresa também com aquilo. Meu pai, apesar de ser a pessoa mais criativa do mundo, não costumava usar isso na vida pessoal. Por ser publicitário, ele "gastava" no trabalho todas as ideias geniais que tinha...

Eu então o abracei também, e ele disse que tinha feito aquilo por receio de que eu tivesse voltado apenas para avisar que iria morar em Los Angeles para sempre. E que aquela festinha com todos os meus amigos e a minha família era uma tentativa de me persuadir a ficar.

Eu ri, sabia que meu pai estava brincando, mas ele nem imaginava o quanto eu havia pensado seriamente naquela possibilidade...

Em seguida fui falar com as meninas, que me encheram de perguntas.

"Priscila, você está mais branquinha!", a Marina falou assim que me aproximei. "Pensei que fosse pegar um sol na Califórnia..."

Olhei para a minha prima, que estava bem bronzeada, e vi que as outras também estavam assim. Elas deviam estar aproveitando muito o verão.

"Nos Estados Unidos agora é inverno", expliquei. "O máximo que peguei lá foi 15 graus. Apesar do sol ter aparecido todos os dias..."

"E os gatinhos californianos?", a Bruna falou, meio sussurrando, verificando se o Rodrigo estava por perto.

"Aposto que a Pri nem reparou!", a Larissa falou antes que eu respondesse. "Pelas fotos que postou, a única coisa que ela viu lá foram os estúdios de seriados e cinema!"

"E a Fani?", a Gabi perguntou com uma expressão meio preocupada. "Ela está bem? Feliz? Ou o que escreve nos e-mails é encenação?"

"Ela está ótima!", respondi sorrindo. "Acho que nunca esteve tão bem..."

"Que bom!", a Natália entrou no meio. "Graças a Deus esqueceu aquele ridículo do Leo!"

O Rodrigo chegou bem nessa hora e ficou meio sem graça, afinal, o "ridículo" em questão era o melhor amigo dele... O Alberto então deu um beijo na Natália e perguntou para o Rodrigo se tinha jeito de arrumar uma cerveja na cozinha, pois ele só estava vendo refrigerante. Os dois se afastaram e então a Gabi voltou a falar: "A casa dela é legal?".

A Nat revirou os olhos e disse: "Quem quer saber de casa? Quero descobrir o que realmente importa! Você conheceu o namorado novo dela? Ele é bonitinho?".

"Eles terminaram...", contei, e elas imediatamente perguntaram o motivo. Comecei a me sentir meio sufocada com tantas perguntas e também pelo calor que estava sentindo. Eu estava de calça jeans e com uma blusa de manga comprida. Ideal para o clima de Los Angeles, mas totalmente inadequado para os 40 graus que parecia estar fazendo naquele momento! As meninas estavam todas de vestido ou shortinho...

"Preciso tomar um banho e trocar de roupa", falei enxugando o suor da testa. "Vocês esperam 15 minutinhos? Prometo que quando voltar conto cada detalhe de Los Angeles e da vida da Fani!"

Elas concordaram. Vi que o Rodrigo e o Alberto estavam batendo papo na varanda e os meus pais conversando com o resto da minha família na sala, então fui depressa, para voltar antes que alguém sentisse minha falta.

Mas havia algo que eu precisava fazer antes...

Em vez de ir para o banheiro, fui em direção ao quintal. Eu já tinha visto o Rabicó, a Snow, o Floquinho, a Duna e o Biscoito, mas estava morrendo de saudade dos meus outros bichos!

De cara avistei o Pavarotti, que começou a gritar ao me ver.

"Shhhh!", falei enquanto o pegava no dedo e o colocava no meu ombro. "Assim todo mundo vai descobrir que eu estou aqui!"

Ele pareceu entender, pois parou de fazer barulho e ficou apenas balbuciando baixinho.

Coloquei meu papagaio de volta no poleiro e fui em direção aos viveiros. O primeiro que abri foi o do Chico. Ele ficou meio assustado, mas assim que cheirou minha mão veio para mais perto. Eu o peguei e dei um beijinho na cabeça dele. Meu furão estava ficando velhinho e já não tinha mais a mesma agitação de antes. Quando eu estava em casa, o deixava ficar lá dentro, mas se eu saía, preferia colocá-lo no viveiro, que era bem grande e onde ele podia se locomover em segurança. Quando era mais novo, ele conseguia se defender, mas agora, com nove anos, ele realmente já era considerado um senhor no mundo dos furões. Eu tinha medo de a Duna machucá-lo em alguma brincadeira.

Depois de verificar se estava tudo certo com ele, coloquei-o de volta e abri a porta do viveiro ao lado, que era o dos coelhos. Eram sete ao todo. Assim que entrei, a Pelúcia veio correndo em minha direção, mas os outros ficaram me olhando meio ressabiados. Ela era a única que não tinha medo de gente, muito pelo contrário. Adorava um colo! Pelo menos o meu colo. Acho que ela ainda se lembrava de quando eu a havia resgatado no Mercado Central, três anos antes, quando fiz um protesto contra os maus-tratos que os animais infelizmente ainda recebem naquele lugar. O protesto não teve muito impacto, outras pessoas inclusive fizeram várias manifestações depois, mas os bichos continuam lá, em péssimas condições, sem luz nem espaço adequados. Mas pelo menos naquele dia eu salvei um deles... a Pelúcia. Ela estava com a orelha ferida e eu a levei para casa. Na ocasião eu ainda pensava que era um coelho macho, e o Rodrigo sugeriu que eu o chamasse de Pelúcio. Mas ao levar no veterinário para tratar do machucado, descobri que era *a* Pelúcia! E não era só isso... Ela estava grávida!

Poucos dias depois nasceram três coelhinhos: uma fêmea – a Lili – e dois machos – o Tambor e o Veludo. É claro que eu não tive coragem de doar nenhum, a mãe deles já tinha sofrido o suficiente, não precisava de mais essa tristeza em sua vida, de ter que ficar sem seus filhos! Por isso mandei construir um viveiro no quintal (depois de ficar uns 10 dias tentando convencer a minha mãe a deixar e mais uns 15 pedindo o dinheiro para o meu pai, para pagar a mão de obra e o material). E assim que os filhotinhos machos cresceram, mandamos castrá-los, senão em poucos meses teríamos coelhos por todos os lados, já que eles se reproduzem muito rápido. Só que, para completar, um dia, chegando em casa, eu e minha mãe avistamos uma cesta de palha em nosso portão, com alguns panos cobrindo o conteúdo. Desci do carro meio apreensiva, eu já tinha lido no jornal histórias de nenéns que eram deixados na porta da casa dos outros, e não podia acreditar que alguém fosse capaz de largar um filho assim. Porém, ao remover os panos e olhar para dentro do cesto, tive a maior surpresa ao ver que não era um bebê que estava lá dentro. Quer dizer, pelo menos não um bebê humano. Eram três coelhinhos filhotes! Junto deles tinha um bilhete.

> *Priscila, sei que vocês amam animais e inclusive têm coelhos. Por favor, fique com eles. Meu pai falou que vai jogar tudo no Rio Arrudas!*

O bilhete não tinha assinatura, mas com certeza era de alguém da vizinhança, já que eu morava em um condomínio fechado. Fiquei tentando catalogar mentalmente quem poderia cometer uma atrocidade daquelas, jogar filhotinhos no esgoto, mas logo deixei para lá. Pelo menos o filho ou a filha era uma pessoa bondosa. E esperta. Porque com certeza ela havia escolhido o lugar certo para deixar aqueles coelhinhos. Eu ia cuidar deles como se fossem filhos da Pelúcia. Ou melhor, como se fossem *meus* filhos. E acho que eles sabiam disso, pois mesmo sem gostar de colo, todos sempre pareciam felizes quando eu ia ao viveiro, mesmo que fosse apenas para fazer carinho, como agora. Carreguei a Pelúcia um pouco, mas logo a coloquei no chão, prometendo que voltaria depois com mais calma.

E então finalmente fui para o meu quarto, antes que as pessoas achassem que eu tivesse sido abduzida. Ou fugido de volta pra Los Angeles, que era o que todo mundo parecia pensar que eu estava prestes a fazer. Eu tinha que admitir que, apesar de estar adorando matar a saudade de casa e de todo mundo, uma grande parte de mim já estava mesmo louca para voltar para a Califórnia. Eu nunca tinha me identificado tanto com um lugar! As pessoas pareciam falar a minha língua (apesar de eu ter percebido que o meu inglês precisava ainda de muito treino!), todos sabiam tudo sobre séries, as novas e as antigas. A cidade era exatamente como as dos episódios que eu via, o mesmo tipo de casas e de ruas... Eu, que sempre quis morar dentro de uma série de TV, de repente me vi exatamente assim, como se eu fosse a personagem principal de alguma delas! Mas agora eu estava de volta à minha vida normal, que eu sempre tinha achado muito interessante. Mas depois de conhecer Los Angeles, já não tinha tanta certeza assim...

Abri o meu armário e peguei um vestido bem fresquinho, para colocar depois do banho. Notei que o Rodrigo tinha deixado as malas em cima da minha cama. Sentei e resolvi abri-las, para já separar umas lembrancinhas que eu tinha trazido para o pessoal. Mas a primeira coisa que vi foi uma foto minha que a Fani tinha tirado com a câmera instantânea dela, do momento em que eu havia desembarcado em Los Angeles. Eu estava tão feliz que, só de me olhar no retrato, sorri também. E então a minha memória me puxou para o primeiro dia daquela viagem, que eu nem de longe esperava que fosse tão inesquecível...

6

<u>John Locke</u>: Não me diga o que não posso fazer.

(Lost)

Diário de Viagem

<u>1º dia em Los Angeles</u>

Acabei de chegar! A Fani falou que vai estar me esperando no desembarque, não vejo a hora de encontrar com ela! Pelo que vi da cidade enquanto o avião descia, já gostei! Está um lindo dia, com o céu azul, sem nuvens, e muito ensolarado.

O que será que me espera? Estou até com frio na barriga!

Abriram as portas do avião! Até mais tarde!

"Bem-vinda, Priscila!", a Fani me deu um abraço apertado assim que desembarquei. Ela estava com a Winnie na coleira, a cachorrinha dela. Como havia crescido! Quando a Fani viajou, a Winnie tinha poucos meses. Mas apesar de estar bem maior, ela continuava muito fofa! Peguei-a no colo e olhei para a Fani. Ela, em contrapartida, estava exatamente igual, mas parecia mais leve... Mais *livre*. E eu não sabia que estava com tanta saudade dela até aquele momento! "Sorria", ela disse enquanto levantava uma câmera fotográfica cor-de-rosa, daquelas que revelam a foto instantaneamente. "Quero registrar seus primeiros minutos em L.A.!"

Sorri abraçando a Winnie e a Fani falou: "Vai ficar linda!". Alguns segundos depois a máquina cuspiu a foto e nós ficamos olhando, esperando revelar. Quando minha imagem começou a aparecer, vi que ela estava certa. A foto tinha mesmo ficado muito bonita.

"Posso guardar como recordação?", perguntei. "Estou fazendo um diário de viagem. Seria ótimo colocar essa foto lá pra ilustrar!"

"Claro, é sua! Só pensei que você ia querer dar de presente pro Rodrigo... Está tudo bem entre vocês, né?"

"Tudo ótimo!", falei depressa e torci para ela não perguntar demais. O Rô estava indo para o Rio, passar alguns dias com o Leo. E eu não queria ter que contar isso para ela. Não tinha intenção de falar o nome do Leo para a Fani nunca mais... Eu sabia que aquilo a deixaria triste. "Eu dou outras pro Rodrigo, mas essa primeira eu quero guardar de lembrança!"

Ela sorriu e me entregou a foto. Em seguida perguntou se eu gostaria de ir ao banheiro ou comer alguma coisa, pois a gente ia demorar pelo menos uns 40 minutos para chegar à casa dela. Eu disse que estava bem e fomos andando para o estacionamento.

"Nossa, você é muito prática. Eu não consigo viajar por mais de uma semana com uma mala tão pequena", ela comentou, olhando para a minha bagagem.

"Acostumei a fazer mala nesses anos todos indo de BH pra São Paulo", expliquei. "Já sei o que realmente preciso e o que sempre fica apenas ocupando espaço... Mas na verdade planejei fazer umas comprinhas aqui. E uma mala nova está no topo da lista!"

"O Alejandro vai adorar te ajudar nessa parte!"

"É o seu amigo novo? A Natália me contou tudo sobre ele! Ela está morrendo de inveja, falou que o sonho dela é ter um amigo gay!"

Eu e a Fani rimos. Era a cara da Natália dizer isso!

"Sim, é ele. O Ale adora moda. O Christian, depois que começou a seguir os conselhos dele, já foi elogiado em umas duas revistas de celebridades..."

"Já gostei desse Ale! E por falar no Christian, como vocês estão?", perguntei realmente curiosa. O Christian tinha sido o responsável tanto pelo término do namoro com o Leo quanto pela mudança dela para Los Angeles. Mas, apesar disso, quando saiu do Brasil, ela não queria vê-lo nem pintado de ouro. Por isso eu queria saber como estava a situação agora... Especialmente porque eu duvidava que ela conseguisse ficar muito tempo sem olhar para o Christian, com aquela beleza toda que ele tinha.

Ela deu um suspiro e falou que estava complicado: "Ele estava tentando me convencer que poderíamos ser amigos. Só amigos. Mas para conseguir a minha bolsa de estudos, inventou que éramos namorados, então tivemos que fingir isso, apenas para manter as aparências. Só que três meses atrás eu comecei a namorar um garoto da minha faculdade. Então perguntei para o Christian se nós poderíamos terminar o nosso namoro *fake*, pra eu poder ficar com o Mark – o meu namorado – em público. Aí o Christian ficou com ciúmes e fez o maior drama! Nós tivemos uma discussão, falei que ele tinha me convencido que queria ser apenas meu amigo e que eu tinha acreditado... Só que por causa disso eu não tive coragem de assumir o namoro publicamente ainda, especialmente porque eu acho que tenho uma dívida com ele, afinal, se não fosse pelo Christian eu não estaria aqui. Mas agora é o Mark que está com raiva de mim. Que tal?".

"Fani, isso está parecendo até uma *season finale*!" Ela ficou me olhando com cara de interrogação e eu então me lembrei de que não era todo mundo que dominava o vocabulário dos seriados... "Quer dizer, o último episódio da temporada de uma série, o mais emocionante. Amei! Preciso do próximo episódio urgente! O que vai acontecer? Me dá um *spoiler*!"

Ela riu, falou que provavelmente o casal se separaria e a série seria cancelada por falta de audiência. Mas eu sabia que ela estava enganada, pois não parei de pensar naquilo enquanto não chegamos ao estacionamento. Eu adoraria ver aquela história na TV! Bem que ela podia transformar aquilo em um roteiro, quando se formasse! Mas tinha que ser de seriado, e não de filme, o que com certeza a Fani preferiria...

Eu ainda estava pensando nisso quando ela parou em frente a um carro preto, de tamanho médio e bem bonitinho e disse: "Priscila, te apresento o Sirius Black! Meu neném!".

"Ele é seu?!", perguntei admirada. Eu sabia que a Fani tinha tirado habilitação americana, pois já havia me contado por e-mail, mas eu não fazia ideia de que ela tinha um carro só dela... Eu também havia tirado carteira seis meses antes, mas o máximo que fazia era dirigir o carro da minha mãe. Não que eu precisasse de um carro, já que o Rodrigo tinha comprado um recentemente e fazíamos quase tudo juntos. Agora ele dava aula de inglês em uma escola e também ensinava bateria. Com as economias que fez, conseguiu comprar um usado, mas gostávamos dele como se fosse zero quilômetro!

Ela assentiu com a cabeça.

"E você deu um nome pra ele?", perguntei rindo. "Você está mesmo com mania de Harry Potter!"

Eu lembrei que no primeiro e-mail que ela me mandou quando chegou a Los Angeles havia comentado isso.

"Você também vai ficar, assim que eu te levar ao local do meu estágio."

Ela abriu o porta-malas, e eu guardei a minha mala me sentindo muito feliz! Por e-mail ela tinha me contado também que estava fazendo estágio na Warner Bros. E minha vontade era ir direto para lá!

"Acha que vou conseguir ver gravações de seriado?", perguntei ansiosa, enquanto entrávamos no carro. Eu sabia que a Warner era responsável por *The Vampire Diaries*, uma série que eu vinha acompanhando. Provavelmente eu iria desmaiar se visse alguns dos atores dela...

Ela franziu um pouco as sobrancelhas e disse: "Pri, infelizmente nesta época a gravação de várias séries da Warner é interrompida, pois muitos atores viajam por causa das festas de Natal e Ano Novo. Mas o Christian estava tentando conseguir credenciais para outros estúdios que continuam a gravar normalmente. Só que agora, com essa nossa briga, nem estamos conversando direito..."

O quê?! Eles iam ter que fazer as pazes nem que eu tivesse que obrigar a Fani a dar um beijo na boca dele!

A Fani percebeu que eu fiquei meio tensa e riu. "Calma, Pri. Vai dar certo. Pelo menos os cenários das gravações você vai poder visitar. E o Alejandro e a Tracy continuam a falar com o Christian, eles podem perguntar se ele conseguiu."

Desejei do fundo do meu coração que ele conseguisse, e então a Fani ligou o carro e acelerou. A princípio achei bem estranho vê-la dirigindo. Eu estava acostumada com ela no banco do passageiro. Sempre ao lado do Leo...

"Mas chega de falar de mim, quero saber como está sua vida no Brasil!", ela falou assim que saímos do estacionamento. "Como está a faculdade? E seu pai, conseguiu transferência do trabalho para BH? Lembro que você deu um chilique no meio do ano, quando ele te contou que ia voltar com a sua mãe e que vocês iam se mudar de novo pra São Paulo. Desculpa, Pri, acho que nem te dei muita força, mas naquela época eu estava completamente abalada. Foi bem nos dias que sucederam a minha briga com o..."

Para poupá-la, balancei a cabeça mostrando que sabia de quem ela estava falando.

"Pois é...", ela continuou. "Não pude te consolar e nem fiquei sabendo direito o que aconteceu. Mas lembro que logo depois você contou que tinha convencido seus pais a ficarem em BH mesmo..."

Suspirei e olhei pela janela. Eu realmente gostaria de pular aquele assunto. Durante seis meses, dia após dia, aquilo tinha sido motivo de discussão na minha família. E aquela viagem, de certa forma, era uma fuga, uma pausa, uma forma de esquecer, pelo menos por alguns dias.

Tudo que eu mais queria era voltar seis meses no tempo para congelar minha vida como ela era naquela época.

Eu lembrava como se tivesse acontecido na véspera. Assim que meus pais me comunicaram que iam reatar, nem tive tempo de ficar feliz, pois no segundo seguinte eles já começaram a fazer planos sobre uma volta para São Paulo. Meu pai falou que já tinha colocado o apartamento dele à venda, pois tentaria comprar de volta a nossa antiga casa, ou pelo menos alguma no mesmo condomínio, para eu poder levar todos os meus bichos e também ficar perto das minhas amigas. Ele falou aquilo pensando que eu ia amar, que abraçaria a minha mãe e ele como se fôssemos novamente uma família feliz...

Mas ele estava se esquecendo de um detalhe: mais de cinco anos haviam se passado desde a minha mudança de São Paulo para Belo Horizonte. Eu tinha outra vida agora. Novas amigas. Outros interesses. E um namorado, que eu não tinha a menor intenção de deixar para trás!

Porém, quando expliquei isso, tudo que meu pai disse foi: "Você e o Rodrigo podem se encontrar uma ou duas vezes por mês... Ele pode ir passar alguns fins de semana lá e nós também sempre viremos aqui, para visitar a sua avó, como fazíamos antes da separação".

Eu só faltei ficar rouca de tanto gritar. Como assim encontrar uma ou duas vezes por mês?! Será que eles ainda achavam que meu namoro era uma brincadeira? Eu e o Rodrigo estávamos juntos havia cinco anos! Cinco longos anos! Eu não queria virar uma namorada de fim de semana, muito pelo contrário! Eu queria me *casar* com ele!

"Pri, o Rodrigo pode tentar transferir a faculdade pra São Paulo", minha mãe tentou ajudar, quando meus gritos viraram lágrimas. Fingi que nem ouvi, afinal, eu sabia perfeitamente que conseguir uma transferência não era a coisa mais simples do mundo! Aliás, eles pareciam nem se lembrar de que eu também teria que me transferir. Eu tinha acabado de passar no vestibular para Biologia e estava superempolgada por finalmente começar a frequentar a faculdade. Eu não passei para Veterinária logo que me formei no colégio, mas no semestre seguinte estudei tanto que acabei passando em 1º lugar no vestibular do meio do ano! Infelizmente não era para o curso que eu realmente queria, pois Veterinária só tinha na Universidade Federal, onde eu só poderia entrar no ano seguinte. Mas resolvi continuar estudando e, cursando Biologia, eu eliminaria algumas matérias em comum dos dois cursos, e assim já começaria o outro curso adiantada.

"Eu não vou!", falei de repente. "Já tenho 18 anos e posso decidir o que fazer da minha vida. Se vocês quiserem voltar para São Paulo, fiquem à vontade. Mas eu – ao contrário de vocês – não costumo largar as pessoas que amo." Eu sabia que tinha exagerado, mas não estava nem aí. Eles tinham me tirado do sério. "Vou trabalhar para ganhar meu próprio dinheiro e sustentar os meus bichos! Tenho certeza de que posso trabalhar em alguma pet shop. Ou até cantar em um bar. Vocês mesmos já me falaram que comprariam meu CD caso eu fosse cantora, e a mãe do Rodrigo vive falando que eu deveria cantar profissionalmente. Talvez seja o momento de pensar nisso."

Meu pai, que até então estava sentado só assistindo ao meu escândalo, se levantou e também elevou a voz: "Priscila, você não vai cantar em bar nenhum! Muito menos ficar dando banho em cachorros que você nem sabe se têm doenças!".

Levantei as sobrancelhas como quem diz: "Quer ver só se não vou?".

E foi nesse ponto que minha mãe percebeu que aquilo poderia virar uma briga de verdade e resolveu intervir dizendo que estávamos todos com a cabeça quente, que eu havia sido pega de surpresa e que, mais tarde, depois de pensarmos sobre o assunto, tornaríamos a conversar.

Eu não tinha nada para conversar, minha decisão já estava tomada. Eu não ia sair de BH. Aos 13 anos eu não tive escolha a não ser seguir a minha mãe. Mas eles tinham que entender que eu não era um cachorrinho que eles colocavam na coleira e levavam de um lado para o outro, de acordo com seus próprios interesses!

No dia seguinte os meus pais vieram conversar comigo novamente. Eu não queria mais tocar naquele assunto, mas minha mãe falou: "Nós queremos fazer um acordo com você".

Por isso, apenas terminei de colocar comida para o Rabicó, que era o que eu estava fazendo naquele momento, e fiquei olhando para os dois.

"Sua mãe vai ficar aqui em BH com você, por mais seis meses", meu pai começou a explicar calmamente. "Nós pensamos bem e achamos que uma mudança agora pode mesmo afetar seus estudos para o vestibular de Veterinária."

Ah, finalmente um pouco de bom senso tinha entrado na cabeça deles.

"Eu vou vir aos fins de semana e tentar arrumar uns clientes aqui também, para poder ficar mais tempo", ele continuou. "Mas em contrapartida, gostaríamos que você também fizesse vestibular em São Paulo no final do ano. Claro, você vai tentar a UFMG, como já tinha planejado. Mas a gente não sabe o que vai acontecer no futuro e por isso queremos que você pelo menos tente também entrar em outras faculdades. Se passar em todas, poderá escolher qual vai cursar e decidir se quer mesmo ficar aqui sozinha ou voltar pra São Paulo comigo e com sua mãe. Porque em janeiro ela realmente vai se mudar comigo pra lá, com ou sem você..."

Olhei para a minha mãe e ela apenas assentiu com a cabeça. Vi que ela estava com uma expressão triste, mas segurava com força a mão do meu pai. Eu nunca tinha visto os dois tão unidos. Aquele amor deles realmente devia ter voltado com força total!

E foi então que pensei no meu amor pelo Rô. Eu também não queria ficar sem ele e, por essa razão, entendia a decisão da minha mãe. Como ela também teria que entender a minha... Eu não precisava esperar até o final do ano, já tinha resolvido, eu ia ficar em BH. Mas infelizmente aquilo significaria ficar longe dos meus pais.

Abracei os dois, vi que minha mãe começou a chorar e, para não começar também, forcei um sorriso e continuei a cuidar do Rabicó, que estava sem entender nada daquela confusão na frente dele.

Naquele momento eu não sabia que um outro fator em breve entraria no meio da história para movimentar ainda mais as coisas: a minha viagem para Los Angeles. Mas mais do que isso, eu nem tinha ideia de que aquela temporada da série da minha vida estava prestes a terminar.

7

*Vários: Faça um pedido e o guarde no coração.
Qualquer coisa que você quiser, tudo que você
quiser. Você o fez? Ótimo. Agora acredite que ele
possa se realizar. Você não sabe de onde vai surgir
o próximo milagre, o próximo sorriso, o próximo
desejo realizado. Mas se você acreditar que está
logo ali e abrir a mente e o coração para a
chance de acontecer, para a certeza de acontecer,
você pode conseguir aquilo que pediu. O mundo
está cheio de magia. Você só precisa acreditar nela.
Então, faça o seu pedido. Você o fez? Ótimo. Agora
acredite nele, com todo o seu coração.*

(One Tree Hill)

"Pri, as meninas falaram que você tinha ido tomar banho... Já terminou? Não sei se você percebeu, mas esta festinha não é apenas pra celebrar a sua volta. É também para comemorar o seu aniversário, ainda que com três dias de atraso! Por isso que tem bolo! Podemos cantar os parabéns?"

Abri os olhos depressa, a tempo de ver minha mãe entrando no meu quarto. Eu ainda estava segurando o retrato do meu primeiro momento em Los Angeles, e então lembrei que eu havia deitado na minha cama só por um segundo enquanto olhava para aquela foto... Mas por causa da diferença de fuso horário e também por não ter dormido praticamente nada na viagem, caí no sono sem querer.

"Vou tomar agora! Não vou demorar, pode ir colocando as velinhas no bolo...", falei me levantando depressa, guardando a foto na mala novamente.

"Ai, Pri, desculpa...", minha mãe falou me abraçando. "Você estava dormindo? Agora percebo que foi uma péssima ideia ter inventado essa festinha hoje! Você está exausta, né? Devíamos ter deixado pra comemorar amanhã... Mas é que quando você disse que o Rodrigo te buscaria, seu pai teve essa ideia de chamar todo mundo pra te esperar, exatamente porque este ano não comemoramos o seu aniversário..."

Sorri para a minha mãe e falei que eu tinha adorado a surpresa. E não estava mentindo. Mas era verdade também que eu estava muito cansada... E exatamente por isso entrei depressa no banho, para ver se um jato de água fria me revigorava.

Funcionou. Assim que voltei para a sala e começaram a cantar parabéns para mim, entrei no clima e até bati palmas também, sorrindo para todo mundo.

"Faça um pedido antes de apagar as velas, princesa...", o Rodrigo falou no meu ouvido.

Olhei para ele, fechei os olhos e soprei. Um certo desejo estava tomando forma dentro de mim cada vez mais. Eu queria voltar para Los Angeles. E também ir para outras cidades, outros países... Naqueles dias fora eu havia percebido o quanto o mundo é imenso e cheio de possibilidades! E eu realmente gostaria de conhecer cada pedaço do planeta... Mas desde que eu pudesse fazer isso junto com o Rodrigo. Tudo o que eu mais queria era ficar com ele para sempre, onde quer que fosse...

Ele me deu um beijo e, como se tivesse lido os meus pensamentos, falou: "Prometo que passaremos juntos todos os seus próximos aniversários, nem que eu tenha que viajar com você para onde for!".

Então parti o bolo feliz, pois sabia que teria mais um pedido de aniversário realizado.

Um tempo depois, chamei as meninas para irem ao meu quarto, pois queria mostrar a elas tudo que eu tinha trazido da viagem.

"Quantos seriados!", a Larissa começou a olhar os títulos, enquanto eu os tirava da minha mala. "Quero todos emprestados! São bons?"

Expliquei para ela que alguns eu ainda não conhecia muito bem, mas por ter assistido a algumas gravações e visitado os estúdios onde eles eram filmados, havia ficado interessada. E, pelo pouco que eu tinha visto, eles pareciam ótimos.

"São estes aqui que eu estou vendo atualmente", entreguei para Larissa a lista das séries que estava acompanhando. "São poucas porque, como eu estava estudando pro vestibular, estava sem tempo... Está em ordem alfabética."

10 Things I Hate About You

18 to Life

Glee

Lost

Modern Family

One Tree Hill

Skins

The Vampire Diaries

Enquanto ela olhava, a Gabi perguntou: "A Fani já está influente assim, a ponto de ter acesso a vários estúdios?".

Olhei para trás, para ver se o Rodrigo não estava por perto. Ele tinha ficado na sala com o Alberto, mas era melhor conferir.

"Foi o Christian", expliquei. "Ele conhece muita gente lá. Com a Fani fui apenas na Warner, onde ela faz estágio. Passei uns dois dias lá com ela, foi muito bom também! Só que o Christian conseguiu que eu conhecesse os estúdios da Sony, da Fox, da Universal, da Disney, da DreamWorks, da Paramount... E até foi comigo a alguns deles. Eu vou contar isso pro Rodrigo, mas como não falei ainda, prefiro que ele não fique sabendo assim."

"Mas o Rodrigo nem é ciumento...", a Natália observou. "Ah, se fosse o Alberto! Uma vez ele quase terminou comigo só porque eu elogiei o Christian ao conversar com a Fani por vídeo!"

"O Rô não é ciumento mesmo. Mas o problema é o Leo. Se uma menina atrapalhasse seu namoro com o Alberto, eu odiaria essa menina por tabela", expliquei para a Nat, que só de pensar na possibilidade fechou a cara. "É o mesmo caso... Sei que o Rodrigo tem o maior pé atrás com o Christian só porque o Leo não gosta dele. E eu acabei ficando fora muito mais tempo que o planejado... Prefiro explicar direitinho, antes que ele tire suas próprias conclusões."

A Bruna olhou para a Larissa, levantou uma sobrancelha e falou: "Viu? Aprenda com quem tem mais experiência. A Priscila é expert em namorar, faz isso há cinco anos".

Eu já sabia que a Larissa e o namorado estavam dando um tempo e que o motivo tinha sido um briga gerada por um mal-entendido.

"Cinco anos e meio", corrigi. "E a Lalá e o Vinícius vão acabar reatando... Até a minha mãe e o meu pai voltaram! Não duvido de mais nada..."

"E por falar nisso...", a Marina me abraçou. "Sua mãe está de malas prontas pra São Paulo. Como você vai fazer, Pri? Ela está certa de que você vai se mudar com ela. E você, pelo que me disse antes de viajar, não tem a menor intenção de fazer isso."

Olhei para a minha prima e tive vontade de entrar na mala e me trancar lá dentro. Eu tinha acabado de voltar de viagem! Ainda estava meio fora do ar, tinha ficado quase um mês em um "mundo paralelo", não queria ter que lidar com problemas já no meu primeiro dia no Brasil.

"Vamos esperar os resultados dos vestibulares...", foi tudo que respondi. "E ela não está tão de malas prontas assim. O combinado era que, quando eu voltasse, iríamos conversar novamente... Afinal, além de mim, moramos com 14 bichos aqui! Não é uma mudança tão fácil assim."

Percebi que a minha prima fez um cara meio esquisita e então perguntei: "O quê?". Ela parecia estar escondendo alguma coisa.

"Nada...", ela falou olhando para a Larissa e a Bruna, que subitamente pareceram muito compenetradas nas roupas novas que estavam na minha mala. Com certeza elas sabiam de alguma coisa que não queriam me falar!

Percebi que a Natália e a Gabi também não estavam entendendo. Então era alguma coisa que tinha relação com São Paulo e minha família, já que só as minhas amigas de lá e a minha prima tinham conhecimento.

"Fala logo, Marina!", disse fechando a minha mala para que o foco não fosse desviado. "O que vocês estão sabendo que eu não sei?"

Todo mundo se entreolhou e a Bruna acabou tomando a iniciativa: "Você passou pra Veterinária em São Paulo. E pelo que seu pai contou pra gente, acho que vocês fizeram um trato antes da sua ida para Los Angeles...".

O quê?! Eu tinha passado? Mas como? Eu havia feito a prova de qualquer jeito, entreguei sem nem revisar!

"Mas o resultado só sai no meio do mês!", falei me abanando, pois havia começado a sentir calor novamente.

"Não, saiu ontem, devem ter adiantado", a Larissa explicou. "E seus pais estão certos de que você vai pra lá com eles, até já pediram pra minha mãe olhar se tinha alguma casa à venda ou para alugar no nosso condomínio, alguma que tenha um quintal, para caber todos os bichos. Eu fiquei tão feliz, Pri..."

Tive que me sentar. Aquilo não podia ter acontecido!

"Alguém me explica o que está se passando?", a Natália falou de repente.

"Por favor!", a Gabi colocou a mão na cintura.

Respirei bem fundo e comecei a lembrar. Tinha aproximadamente três meses, mas parecia muito mais. Tudo começou com o primeiro e-mail que recebi da Fani depois que ela chegou a Los Angeles.

De: Fani <fanifani@gmail.com>
Para: Priscila <pripriscilapri@aol.com>
Enviada: 28 de setembro, 23:21
Assunto: Warner

Oi, Priscila!

Tudo bom por aí? Como vai o Rodrigo? Estou com saudade de vocês.

Pri, já tem mais de um mês que viajei, desculpa só agora te escrever. Recebi seus e-mails e também os recados pela Natália, mas confesso que eu estava querendo dar um tempo do Brasil, para poder me adaptar mais rápido. Você vai me perguntar "que espécie de tempo é esse?", já que deve saber que eu tenho falado constantemente com a Gabi, a Natália e a minha família por videochamada, mas é que você instantaneamente me faz pensar no Rodrigo. E o Rodrigo, por sua vez, me faz pensar em outra pessoa. Uma pessoa em quem eu não quero pensar. Apesar de algumas vezes, sem permissão, ela invadir o meu pensamento.

Mas eu tenho lembrado tanto de você que resolvi deixar a bobeira de lado. Eu não vou conseguir fugir de tudo que me lembre de "você-sabe-quem"! E eu também tenho que parar de evitar dizer o nome dele, como se ele fosse o Lorde Voldemort (estou obcecada por Harry Potter, você vai entender o motivo mais pra baixo)! Bom, mas o fato é que decidi que, de agora em diante, não vou deixar que o Leo (opa, nem doeu, LEO, LEO, LEO, LEO, LEO) me separe de você, que já me ajudou tanto e de quem eu gosto MUITO.

Você já deve estar achando que eu estou de TPM, pois nunca te mandei um e-mail "afetivo" desses, nem falei nada parecido, mas é que nesse último ano nos aproximamos bem mais. Você deixou de ser "a namorada do Rodrigo" para virar a "Pri", a minha amiga. Não que já não fôssemos amigas, mas acho que você entende o que eu quero dizer. Ah, acabei de ter um "flashback" aqui, do dia em que te conheci, anos-luz atrás, no salão de festas do meu prédio (quer dizer, do prédio dos meus pais... ainda não me acostumei com o fato de que minha casa agora é aqui). Você era tão magrinha (não, você não está gorda, não fique neurótica, mas é que você era mais *fininha* e agora tem o maior corpão estilo Blake Lively

– fiquei três horas tentando me lembrar de alguma atriz de seriado que tivesse um corpo tão bonito quanto o seu! Mas de rosto você se parece mais com a Lily Collins, já te disseram isso?), com a maior carinha de assustada... E agora você é mais autoconfiante do que todas nós (eu, Natália e Gabi) juntas.

Eu queria te agradecer, Priscila, por você ter tido papel fundamental na minha vida, mesmo sem intenção disso. Sem você, acho que a minha história seria bem diferente. Não sei se pra melhor ou pra pior, mas você certamente alterou o meu destino. Se estou aqui agora, você é uma das responsáveis.

Por favor, não me ache doida e não pense que eu estou bêbada (aqui só se pode consumir álcool legalmente aos 21 anos... Não que isso faça alguma diferença pra mim, já que eu nunca bebo nada, pois na única vez em que bebi acabei desmaiando na casa da Gabi e... nossa, estou fugindo completamente do assunto, deixa essa história pra outro dia). Eu apenas queria dizer que tenho me lembrado muito de você. E que isso me fez ter vontade de te mandar esse e-mail, que já está gigante – e eu ainda nem toquei no assunto principal.

Priscila, sei que a Natália já deve ter te dito isso, mas finja que é novidade e faça uma cara de surpresa: Eu estou estagiando na Warner! Pode fechar a boca agora, senão você vai acabar babando no computador quando eu te contar como é lá.

No primeiro dia de estágio, o meu chefe (que também é meu professor na faculdade) me fez entrar em um carrinho (daqueles que cabem umas dez pessoas, são abertos dos dois lados e têm um toldo em cima) cheio de turistas que estavam visitando os estúdios. Pri, você não tem noção do quanto eu queria *gritar* vendo tudo aquilo! Mas eu tive que me conter, pois o Mr. Smith (o meu chefe-professor) estava lá do lado... Sei que a Gabi e a Natália iam gostar, mas eu realmente só conseguia pensar em você, pois nós visitamos os estúdios de gravação de vários filmes e... *seriados*! Priscila, você ia morrer! De cara nós fomos onde era filmado (o infelizmente extinto) "Friends"! Eles mantêm intacto o local daquele café (Central Perk), onde os personagens se encontravam, para que as pessoas possam visitar. É tão lindo, Pri! Nem parece cenário.

Mas o melhor não é isso... Lá pelo meio dessa visita com os turistas, o meu professor falou que eu já tinha visto o suficiente e nos desvinculou da "excursão". Eu estava adorando o tour, mas a gente só podia ficar olhando tudo de fora, sem entrar em estúdio nenhum, e o tempo todo alguém interrompia para tirar foto e tal (não que eu não estivesse louca pra tirar umas mil também, mas supostamente eu estava trabalhando, não dava pra bancar a turista naquela hora). Mas então o Mr. Smith entrou comigo em um dos estúdios, e estava tendo uma filmagem bem na hora. Priscila, adivinha qual seriado estava sendo gravado naquele momento?????????? Eu, que nem assisto, surtei. Imagino você! Dica, o seu queridinho Ian Somerhalder participa... Esse mesmo, acertou! "The Vampire Diaries"! Mas nem se anime muito, pois eu não vi o Ian. Aliás, não vi nenhum dos principais, fiquei sabendo que esse seriado, apesar de ser da Warner, é filmado em outro estado, na Georgia, eu acho. Mas eles estavam fazendo uma cena interna lá, com alguns atores de figuração. Anyway, foi muito legal, e eu até comecei a assistir a essa série agora, fiquei empolgada! Você não acha que aquele ator que faz o papel do Jeremy é a cara do Rodrigo?

Mas depois disso acabou a graça, pois o Mr. Smith já me encheu de trabalho. Meu irmão Inácio sempre me dizia que estagiário sofria, e estou constatando que estágio deve ser igual em qualquer lugar do mundo, pois eu sou praticamente uma escrava aqui (quer dizer, se escravos fossem pagos, porque até que, pra uma estagiária, meu salário é bom, certamente por causa do Christian; mas essa história também fica pra outro e-mail).

Não me leve a mal, eu não estou decepcionada nem nada, estou adorando o trabalho, e todo dia que eu entro na Warner penso até que estou sonhando, mas é que eu estava certa de que ia ficar dentro dos estúdios, aprendendo cada detalhe, mas disseram que antes eu tenho que conhecer muito bem como tudo aquilo ali funciona, para só depois participar das filmagens propriamente ditas. Ou seja, ele deixou que eu assistisse um pouquinho só pra me dar água na boca... agora eu mal chego perto dos estúdios! Mas sei que isso é provisório, estou tentando fazer o meu melhor para que eles percebam que podem confiar em mim e me deem funções mais importantes do que as atuais...

Voltando ao primeiro dia, em certo momento, o Mr. Smith perguntou se eu tinha carteira de motorista, pois em alguns dias eu teria que ser guia de visitantes, naquele mesmo tour do qual eu te contei que participei. Eu expliquei que já estava fazendo os testes e que em poucas semanas eu já terei habilitação (sim! Quando você vier me visitar, vou poder te levar pra passear de carro!!). Então ele disse que, até lá, vou ficar tomando conta de um museu. Mas não pense que é um museu comum, cheio de velharias... É um museu só com roupas, chapéus, acessórios e objetos que foram usadas em filmes!!! É tão lindo, Pri... Tem até estatuetas (de verdade) do Oscar! E no primeiro andar tem inclusive os bonecos originais do filme "Onde vivem os monstros" (eles são enormes)!

Mas o legal mesmo é o segundo andar do museu, que é exatamente onde eu tenho ficado. Lá é onde está tudo sobre Harry Potter! Tem a vassoura do Harry, os uniformes do colégio, as varinhas, os chapéus, uma maquete de Hogwarts e até o Chapéu Seletor. E é aí que eu entro. Tenho que ficar lá, recepcionando os visitantes para não deixar que eles toquem em nada e também respondendo às perguntas, mas lá pelas tantas eu pego o Chapéu Seletor e pergunto quem quer experimentar. No momento em que a pessoa coloca na cabeça, eu aperto um controle remoto no meu bolso que dispara uma gravação aleatória pelo alto-falante, designando cada pessoa para uma casa. É muito engraçado! Alguns ficam muito empolgados com a escolha do chapéu, mas outros ficam tristes e só faltam brigar comigo! Como se eu tivesse culpa. Ah, sei que você vai perguntar e já vou até responder: É *óbvio* que no meu primeiro dia eu pedi pra colocarem o chapéu na minha cabeça! O chapéu falou: *"Hmmm, I see... Gryffindor!!"*. Ou seja, sou colega de casa do Harry, do Ron e da Hermione! Sou tão boba que fiquei imensamente feliz com isso. Eu sempre quis ser da Grifinória! Depois eu até comprei todos os DVDs do Harry, não sei como eu ainda não tinha! Agora estou meio especialista no assunto, e tenho minhas suspeitas de que, se aquilo fosse mesmo de verdade, você cairia na Lufa-Lufa... Você ama animais, é amiga de todo mundo e é meio, hum, desastrada... não brigue comigo, esse é seu charme! :)

Pri, era isso que eu queria te contar, que tudo lá na Warner me lembra de você! Seria bem legal se você pudesse me visitar, sei que o Christian conseguiria um meio de assistirmos a umas gravações de seriados em outros estúdios (MGM, ABC, Sony, Paramount...), e eu dou um jeitinho de te levar no meu estágio um dia, pra que você possa ver com seus próprios olhos tudo que te contei!

Você está mais que convidada! Tomara que possa vir logo.

Como está a faculdade aí e os estudos para o outro vestibular? Com certeza você vai passar em Veterinária na UFMG, afinal, você tirou o primeiro lugar em Biologia na PUC! Sei que você está cursando apenas para eliminar as matérias em comum, mas espero que esteja gostando mesmo assim. E o legal é que você agora deve encontrar o Rodrigo todo dia na faculdade também, né? Só isso já vale a pena. Mande um abraço pra ele, vocês fazem um casal mais fofo do que o de qualquer filme ou seriado!

Beijos!

Fani

O tal e-mail simplesmente me deixou enlouquecida! A Fani falou de estúdios de gravação! De séries! De *The Vampire Diaries*! Do Ian Somerhalder! Do Steven R. McQueen! Eu NECESSITAVA ver aquilo tudo de perto!

Por isso, assim que terminei de ler, fui correndo conversar com os meus pais e implorar que me deixassem visitar a Fani o mais rápido possível! Os dois, claro, começaram a rir, acharam que eu estivesse brincando. Eu vinha estudando desesperadamente para o vestibular de Veterinária, era tudo em que eu pensava, e também tinha as minhas aulas na faculdade de Biologia, que estavam tomando muito o meu tempo. Aquele pedido para viajar de repente realmente deve ter soado como uma brincadeira. Mas quando perceberam que era sério, os dois ficaram meio bravos. *Muito* bravos na verdade. Falaram que eu já tinha 18 anos, que devia ser mais responsável, que eles não tinham me forçado a mudar para São Paulo apenas por causa dos estudos, que eles mudaram todos os planos por minha causa... E que se eu estava disposta a jogar tudo para o alto por causa de uma viagem, então ficar em BH não devia ser tão importante assim para mim, como eu havia dito...

Aquilo gerou uma discussão ainda pior do que a do dia em que me contaram que estavam juntos outra vez. Meu pai começou a me chamar de mimada e caprichosa, eu o chamei de egoísta, a minha mãe ficou tentando acalmar os dois lados... Foi como se eu tivesse entrando na adolescência novamente. Ter morado só com a minha mãe desde os 13 anos me deu uma autonomia à qual eu já estava acostumada. A minha relação com minha mãe sempre foi de confiança total e exatamente por isso ela sempre deixou que eu tomasse as minhas próprias decisões, apenas me orientando sobre o melhor caminho a seguir. E os encontros com o meu pai desde a separação foram totalmente leves, nos períodos de férias e feriados, ocasiões em que ele estava muito mais preocupado em aproveitar o tempo livre comigo do que em propriamente me repreender. Porém, agora, ele parecia estar querendo recuperar o tempo perdido.

Tentei explicar que eu não queria entrar em um avião para os Estados Unidos naquele minuto, mas achava que, assim que terminassem os vestibulares e eu entrasse de férias da faculdade, eu merecia um descanso. E eles nem teriam que me dar muito... Em vez de presentes de Natal e aniversário, poderiam me dar uma parte da passagem. O restante eu pediria para as minhas avós, meus tios... E eu ia ficar na casa da Fani, não é como se precisasse pagar também um hotel! Eu apenas achava que aquela era uma oportunidade que não dava para desperdiçar... Em breve eu ia começar a faculdade pra valer, estágios e tudo mais... Se não fizesse essa viagem de uma vez, quando faria?

Depois de um tempão discutindo, meu pai veio com um plano.

"Ok, Priscila, vamos fazer uma coisa", ele disse com a maior cara de quem havia tido a melhor ideia do mundo. "Como já combinamos, você vai fazer vestibular em Belo Horizonte e em São Paulo, não é isso?"

Concordei, lembrando que essa havia sido a condição para a minha mãe ficar comigo em BH até o final do ano. Desde então, meu pai estava constantemente na ponte aérea, passando metade da semana em cada cidade. Eu tinha certeza de que eles achavam que no final daquele prazo eu simplesmente faria as malas e iria com os dois para São Paulo. O que por sinal era o maior engano deles.

"Pois bem", meu pai continuou. "Na época que te propusemos isso, falamos que você poderia escolher em qual cidade ficar, caso passasse nos vestibulares tanto de um lugar quanto do outro."

Sim, tinha sido exatamente aquilo. Apenas dei de ombros, para que ele continuasse. Eu já tinha feito aquela escolha, não tinha a intenção de me mudar para lugar nenhum.

"Se quiser mesmo fazer essa viagem pra Califórnia, nós vamos mudar um pouco os termos desse acordo", ele falou estalando os dedos, e percebi que ele estava arquitetando cada detalhe...

Estreitei os olhos e aguardei pelas novas regras. Percebi que a minha mãe cruzou os braços e também ficou esperando.

"Assim que terminarem as provas, eu te dou essa viagem", ele falou bem devagar, analisando a minha reação. "Pago sua passagem inteira como um presente antecipado por passar no vestibular, já que quando você entrou para Biologia nós mal comemoramos, uma vez que sua meta era mesmo a Veterinária. E eu tenho certeza de que dessa vez você vai passar pra esse curso..."

Normalmente eu teria pulado no pescoço dele e o enchido de beijos e abraços. Mas eu sabia que teria algum ônus por trás daquilo... Meu pai era especialista em negociações. Ele não jogava para perder.

"Para isso, porém, quero que você faça pelo menos o primeiro semestre da faculdade em São Paulo. Quer dizer, não estou falando para você prestar vestibular apenas lá. Acho bom que faça aqui também, assim suas chances aumentam. Mas se passar nos dois lugares, não tem mais escolha. Você vai se matricular lá e morar conosco por pelo menos um semestre. Depois, se não quiser mesmo, você tenta transferir pra cá e volta. Mas quero que você dê essa chance para São Paulo. Tem mais de seis anos que você saiu de lá e você amava a cidade! Lembro bem que no começo tudo que você queria era retornar... Por isso, quero que você tente por pelo menos seis meses. Resumindo, eu te dou a viagem se você prometer que, se for aprovada em alguma faculdade de São Paulo, vai se matricular lá, em vez de em BH."

Fiquei olhando para ele sem dizer nada por alguns segundos. Mas de repente percebi o que ele estava fazendo. Notei que minha mãe estava pensando a mesma coisa, porque, antes que eu abrisse a boca, ela falou completamente indignada: "Luiz Fernando, você está querendo *comprar* a Priscila? Você acha que é assim que se educa um filho?".

Foi a vez dos dois de começarem a argumentar entre si. Meu pai ficou explicando que não era nada daquilo, que era apenas uma forma de mostrar que não devemos fechar todas as portas antes de tentar e que a viagem seria apenas uma compensação pelo stress causado pelo vestibular e pela mudança. Minha mãe começou a falar que desse jeito eu ia pensar que poderia pedir favores como moeda de troca e que esse era um passo para aceitar chantagem e outros tipos de extorsão... Eles continuaram a discutir, e em outra situação eu teria me sentido meio culpada por causar um conflito entre eles, sendo que os dois vinham vivendo uma lua de mel constante desde a reconciliação. Mas naquele momento achei muito bom, pois pelo menos eles tinham tirado o foco de mim e eu podia pensar.

Meu pai me daria a viagem caso eu me mudasse com eles para São Paulo por pelo menos um semestre. Mas isso seria *se* eu passasse no vestibular lá... Apenas "se". Porém, ninguém poderia afirmar que eu ia passar. Já o contrário... eu poderia garantir que *não* iria passar.

"Eu topo!", falei de repente, entrando no meio da briga deles. "Onde tenho que assinar?"

"Você o quê?", minha mãe ficou meio desconcertada, a despeito do meu pai, que já estava sorrindo, esticando a mão para que eu apertasse. Mas antes de selar aquele acordo, resolvi checar as regras.

"Eu topo voltar pra São Paulo com vocês, por apenas um semestre, caso eu passe no vestibular lá. Não é isso?", perguntei. "Mas também posso tentar entrar na faculdade aqui, por garantia..."

Meu pai, percebendo a minha intenção, falou: "Sim, isso mesmo. E é claro que, com a criação corretíssima que sua mãe te deu, você não vai trapacear, zerando alguma prova de propósito...".

Oh, oh...

"Claro que não...", respondi fingindo indignação por ele ter pensado algo assim, mas no fundo sentindo uma grande culpa, já que era exatamente o que eu tinha a intenção de fazer.

"Combinado então", meu pai finalmente apertou a minha mão, finalizando o assunto.

A partir daí, tudo correu como esperado. Eu continuei a estudar muito, pois apesar de toda a empolgação com a viagem para a Califórnia, a possibilidade de estudar Veterinária me empolgava ainda mais. Fiz as provas em BH como se minha vida dependesse daquilo. E em São Paulo, apesar de ter prometido para o meu pai, escrevi qualquer coisa nas questões abertas e chutei as de múltipla escolha.

O resultado estava previsto para sair a partir da segunda semana de janeiro, por isso viajei tranquila, esqueci aquele assunto, curti cada momento em Los Angeles sem me lembrar nem do vestibular nem do trato... até aquele momento.

E foi o que eu expliquei para as meninas, que ficaram me olhando meio com pena, mas percebi que no fundo elas estavam pensando que tinha sido "bem feito" pra mim.

E tinha sido mesmo. Eu devia estar louca quando concordei com aquilo! Mas é que eu tinha certeza de que não iria passar em São Paulo... Eu só não zerei a prova por receio de que o meu pai descobrisse! Nunca imaginaria que poderia passar fazendo a prova tão desleixadamente como fiz!

"Agora acho que você vai ter que realmente se mudar, Pri...", a Larissa quebrou o silêncio que se instalou no meu quarto. "Trato é trato..."

"Que trato é esse?"

Virei para trás e vi o Rodrigo parado na porta, com as sobrancelhas meio franzidas, sem entender nada.

As meninas saíram no mesmo instante, nos deixando sozinhos, pois devem ter percebido na minha cara que a situação era bem mais grave do que elas pensavam.

E era. Porque a verdade é que eu não tinha contado nada sobre aquilo para o Rodrigo. Eu não achei que precisaria...

Suspirei e me sentei na minha cama, sabendo que estava prestes a ter uma longa e complicada conversa. E pela milésima vez naquele dia desejei ainda estar em Los Angeles, naquela cidade mágica onde os problemas pareciam não existir... Lá eles não passavam de pequenos artifícios criados por roteiristas com o único propósito de darem mais emoção às histórias.

8

> _Naomi_: Isso tudo significa muito pra você, não é?
> _Cook_: O quê?
> _Naomi_: A vida. Você simplesmente vive mais intensamente do que as outras pessoas. Você mergulha, chafurda nela, como se não pudesse perder um único momento...
>
> (Skins)

Diário de Viagem

5º dia em Los Angeles

Nem acredito que já tem quase uma semana que cheguei! Como os dias passam rápido aqui na Califórnia... Gostaria de congelar o tempo para que durasse mais. Já fiz tanta coisa, mas ainda tenho tanto pra ver e tanto que eu gostaria de repetir!

Lugares que já visitei:

- Burbank (bairro da Fani, cheio de estúdios de gravação!)
- Hollywood Boulevard (Calçada da Fama, Chinese Theatre, Dolby Theatre, Museu de Cera de Hollywood)
- Hollywood Sign

E também passei dois dias nos estúdios da Warner Bros. com a Fani! Meu Deus, eu pagaria para fazer aquilo que ela faz: ficar o dia inteiro rodeada por câmeras, atores, cenários... É tudo tão lindo que parece um sonho.

O apartamento dela é uma fofura. É pequeno, mas muito aconchegante, e tem uma área externa que ela e a Tracy decoraram com o maior capricho. Dá vontade de ficar lá batendo papo... Aliás, fazemos isso toda noite. E durante este tempo aqui tenho lamentado apenas uma coisa: não ter sido mais próxima da Fani durante os nossos anos de escola. Nós somos tão parecidas em alguns aspectos... Quer dizer, ela é toda introvertida e eu muito extrovertida, mas, apesar disso, acho que poderíamos ter sido melhores amigas. Pena que sempre encarei a timidez dela como uma barreira para me aproximar. Porque agora, ao passarmos horas conversando, sinto que deixei escapar uma grande amizade, alguém com quem eu gostaria de ter compartilhado cada momento, e não apenas programas de turma, como costumávamos fazer. Espero que a partir de agora a gente possa recuperar o tempo perdido, mesmo de longe. Porque se tem algo que aprendi durante esses cinco dias longe de casa é que na vida devemos nos cercar daquilo que nos faz bem, de coisas que nos deixem nesse estado de felicidade constante que eu estou aqui. E nada melhor do que os amigos para nos fazerem sentir assim!

Tenho que tomar cuidado para isso aqui não virar um diário de devaneios em vez de um diário de viagem! ☺

"Então usted es Priscila, amiga brasileña de Fani? Se es amiga dela, es mi amiga!"

Sorri para o garoto bonitinho com roupas estilosas e topete, já sabendo quem ele era... Alejandro, o colega espanhol da Fani. Estendi a mão e respondi meio gaguejando: "Si, soy sua amiga! No podia esperar para conocerte!".

Ele riu e disse que eu não precisava tentar falar castelhano, pois ele sabia português. Pelo pouco que eu tinha ouvido, ele não parecia saber tanto assim, mas concordei, afinal, já bastava a língua inglesa que eu vinha maltratando desde a minha chegada... Minha primeira providência ao voltar para o Brasil seria entrar em um curso intensivo de inglês! E agora de espanhol também.

"Pronta para visitar las lojas?"

Concordei depressa. Ele ia me levar ao *outlet* e passar a tarde lá comigo, pois a Fani não podia faltar no estágio. Eu estava meio sem graça por dar trabalho para alguém que eu nem mesmo conhecia, mas a Fani havia me garantido que ele tinha oferecido, pois ajudar a fazer compras era uma espécie de *hobby* para ele.

Entramos no carro e percebi que ele ficou me observando enquanto eu tagarelava sobre o que já tinha conhecido na cidade, sobre o tempo, sobre as roupas que tinha que comprar... De repente ele falou: "Fani no havia me hablado que usted era pelirroja...".

Fiquei olhando pra ele sem entender nada. "Pelirroja"? Será que ele estava me achando "perigosa"?

Notando que eu estava sem reação, ele riu e tocou no meu cabelo, dizendo: "Vermelho. Pensei que usted era morena, como a Fani".

"Mas eu não sou ruiva!", falei meio desanimada aquela frase que eu já estava acostumada a repetir desde o começo da minha vida. Até nos Estados Unidos? Ali eles tinham ruivas de verdade! Será que esse garoto não enxergava a diferença?

"Ruiva!", ele repetiu feliz. "Tinha esquecido esta palabra! Mas como no es ruiva? Claro que si! No acredite em quem hablar que es morena, seu tom é mui hermoso! Parece o da Nicole Kidman en *Moulin Rouge!*"

Ok, definitivamente aquele menino não tinha o menor futuro como estilista de moda, que segundo a Fani era o que ele gostaria de ser. Ele nem mesmo enxergava bem!

Peguei uma mecha do meu cabelo, cheguei bem perto dos olhos dele e falei: "Mira: castanho". Ele franziu as sobrancelhas, virou a cabeça de um lado para o outro e respondeu: "Ruivo. Ardiente. Seductor!".

Fiquei sem graça de continuar contestando depois de ele ter dito que meu cabelo era sedutor, então apenas dei um sorrisinho e liguei o rádio, para encerrar o assunto. Mas nem precisava, pois logo chegamos ao *outlet*, e aí o tópico foi apenas compras, compras e mais compras!

Três anos antes eu havia ido a um *outlet* em Orlando. A viagem tinha sido o meu presente de 15 anos, mas o dinheiro extra que levei era suficiente apenas para as despesas que eu teria com alimentação nos parques, já que todo o resto estava incluído na excursão. Lembro que comprei apenas alguns DVDs de seriados, pouquíssimas roupas e um tênis para o Rodrigo... Mas dessa vez eu tinha planejado! Quando meu pai falou que ia me dar a passagem, resolvi prosseguir com a ideia de trabalhar para economizar exatamente para umas comprinhas. E foi o que fiz. Em praticamente todo tempo livre dos estudos que eu tinha e até um dia antes da minha partida, dei banho, tomei conta e passeei com tantos cachorros que até perdi a conta! Assim, consegui acumular uma boa quantia. E, além disso, minha mãe acabou me dando alguns dólares, segundo ela, para *emergências*... Pois eu não via emergência maior naquele momento do que encher o meu armário com aquelas roupas lindas que o Alejandro tirava dos cabides e me mostrava, dizendo que tinham sido feitas para mim e que, ao vestir, eu teria que admitir que ele estava certo! Ainda bem que eu tinha viajado com apenas uma mala, pois, como os preços do *outlet* eram muito em conta, eu ia voltar com mais uma, lotada de roupas novas.

Durante a tarde inteira me senti como uma daquelas *superstars*, que ficam assentadas saboreando um champanhe enquanto seus *personal stylists* escolhem as roupas. Tudo que elas têm que fazer é balançar a cabeça concordando ou discordando... Só que no meu caso não tinha champanhe nenhum, afinal, estávamos em um *outlet*, e não em Beverly Hills! Eu quis experimentar tudo, pois a cada roupa que colocava percebia que aquele Alejandro tinha mesmo o maior olho clínico para moda, pois, sem nem perguntar o meu número, todas as peças que ele escolheu caíram perfeitamente bem no meu corpo.

"Es mui expressiva", o Alejandro ficava falando enquanto eu experimentava. "Devia trabajar como modelo." Achei aquilo muito engraçado, pois, desastrada como sou, era bem capaz de levar o maior tombo no meio da passarela. Mas, para fazer graça, comecei a fazer pose na frente dos espelhos e a fingir que estava mesmo em uma sessão de fotos, até que, em uma das lojas, uma das vendedoras perguntou se eu era famosa. Eu comecei a rir e estava pronta para negar, mas o Alejandro respondeu com a maior cara de indignação: "What? Don't you know who she is?!",* e então a moça não perguntou mais nada, mas passou a me tratar como se eu fosse a Nina Dobrev, o que fez com que nós dois tivéssemos a maior crise de riso.

E aquela não foi a única vez em que perdemos o controle das risadas. Passamos a tarde inteira nos divertindo como se nos conhecêssemos há anos, em vez de há apenas poucas horas... Ao final do dia, sabíamos tudo da vida um do outro. Descobri, por exemplo, que ele tinha sido criado pelos avós, depois que os pais morreram em um acidente de carro, quando ele tinha cinco anos. Ele também estava no carro e foi o único sobrevivente. E exatamente por esse motivo os avós resolveram se mudar da Espanha para os Estados Unidos, para tentarem recomeçar a vida sem tantas lembranças dolorosas... Era difícil imaginar que uma pessoa tão alegre e para cima como o Ale tivesse um passado triste, mas ele me explicou que tinha certeza de que os pais iriam querer vê-lo assim, aproveitando cada minuto da segunda chance que teve. Atualmente os avós dele moram em San Diego, mas ele me contou que vai visitá-los pelo menos uma vez por mês, pois morre de saudade.

Da minha parte, contei para ele sobre a mudança de cidade quando eu tinha 13 anos, por causa da separação dos meus pais, e o quanto eu odiei isso na época. Em seguida mencionei a recente reconciliação deles e o quanto eu estava me sentindo culpada por estar gostando menos ainda... Também falei da minha paixão por animais, por seriados e pelo Rodrigo. Por isso, quando ele me deixou na casa da Fani no final da noite, a despedida foi até meio difícil.

"Tem certeza que no quieres ir a un bar agora?", ele perguntou, assim que estacionou na porta da casa da Fani. "A

---

* O quê? Você não sabe quem ela é?!

Fani no gusta de sair, mas se chamarmos a Tracy, ela vai querer ir también..."

O convite era tentador. Se eu já tinha amado a companhia dele de dia, imaginava o quanto seria animado à noite. Mas eu queria ficar um pouco com a Fani. Tirando os dias que eu tinha passado com ela no estágio, nós estávamos nos encontrando só ao anoitecer, pois ela estudava de manhã e ficava na Warner na parte da tarde. Por isso, combinei com o Alejandro de encontrar com ele novamente no final de semana, quando a Fani, a Tracy e o Christian poderiam ir também.

"E no esqueça do que hablei", ele disse assim que desci do carro. "Se quieres, posso te apresentar para algumas personas que fazem *casting* de comerciais... Tenho certeza de que usted ficaria mui hermosa na frente de las câmeras! E así no precisa retornar ao Brasil quando seu dinheiro acabar, podes morar aqui para siempre! Quer dizer, solamente se seu namorado concordar em mudar para cá também... Porque no te deixo largar un hombre daqueles nem pelo melhor lugar del mundo!"

Comecei a rir. Eu havia mostrado umas fotos do Rodrigo mais cedo e o Ale elogiou tanto que cheguei a ficar com um pouco de ciúmes... Mas garanti que ele podia ficar despreocupado, eu não tinha intenção nenhuma de deixar o Rodrigo, nem pela cidade dos meus sonhos! Que era exatamente o que Los Angeles estava se tornando para mim...

9

Brittany: Família é um lugar onde todos te amam incondicionalmente. E eles te aceitam como você é.

(Glee)

A primeira noite em casa depois da viagem foi estranha. Após quase um mês dormindo no sofá da sala da Fani, era de se esperar que eu praticamente me fundisse com a cama ao deitar no conforto do meu próprio quarto. Porém, apesar de ter ficado o dia inteiro bocejando, não foi o que aconteceu. As horas foram passando sem que o sono me dominasse. Meus pensamentos não paravam de rodar e eu estava a ponto de bater a cabeça na parede! Em vez disso, preferi pedir um remédio para a minha mãe, que se recusou a me dar, dizendo que eu era muito nova para ter insônia e que a falta de sono era apenas consequência da diferença de fuso horário.

Por isso, quando o sol finalmente nasceu, eu estava ainda mais exausta do que no dia anterior. Tudo que eu queria era ficar deitada o dia inteiro, vendo todos os seriados novos que eu tinha trazido, mas eu já sabia que isso seria impossível. Eu precisava conversar com os meus pais.

E com o Rodrigo.

Na noite anterior, assim que as meninas saíram do meu quarto, expliquei que eu tinha um assunto importante para conversar com ele, mas perguntei se poderíamos deixar para depois, já que minha casa estava cheia de gente e eu preferia fazer isso em algum momento em que estivéssemos sozinhos, sem interrupções. Ele ficou meio perplexo e perguntou de uma só vez: "Você vai terminar comigo? Aconteceu alguma coisa na viagem?". Eu comecei a rir, o abracei e falei que a única coisa que tinha acontecido era que eu tinha mais uma vez constatado que não sabia viver sem ele e que terminar não estava nos meus planos pelos próximos mil anos! Ele pareceu aliviado e falou que nesse caso poderíamos conversar com calma depois. Mas eu sabia que não tinha como fugir e, o quanto antes contasse tudo pra ele, mais depressa poderia começar a pensar em alguma solução.

Quando meus pais acordaram pra trabalhar, eu já tinha arrumado toda a mesa do café da manhã, com vários *cookies*, *brownies*, *peanut butter* e outras guloseimas que havia comprado em um supermercado americano. Além disso, em frente ao lugar deles, coloquei alguns presentes que eu tinha trazido e até decorei a parede com uma guirlanda natalina, para que pudéssemos ter uma celebração tardia de Natal, já que eu tinha passado a data longe deles. Na verdade, ainda na Califórnia, eu havia tido essa ideia de comemorarmos quando eu voltasse, mas não podia negar que agora eu tinha também uma intenção a mais: sensibilizá-los para que eles mudassem de ideia em relação ao nosso combinado e me deixassem ficar em BH... Eu ia aproveitar o clima de confraternização e pedir, implorar, até chorar se precisasse.

A princípio cheguei a pensar que eu poderia persuadi-los. Eles ficaram tão contentes com o "café da manhã surpresa" que até tive esperança de que simplesmente se esquecessem dessa ideia de voltar para São Paulo e pudéssemos ter mais quantos cafés da manhã daquele quiséssemos, do mesmo jeito, com o Biscoito e a Duna mendigando farelos, com o Rabicó correndo embaixo da mesa, com o Pavarotti cantando ao fundo... Foi um momento tão tranquilo e feliz, que por alguns minutos eu realmente relaxei e apenas curti a companhia deles e a comida.

Até que meu pai me olhou por cima da vasilha de pão de queijo, que eu tinha cuidadosamente assado, e falou: "Prica, temos que conversar um assunto sério agora".

Eu estava me deleitando com uma fatia do bolo de brigadeiro que tinha sobrado da minha festinha, mas de repente aquilo me pareceu um pedaço de cimento. Fiquei enjoada no mesmo instante, ao imaginar o que estava por vir.

"Ontem a gente não quis tocar no assunto, já que você tinha acabado de chegar e estava cansada...", ele continuou a falar, completamente indiferente à indigestão que eu estava sentindo naquele momento. "Mas acho que você já deve estar sabendo que passou no vestibular em São Paulo. Não tive dúvidas que você passaria, mas confesso que estava com certo receio de você zerar a redação de propósito ou fazer as provas de qualquer jeito, só pra não ter que cumprir o combinado. Mas, depois de ver o resultado, confesso que fiquei até meio envergonhado de ter pensado tal coisa. Quero dizer que fico cada dia mais orgulhoso de você, minha filha. De ver que você se tornou uma pessoa leal, verdadeira e que cumpre com suas promessas."

Um nó começou a se formar na boca do meu estômago e era tão grande que chegou até a minha garganta, me impedindo de falar. Então minha mãe aproveitou o momento de silêncio e disse: "Sabe, Pri, desde que voltei com seu pai, eu tenho me sentido como se fosse uma adolescente outra vez... Já tinha até desistido do amor, mas quando a gente começou a se entender novamente, eu vivenciei sensações que achava que nunca mais ia sentir. Frio na barriga. Coração acelerado. Vontade de sair dançando por aí...".

Olhei para o meu pai, que estava acompanhando as palavras dela completamente encantado. Comecei a sentir uma coisa meio estranha. Acho que ciúme dos dois. E talvez um pouco de inveja, eu também gostaria de sentir tudo aquilo pelo Rodrigo novamente... Eu poderia definir o amor que atualmente tinha por ele bem mais como um "cobertor aconchegante" do que como uma "montanha-russa"... Mas de certa forma era animador saber que eu poderia voltar a ter aqueles sentimentos tão intensos algum dia. Eu só esperava não precisar de uma separação de seis anos para que isso acontecesse!

"E é por essa razão que o fato de podermos morar novamente em São Paulo, onde vivemos por tantos anos, tem me empolgado tanto! Mal posso esperar!"

Uma ideia começou a se formar na minha cabeça. Se eles estavam vivenciando aqueles sentimentos todos, como se estivessem iniciando a vida de casados agora, seria ótimo morarem sozinhos... Eu só iria atrapalhar! Eu apenas precisava explicar isso...

"Acontece, filha", ela voltou a falar antes que eu pudesse expor o meu pensamento, "que essas sensações todas não são apenas por causa do seu pai."

Não? Como assim? Tinha mais alguém?!

Olhei para o meu pai esperando que estivesse tão perplexo quanto eu, mas ele continuava sorrindo para ela, que então explicou: "Claro que estou explodindo de felicidade por estar com ele outra vez. Mas se teve algo que me devastou desde a separação foi o fato de termos a nossa família partida ao meio. Seu pai e o Arthur de um lado, e nós duas do outro, essa foi a parte mais difícil. E a mera possibilidade de estarmos todos juntos na mesma cidade novamente tem me deixado tão leve que eu poderia voar...".

Todos juntos na mesma cidade? Meu irmão estava morando em Portland havia dois anos e, pelo que eu sabia, ainda ia ficar por mais tempo! Ele tinha sido contratado por uma empresa lá! Será que ela estava esquecendo aquele detalhe?

"Confesso que não gostei nada desse trato que seu pai fez, de te dar uma viagem pro exterior e em troca você concordar com a mudança. Mas eu te conheço. Sei que você não aceitaria um acordo desses nem por uma viagem para a Lua... a não ser que no fundo você também quisesse isso. Como o seu pai, eu também estava certa de que você ia ser reprovada nesse vestibular. Eu até falei para ele que você ia deixar todas as questões em branco! Mas quando saiu o resultado, entendi tudo. Se você fez a prova tão bem, a ponto de passar em primeira chamada, só posso supor que você também não queira ficar sem a gente."

Claro que eu não queria ficar sem eles! Mas ficar com eles significava ficar sem o Rodrigo! Será que era complicado assim entender?

"Foi tão difícil passar esses dias longe de você, Pri... Quase morri de saudade, mesmo nos falando pela internet o tempo todo. Sei que em algum momento da vida você vai seguir seu próprio caminho, mas eu ainda não estou preparada pra isso. Durante os últimos anos, você foi muito mais que uma filha pra mim. Foi minha confidente, meu alicerce, minha válvula de escape, minha melhor amiga. Na época da separação, o que me fez manter a sanidade foi a sua companhia. E as confusões e dramas que você sempre arruma espantam qualquer rotina, deixam a vida da gente mais animada, mais colorida".

Apesar de estar sorrindo, ela parou um pouco para enxugar algumas lágrimas que começaram a cair.

"Mãe...", tentei falar, mas ela fez sinal para que eu esperasse e continuou o discurso.

"Só que, apesar disso, não posso ser egoísta. Por mim, ficaria com você e seu irmão debaixo das minhas asas pelo resto da vida! Mas sei que isso impediria vocês de voar. Antes foi ele e agora chegou a sua vez..."

Ela começou a chorar pra valer e eu fiquei só olhando, sem entender nada. O que era isso agora? Minha mãe tinha lido algum livro de autoajuda e estava recitando as frases? Estava bem claro que o meu único voo seria algum da Tam ou da Gol, de BH para São Paulo! Que choradeira era essa?

"O que a sua mãe está querendo dizer, Priscila, é que a decisão ainda é sua", meu pai explicou, enquanto a abraçava. "Você já nos deu provas suficientes de que é muito responsável. Seja ficando quase um mês fora e conseguindo se virar. Seja encarando um relacionamento longo, mesmo sendo tão nova, e nunca nos dando problemas por causa disso. Seja cumprindo sua parte em um acordo, mesmo que isso te trouxesse tristeza. E é por causa disso que a gente não tem dúvidas de que seu futuro será brilhante onde for... Seja perto ou longe da gente. Se sua vontade for mesmo permanecer em BH, tudo bem... Nós vamos ficar tristes, mas iremos te respeitar e te ajudar."

Fiquei olhando para ele sem acreditar. Ele estava me liberando do tal acordo e ainda me apoiando? Mas como eu podia ficar feliz, se a minha mãe continuava em prantos e o meu pai parecia estar se segurando para não fazer o mesmo? Como eu podia sorrir olhando para os dois com expressões tão tristes?

"Desculpa, Pri", minha mãe falou enxugando o rosto com um guardanapo. "Sei que estou muito sentimental, mas é que é muita emoção de uma vez só. Ontem à noite eu estava com tanto sono que apenas hoje cedo fui abrir os presentes do seu irmão e vi a carta. E logo depois essa nossa conversa... Mas pelo menos a boa notícia do Arthur vai me acalentar quando eu ficar com muita saudade de você! Vou ter com o que me ocupar!"

"Que boa notícia?", perguntei sem entender.

Meus pais se entreolharam e então minha mãe falou: "Você não está sabendo? Como vocês passaram o Natal juntos, imaginei que ele tivesse te contado em primeira mão e te pedido para não falar pra gente, até lermos a carta...".

Sim, eu havia passado a data com o meu irmão e a Sam, que voaram de Portland para a Califórnia de surpresa, me fazendo ter o melhor Natal da minha vida. Mas eles não tinham me contando nada que eu já não soubesse! No último dia eles me pediram mesmo para levar uns presentinhos de Natal para os meus pais, que eu tinha entregado na noite anterior, e, lembrando agora, entre eles realmente tinha um envelope... que por sinal eu nem tinha aberto. Se ao menos eu imaginasse que continha alguma informação importante... Pensei que fosse um simples cartão de Natal!

"Eles vão voltar pro Brasil?!", perguntei atônita. Por que eles tinham me escondido aquilo? Então era isso que minha mãe havia falado a respeito de ter a família reunida novamente...

Ela começou a chorar ainda mais, mas também a rir ao mesmo tempo. Por isso, foi o meu pai que finalmente respondeu: "Sim, eles resolveram voltar pra São Paulo, e por um motivo muito especial... A Samantha está grávida. Você vai ser tia, Priscila!"

10

> <u>Mouth</u>: A história real é sobre pais e filhos.
> É sobre a vida, o tempo. E as mudanças.
>
> (One Tree Hill)

Sabe aqueles episódios de seriados a que a gente assiste e fica pensando: "Nossa, que personagem mais tapada! Será que ela não está enxergando isso?". Pois é. Essa personagem sou eu. E essa é a série da minha vida. Porque agora, olhando para trás e recordando os meus últimos "episódios", fico com vontade de ir lá e abrir os meus olhos! Porque certamente eu devia estar cega para não ter visto os sinais!

Estava tão óbvio que, assim que minha mãe me deu a notícia bombástica, tudo se encaixou! Eu ainda peguei o meu *Diário de Viagem* para conferir o que tinha escrito no dia em que a Sam e o Arthur chegaram a Los Angeles. E pelo que constatei, eu realmente devia estar muito deslumbrada com a cidade, pois a minha cegueira começou ainda antes de eles chegarem...

Diário de Viagem

13º dia em Los Angeles

Até agora não acredito que não saquei que o Arthur e a Samantha estavam vindo passar o Natal comigo!!! Francamente, Priscila! Você já foi melhor em dedução!

Estava tão óbvio... Como não vi? Primeiro, o fato dos meus pais terem concordado em adiar a minha volta para o Brasil sem reclamar muito... Eu tinha que ter estranhado, afinal, eu não pedi simplesmente para ficar uns dias a mais aqui em Los Angeles...

Eu pedi uns dias a mais em pleno Natal! O normal seria que eles não deixassem, claro. Mas eu fiquei tão feliz quando permitiram a alteração da passagem que nem questionei o motivo de ter sido fácil demais...

E ontem à noite, quando conversei com o Arthur e a Sam no telefone, os dois vieram com aquele papo de que já iam me desejar feliz Natal de uma vez, pois iriam viajar para passar a data com uns amigos... Eu tinha que ter sacado que a tal "amiga" era eu!

Não que eu esteja reclamando, quase morri de felicidade quando abri a porta e dei de cara com os dois! E está sendo maravilhoso passar o Natal com meu irmão e minha cunhada. Eu não os via desde o casamento deles, oito meses atrás! A única coisa é que... bem, estou achando os dois meio estranhos, um pouco sérios. Eu falei pra gente aproveitar e ir amanhã no parque da Universal ou na Disneyland, e os dois falaram que a viagem foi muito cansativa, que era melhor a gente fazer programas mais "light" durante os três dias que vão ficar em Los Angeles, tipo cinema e teatro. Caramba, se eles acharam cansativa uma viagem de duas horas de avião, imagino o que eles pensam a respeito de viagens internacionais!

Mas tudo bem, eu já tinha mesmo combinado de ir à Disney com a Fani, a Tracy, o Ale e o Christian no próximo fim de semana, e nós vamos até passar o Réveillon na Universal! Mas seria legal ir a esses lugares com meu irmão. Nós fomos à Disney juntos uma vez, quando éramos crianças, com os nossos pais, mas já tem tanto tempo que nem lembro direito. E eu adoraria ver a Sam em uma montanha-russa, ela tem cara de quem grita histericamente!

Anyway, depois escrevo a programação desses três dias, mas do jeito que os dois estão se portando como "adultos", provavelmente só iremos a alguns restaurantes! Porque, pelo visto, nem de barzinhos eles gostam mais. A Tracy acabou de oferecer uma taça de vinho pra Samantha e ela recusou, falando que está *tentando uma alimentação mais saudável. O que fizeram com ela em Portland, lavagem cerebral? Quero minha cunhada louca e festeira de volta.*

Até mais!

Ou seja, estava escrito na cara deles, com letras maiúsculas, e eu não enxerguei! A viagem de Portland para L.A. não tinha sido cansativa nada, eles não queriam ir aos parques por zelo, já que ela estava no início da gravidez! E foi por essa razão também que ela recusou bebida alcóolica! Ah! Que tonta que eu sou. Realmente não dá para entender como passei no vestibular...

Mas o fato é que meu irmão mentiu descaradamente quando disse que eles iam continuar a morar nos Estados Unidos, mesmo com a conclusão do mestrado dele. E eu acreditei!

Por isso, assim que minha mãe me mostrou a tal carta (que por sinal dizia: "Olá, vovó e vovô. Tem um presente pra vocês na folha aí atrás". A tal folha era exatamente o exame de gravidez da Sam, com um *POSITIVE* grifado três vezes e um desenho de neném do lado, que eles fizeram. Por último, estava escrito que eles estavam de malas prontas, pois queriam criar a criança perto da família), eu avisei que ia ligar para o Arthur naquele mesmo instante.

Minha mãe ainda tentou argumentar, dizendo que em Portland ainda era madrugada, mas eu não quis nem saber. Que direito meu irmão tinha de ocultar um fato importante desses de mim? Eu queria ter sido a primeira a saber!

Ele atendeu completamente grogue, mas assim que ouviu minha voz despertou, pensando que tinha acontecido alguma coisa séria. Claro que tinha...

Priscila: *Arthur, espero que você esteja bem acordado, porque quero ter certeza que seus olhos estarão bem abertos para ver como eu vou te matar!*

Arthur: *Pri? Matar? Alguém morreu?*

Minha mãe ligou o viva-voz, para que ela e meu pai também pudessem falar.

Lívia: *Filho, ninguém morreu, pode voltar a dormir, a Priscila telefonou sem o meu consentimento. Quando levantar você liga pra gente. Beijo! Ah, e eu amei a notícia, estou tão feliz que você nem imagina!*

Arthur: *Mãe, você está chorando?*

Priscila: *Quem vai chorar é você quando eu te encontrar! Que ideia de mentir pra mim foi essa, Arthur? Eu até esperava isso de você, mas nunca da Samantha!*

Luiz Fernando: *Arthur, as duas estão meio descontroladas aqui, mas não se preocupe, é só a emoção com sua carta... Pode voltar a dormir, manda um beijo pra Sam, realmente ficamos muito felizes. Quando vocês pretendem voltar?*

Lívia: *Espero que seja amanhã! Vocês estão cuidando bem do meu neto? Ou será que é neta? Vocês não falaram com quantas semanas a Samantha está. Quando saberemos o sexo?*

Priscila: *Por que vocês não me contaram, Arthur? Por que esconderam isso de mim? Por quê???*

Ele não respondeu, e por um instante cheguei a pensar que a ligação tinha caído ou que ele tinha desligado.

Priscila: *Arthur?*

Samantha: *Prizinha, a gente não fez por mal...*

Lívia: *Samantha! Desculpa a gente ter acordado vocês a esta hora... Como está passando, minha querida? Está tendo enjoos? Olha, é importante tomar muito ácido fólico nos primeiros meses! Você não está fazendo muito esforço, né?*

Priscila: *Mãe, ela não está se esforçando... E nem está tendo emoções fortes. E muito menos bebendo álcool! Sam, podia ter me falado! Pelo menos eu não acharia que vocês estavam sendo chatos em Los Angeles à toa. Quer dizer... não que vocês estivessem chatos. Bem, só um pouquinho...*

Samantha: *É que a gente sabia que, se te contássemos, você falaria pros seus pais... E realmente queríamos que eles sentissem o que a gente sentiu no momento que vimos o exame. Mas nós te demos pistas. E achamos que você leria sua carta junto com a deles, que esse seria um momento legal entre vocês três...*

Priscila: *Minha carta? Que carta?*

Luiz Fernando: *Você não entregou pra ela?*

Lívia: *Ai, acabei esquecendo. Vou lá pegar.*

Priscila: *Que carta é essa?*

Samantha: *Dentro do envelope que pedimos pra você entregar pros seus pais tinha uma cartinha pra você também...*

Olhei pro meu pai, que só afirmou com a cabeça, e um segundo depois minha mãe chegou com um envelope cor-de-rosa, meio amassado. Rasguei a ponta depressa e vi que lá dentro tinha um papel e um pedaço de pano, que quando peguei vi que era um pequeno babador, com um desenho da fada-madrinha da Cinderela. Nele estava escrito *"I love my fairy godmother!"*.* Tirei depressa o papel e li com o coração acelerado.

Deveres da madrinha:

Cuidar de mim quando meus pais precisarem se ausentar.

Brincar muito comigo.

Ser minha melhor amiga.

Me ensinar o que é certo e errado.

Estragar a educação dos meus pais, me dando chocolates antes do almoço.

E, principalmente, estar sempre por perto para me mimar bastante!

Quer ser minha madrinha? Eu já te amo!

Assinado: Neném.

Samantha: *Alô? Vocês estão aí ainda?*

Luiz Fernando: *Acho que sua carta causou uma certa comoção aqui... As duas estão abraçadas chorando.*

Samantha: *Estou chorando aqui também! Aliás, o que é isso que a gravidez faz com a gente? Choro o tempo inteiro agora!*

---

* Eu amo a minha fada madrinha!

Lívia: *Isso é só o começo... Prepare-se para virar a maior chorona pelo resto da vida! Chorei quando soube que estava grávida, quando vi os ultrassons, quando a Pri e o Arthur nasceram, no primeiro aniversário, no primeiro dentinho, nos primeiros dias de aula, quando o Arthur aprendeu a dirigir, na primeira menstruação da Priscila, quando eles passaram no vestibular... E choro até hoje, a cada vez que algo importante acontece na vida de um dos dois... E por isso não parei de chorar desde que li sua carta!*

Samantha: *Mas e aí, cunhadinha... Aceita virar minha comadre? Meu bebê está ansiosíssimo aqui dentro, louco pra saber se vai ter a madrinha mais legal do mundo...*

Respirei fundo e segurei o choro antes de responder.

Priscila: *Você tem alguma dúvida? Só tenho medo de, quando carregar, não querer devolver nunca mais...*

Samantha: *Isso é exatamente o que esperamos de você.*

Foi então que eu vivenciei a emoção mais estranha de todas... Porque, antes mesmo de ele nascer, eu já sentia por aquele neném um amor tão grande que até doía. E sabia que ia querer passar todos os dias da minha vida ao lado dele.

11

> <u>Jacob</u>: *Só termina uma vez. Tudo que acontece antes é apenas progresso.*
>
> (Lost)

De: Admissions <admissions@ubc.ca>
Para: Sara <sararochette@mail.com.br>
Enviada: 07 de janeiro, 11:32
Assunto: Re: Information

Dear Sara,

We are proud to hear that UBC helped you in your professional training. We hope you achieve more and more success in your career.

Your brother has a great résumé and he also plays and sings very well. We will be happy to have him for an interview. Please feel free to write me again whenever you want to schedule a meeting.

Kind regards,

John Whittaker
Admissions Office
The University of British Columbia.[*]

---

[*] *Querida Sara, ficamos orgulhosos em saber que a UBC ajudou na sua formação profissional. Esperamos que você alcance cada vez mais sucesso na sua carreira. Seu irmão tem um ótimo currículo e também toca e canta muito bem. Ficaremos felizes em recebê-lo para uma entrevista. Por favor, sinta-se à vontade para me escrever novamente assim que quiser agendar uma reunião. Atenciosamente, John Whittaker / Escritório de Admissões / The University of British Columbia.*

De: Sara <sararochette@mail.com.br>
Para: João Marcelo <marcelorochette@netnetnet.com.br>
Enviada: 07 de janeiro, 12:55
Assunto: YES!

A UBC me respondeu, eles aceitaram receber o Rodrigo pra uma entrevista! Só temos que marcar uma data! Tá vendo? Sabia que ia dar certo, por mais que nossa família irresponsável não dê força!

Beijos!

Sara

P.S.: Só uma coisa, João, o Rodrigo vai morar comigo, ok? Nada de fazer a cabeça dele pra morar nesse moquifo que você chama de casa. Ele está precisando de uma boa influência.

De: João Marcelo <marcelorochette@netnetnet.com.br>
Para: Sara <sararochette@mail.com.br>
Enviada: 07 de janeiro, 13:51
Assunto: Re: YES!

Irmãzinha querida, acho que você só esqueceu um detalhe. Para marcar a entrevista, o entrevistado tem que topar, sabia? Como você pretende fazer que isso aconteça? Hipnose?

Beijos!

Marcelo

P.S.: Não sei que boa influência é essa que você pode ser. Mas, por mim, pode ficar com ele inteirinho. Tá louca? Imagina se quero o Rodrigo na minha cola 24 horas por dia! O cara nem sai de casa direito, vai atrapalhar meus esquemas com as gatas.

Querido Rodrigo,

Estou escrevendo porque — pra variar — você não está em casa. E pensar que tem gente que acha que você é caseiro... Mas é até bom, porque eu tive um professor na faculdade que ensinou que quando escrevemos, em vez de falar, o nosso interlocutor fixa mais a mensagem e pode entender melhor o que queremos expressar.

Pois bem, eu espero que você realmente entenda e que considere com muito carinho o meu convite. Ou, talvez, você prefira chamar de "proposta".

Olha o currículo que está anexado. Tentei lembrar tudo que você já fez (e também que vai fazer, já incluí seu futuro estágio). E, ao final, nem acreditei que meu irmãozinho já tem tanta experiência, antes mesmo de completar 20 anos! E é por esse motivo que eu acho que você merece mais do que fazer uma faculdade na qual nem está interessado pra valer... Você nasceu pra brilhar, Rô! Qualquer um pode ver isso! E a prova disso é que eu o traduzi e enviei ao coordenador do curso de Música da UBC (a mesma faculdade que eu e o João Marcelo fizemos) e ele enxergou o seu talento de longe! Ele quer que você marque uma entrevista, para poder estudar lá também! Não é o máximo?

Por isso, quero te convidar para morar comigo. Estou morrendo de saudade de passar mais tempo com você e sei que você vai amar a vida lá! Tem praia, tem música, tem meninas bonitas... Tudo que eu sei que você gosta.

Não precisa responder agora, pense com carinho, tá?

Te amo muito e só quero o seu bem.

Beijo enorme,

Sara

Curriculum Vitae

Dados pessoais:

Rodrigo Lidman Rochette

Idade: 19 anos

Aniversário: 02 de fevereiro

Estado civil: Solteiro

Nacionalidade: Brasileiro

Formação Acadêmica:

Superior Incompleto – Curso: Administração de empresas – PUC Minas

Experiência Profissional:

Professor de inglês – English Super Schools

Professor de bateria – Particular

Estágio de Administração de Empresas – Santiago Consultoria

Qualificações e atividades complementares:

Inglês fluente – Três anos de ensino fundamental em Vancouver (Canadá)

Curso de Informática (Word, Excel, Photoshop, PowerPoint, Internet)

Trabalho voluntário na ONG Cão Viver

Poeta e compositor

Curso de Canto Livre – Professora Lúcia Lidman

12

Lucas: Existem momentos em nossas vidas em que nos vemos em uma encruzilhada. Com medo, confusos, sem um mapa. As escolhas que fazemos nesses momentos podem definir o resto da nossa história.

(One Tree Hill)

Como dar uma notícia que vai mudar a vida da pessoa? E se a maneira que ela reagir também for modificar o seu próprio futuro?

Foi pensando nisso, e sem ter nem ideia do que dizer, que fui encontrar o Rodrigo. Nós havíamos combinado de ir à PUC, ele para fazer a matrícula dele e eu para trancar a minha. Mas o Rô não sabia disso ainda... Ele pensava que eu ia me matricular por garantia, até o resultado da Federal sair.

Ele me buscou em casa e, assim que entrei no carro, perguntou se eu já tinha matado a saudade de todos os bichos. Contei que na noite anterior eu tinha colocado no meu quarto a maioria deles para dormir comigo, e então agora só tinha mais uma saudade para matar...

"É? De quem?", ele perguntou com um sorrisinho.

Não respondi. Em vez disso, puxei o rosto dele com as duas mãos e dei um grande beijo, o que fez com que ele, que já tinha começado a dirigir, estacionasse novamente, ainda no meu condomínio. Aliás, se tinha um lugar de que eu sentiria saudade, seria dali. Eu morava praticamente em um bosque. A minha casa era no meio da natureza, com tantas árvores que, só de passar pela portaria, eu já me sentia em paz... Será que eu ainda conseguiria me sentir em paz depois da mudança?

"Vou te mandar pra Los Angeles mais vezes", ele falou depois de alguns minutos e muitos beijos. "Se a cada vez você voltar com saudade assim..."

O que ele não sabia é que a minha reação não era apenas pelos dias que havíamos passado longe... Mas pelos que provavelmente ainda iríamos passar.

Ele ligou o carro novamente, começou a dirigir e perguntou: "Você ontem disse que queria conversar comigo... Pode ser agora? Fiquei curioso sobre aquilo que você e as meninas estavam falando, a respeito de um trato...".

O trato. E pensar que agora aquilo já não tinha a menor importância.

Abri a janela, liguei o rádio, peguei um chiclete na bolsa... Tudo para ganhar tempo. Vi que, apesar de estar virado para a frente, o Rô estava me observando pelo canto dos olhos. Respirei fundo e resolvi acabar com aquele suplício de uma vez.

"Hoje cedo conversei com o Arthur no telefone...", deixei os rodeios de lado e fui direto ao assunto principal.

"Ele já voltou pra Portland? Você me contou que ele e a Samantha iam passar o Réveillon com uns amigos de Seattle..."

Era verdade. Depois de passarem o Natal comigo, os dois foram direto encontrar os tais amigos, e agora eu sabia que provavelmente era para se despedirem... Mas já havia alguns dias que eles estavam em casa, cuidando dos preparativos para a mudança, pois no começo de fevereiro retornariam ao Brasil.

"Sim, eles já voltaram. E com uma novidade... Uma novidade bem grande!"

O Rodrigo me olhou com curiosidade, mas alguma coisa no olhar dele me fez pensar que intuía que não ia gostar muito de saber.

"Eles vão se mudar de novo pro Brasil", contei. "A Sam está grávida!"

Ele levantou as sobrancelhas na mesma hora e, se virando para mim, disse sorrindo: "Tia Pri?".

Eu balancei a cabeça confirmando e ele então me puxou para um abraço.

"Parabéns, titia! Tenho certeza de que seu sobrinho... ou sobrinha? Já sabe o sexo?" Eu fiz que não com a cabeça e ele continuou: "Esse bebê vai ser muito sortudo... Se você já trata seus bichos com tanto carinho, não tenho dúvidas de que vai ser a melhor tia do mundo!"

"A melhor *madrinha*", corrigi, prestando atenção na reação dele.

Ele levantou as sobrancelhas de novo, mas dessa vez não comentou nada, apenas sorriu.

"Rô, tem jeito de a gente parar em algum lugar antes de chegar na PUC? Precisamos conversar direito... Mas acho melhor você não ter que ficar prestando atenção em mim e no trânsito ao mesmo tempo, isso é meio perigoso."

Ele concordou e no mesmo minuto fez um desvio para parar no estacionamento de um McDonald's que estava por perto.

Assim que desligou o carro, olhou pra mim e falou: "Priscila, o que está acontecendo? Ontem você me disse que não aconteceu nada na viagem, mas você está esquisita desde que voltou. E se me mandou parar de dirigir pra te escutar, certamente é algo muito importante. Você sempre conversa pra caramba enquanto eu dirijo, nunca na vida ficou preocupada se ia me desconcentrar ou não... O que pode ser tão grave a ponto de tirar meu foco assim?".

"Não aconteceu nada na viagem, juro! Quer dizer, aconteceu muita coisa legal, quero te contar cada detalhe, mas não conheci nenhum cara e fiquei com ele, como você deve estar pensando..."

Era verdade, mas minha mente instantaneamente voltou vários anos no tempo, para uma época em que ele havia feito a mesma pergunta, exatamente por eu ter voltado estranha de uma viagem. Respondi praticamente a mesma coisa, mas naquela ocasião era mentira... Se eu tivesse dito a verdade, provavelmente não estaríamos tendo aquela conversa agora. Porque o nosso namoro já teria terminado há muito tempo...

Ele relaxou um pouco, mas continuou com as sobrancelhas franzidas. Peguei as mãos dele e apertei.

"Rô, eu quero te fazer um pedido... Eu nunca te pedi nada tão importante quanto isso. Não é um porquinho, nem um coelho, nem um cachorro... Nem mesmo um pato ou uma vaquinha."

Nós rimos um pouco, nos lembrando de todos os bichos que eu já havia pedido para ele. Alguns ele tinha inclusive conseguido me dar. Mas logo ficamos sérios novamente.

"Lembra no meio do ano, quando meus pais me contaram que iam reatar?", perguntei. "E que eu te contei que consegui convencê-los a me deixar em BH pelo menos até o vestibular..."

Ele assentiu e eu continuei.

"Pois é, mas agora eles vão mesmo pra São Paulo. Meu pai conseguiu conduzir a situação por um tempo, ficando lá e aqui, mas ele disse que realmente não dá, precisa cuidar da agência de perto. E minha mãe até já conseguiu transferir o emprego para lá novamente, vai voltar para o mesmo jornal onde trabalhava anos atrás, antes da gente vir pra BH."

"Sim, até essa parte eu já sabia", ele disse cruzando os braços. "E o plano era você passar na UFMG e ficar morando aqui com a sua avó, até nós dois nos formarmos na faculdade, e então..."

Morarmos juntos. Sim, era exatamente o que a gente tinha combinado. Porque apesar de eu estar morrendo de inveja daquela aliança da Natália, sabia que o Rodrigo não ia me pedir em casamento tão cedo... Ele achava que ainda não estava na hora, que éramos muito novos, pelo menos foi o que ele disse quando o Alberto pediu a mão da Nat, pouco mais de um ano antes. Confesso que até ir para Los Angeles eu discordava totalmente. Essas coisas não têm idade! E se com quase seis anos de namoro ele não tinha certeza de que eu era a mulher da vida dele, então nunca ia ter! E não é como se a gente precisasse casar imediatamente... Podíamos ficar noivos, depois morar juntos e só então formalizar. Mas a palavra "casamento" eu nunca tinha ouvido da boca dele. E pelo visto não ia ouvir tão cedo... Só que aquilo não tinha mais tanta importância. A viagem havia mudado alguma coisa no meu modo de pensar e eu podia dizer que atualmente concordava com ele. Agora eu também achava que *talvez* tivesse muita coisa para fazer antes de me casar... Apesar de não ter a menor dúvida de que, quando isso acontecesse, seria com ele.

"Só que agora que está chegando perto, a minha mãe não para de chorar, Rô". Eu tinha resolvido ocultar a parte do trato que eu tinha feito anteriormente. Os meus pais já tinham me liberado dele, eu não precisava chatear o meu namorado à toa. Eu não queria que ele pensasse que eu o havia trocado por uma viagem, porque realmente não tinha sido isso. Quando fiz aquele combinado, eu ainda achava que não tinha a menor possibilidade de passar no vestibular em São Paulo. Mas eu sabia que ele não ia entender isso tão facilmente. "Ela não quer que eu fique aqui sozinha, não quer ficar sem mim... E o retorno do Arthur atrapalhou tudo ainda mais."

"Você vai mudar com eles pra São Paulo?", ele perguntou antes que eu terminasse de explicar. "Pensei que com a volta do Arthur tudo fosse ficar mais fácil... Afinal, agora seus pais vão ter um netinho, e isso de certa forma poderia fazer com que parassem de se preocupar tanto com você, já que vão estar ocupados ajudando sua cunhada e mimando seu sobrinho..."

Mordi o lábio e respirei fundo. Essa era questão. Eu não queria que eles fizessem essas coisas. *Eu* queria fazer.

"Rô..."

"Você está querendo ir pra São Paulo *por causa* do neném?", ele enrijeceu o corpo, adivinhando meus pensamentos. "Mas seu irmão e sua cunhada podem vir pra cá nos fins de semana e você normalmente já vai pra lá nas férias, nos feriados... Com eles no Brasil vai ser tranquilo, imagina se fossem continuar morando nos Estados Unidos?"

Ele disse a última frase meio para fazer graça, mas quando viu que continuei séria, o sorriso dele morreu.

"Os dois estão voltando exatamente porque querem a família por perto nesse momento. E eu queria acompanhar o crescimento do meu afilhadinho, ou afilhadinha, dia após dia", falei olhando pro chão, "e não apenas de vez em quando. Eu quero estar lá quando ele der o primeiro sorriso. Quero ajudar a dar o primeiro banho. E ouvir quando ele balbuciar as primeiras palavras. E também quero ver quando começar a engatinhar, a andar... Sim, eu posso acompanhar tudo por vídeo e fotos, mas que graça isso tem?"

"Você *vai* pra São Paulo por causa do neném...", dessa vez ele não perguntou, e sim afirmou, enquanto olhava para algum ponto no meio do volante, como se estivesse visualizando uma bola de cristal ali. E parecia que o que ela estava mostrando não era o que ele queria ver.

"Rô, eu não decidi ainda, por isso que falei que precisava conversar com você... Sim, eu gostaria de ir por causa do filhinho do Arthur e da Sam. E também por causa da minha mãe, que realmente está muito triste por ter que se separar de mim. Mas eu não conseguiria ser feliz sem você! Por favor, vem comigo! Você pode pedir uma transferência pra PUC de lá, ou, se não der, para alguma outra faculdade... Você sabe que em São Paulo o mercado de trabalho é maior, todo mundo fala isso... Os nossos planos vão continuar como antes, só que em outra cidade..."

"E eu vou morar onde lá, Priscila?", ele perguntou muito sério. "Você acha que meus pais vão concordar com isso? Você acha que eles vão *pagar* por isso? Pois posso te afirmar que não vão. Ok, o mercado de trabalho lá é melhor, os salários são maiores, mas o custo de vida é muito mais alto também! Você sabe que desde o final do ano passado eu parei de dar aulas para começar a fazer estágio, que nem é remunerado, por sinal. Atualmente não tenho dinheiro nem pra ir pra Nova Lima! Sinto muito... Mas acho que no final das contas eu é que vou te ver só em alguns finais de semana e feriados."

Ele virou para a frente e encostou a cabeça no volante. Fiquei olhando, calada por um tempo, sem saber o que dizer. Até um dia antes eu não aceitava outra possibilidade que não fosse ficar em Belo Horizonte. E agora tudo que eu mais queria era ir para São Paulo com a minha família. Porém, sem ele, ficaria faltando um pedaço na cidade. Qualquer lugar ficaria incompleto.

O Rô então virou a chave, e quando ia começar a manobrar o carro, peguei no braço dele.

"Tudo bem, eu fico aqui em BH", falei baixinho, me sentindo muito triste. Não tinha saída. Eu ficaria assim de qualquer jeito, pois não tinha como me dividir ao meio.

Ele desligou o carro de novo e me puxou. Encostei a cabeça no ombro dele, que me abraçou e ficou fazendo carinho no meu cabelo. Senti meus olhos começarem a encher de lágrimas. Eu não queria ficar sem aquele abraço.

"Você vai ter que ir, Pri... Sei que vai enlouquecer se ficar aqui pensando que gostaria de estar lá acompanhando o crescimento desse bebê. Eu não vou mudar, não vou crescer mais, quer dizer, talvez uns dois centímetros no máximo, pelo que a gente estudou na aula de Biologia. Mas prometo que o que está aqui dentro não vai mudar de tamanho", ele colocou a minha mão no peito dele.

Eu o abracei de novo e fiquei sentindo as batidas dos nossos corações, até que ele falou no meu ouvido: "Posso tentar pedir transferência na faculdade, mas para o próximo semestre, pois, para esse, o prazo já acabou. E também vou tentar arrumar um emprego lá na minha área, alguma coisa que valha como estágio, mas com um salário que dê pra eu pagar pelo menos uma quitinete... Não vai ser fácil, mas prometo que vou tentar".

Joguei meus braços por trás do pescoço dele e comecei a enchê-lo de beijos.

"Eu te amo, te amo, te amo!", falei entre um beijo e outro.

"Eu falei que vou *tentar*...", ele disse sorrindo, mas com um olhar tão triste que até me deu vontade de chorar.

Ele me deu um último beijo, ligou o carro e fomos calados até a faculdade.

Ele fez a matrícula e eu tranquei.

13

> _Jeremy_: As coisas são assim. É chato, mas eu tenho que me acostumar com isso.
>
> (The Vampire Diaries)

De: Rodrigo <rrrrrodrigooooo@gmail.com>
Para: Leonardo <soueuoleo@gmail.com>
Enviada: 10 de janeiro, 02:12
Assunto: E aí?

E aí, Leo? Chegou bem no Rio? A viagem foi tranquila?

Por aqui tudo bem. Quer dizer, médio. A Priscila vai mudar pra São Paulo com os pais. Ela me deu a notícia três dias atrás, mas ainda não aceitei bem a ideia... Difícil, né? Estou acostumado a encontrar com ela todos os dias desde os 14 anos! E o pior é que a gente estava numa fase tão boa... Desde que ela completou 18, os pais dela meio que pararam de vigiar, passaram a deixar a Pri ir mais lá pro sítio e até viajar comigo para outros lugares. Além disso, estávamos começando a fazer planos mais concretos pro futuro, já pensando até em morar juntos (ou coisa parecida) depois da faculdade. Mas agora acontece essa mudança que não estava no programa! Realmente não sei o que pensar. Tenho receio de que a distância possa nos afastar não só na quilometragem...

Bem, não escrevi pra ficar lamentando, porque seu ouvido (neste caso seria melhor dizer seus olhos) não é penico. Estou parecendo uma adolescente choramingando!

Na verdade, escrevi pra perguntar como foi o seu processo de transferência da PUC Minas para a do Rio. Acho que vou ter que encarar isso também (só que pra de SP). Sabe qual é o procedimento?

Abração!

Rodrigo

P.S.: Por favor, não fale nada pro seu pai sobre essa minha vontade súbita de mudar de cidade. Ele foi muito legal de ter me arrumado um estágio na empresa dele, e se eu conseguir essa transferência, provavelmente vai ser só no meio do ano.

De: Leonardo <soueuoleo@gmail.com>
Para: Rodrigo <rrrrrodrigooooo@gmail.com>
Enviada: 10 de janeiro, 10:16
Assunto: Re: E aí?

Oi, Rodrigo! A viagem foi ótima, pena que só deu pra gente encontrar uma vez. É engraçado, quando estou aí fico louco pra voltar pra cá logo, acho que já estou sentindo o Rio bem mais como minha casa do que BH. Mas mal eu volto e já fico meio com saudade dos amigos e da família... Pelo que percebi no seu e-mail, acho que em breve você vai sentir isso também, já que vai ter que se dividir entre duas cidades.

Cara, que chato isso da Priscila. Não tem como ela ficar em BH de jeito nenhum? Acho que os pais dela não estão permissivos como você disse, senão não a obrigariam a se mudar pra lá com eles! Foi isso, né? Eles a obrigaram? Porque sei que a Priscila não ficaria longe de você por vontade própria. Ela não te troca por nada neste mundo!

Bom, o caso da faculdade é fácil. É só ir na secretaria e perguntar a data certa para entrar com o pedido de transferência externa, isso é, para outra faculdade. Aí eles vão te dar uma declaração e o seu histórico escolar até aquela data, e você leva tudo na outra faculdade, para eles estudarem a possibilidade de te transferirem. Na verdade a minha situação foi diferente, pois eu mudei de curso também, mas tive que fazer isso que te falei para eliminar umas matérias. Mas não se preocupe, vai dar tudo certo. Suas notas são ótimas, a PUC de SP vai te querer como aluno!

Agora sobre o que você disse a respeito de você e a Priscila estarem fazendo planos pro futuro, só digo uma coisa: faço questão de ser padrinho na cerimônia! Afinal, eu estava lá no dia em que vocês se conheceram, poxa! Também ajudei no começo do namoro e tudo mais, mereço esse privilégio! Mas espera mesmo terminar a faculdade, né? Vocês são muito novos pra casar!!!

Abração,

Leo

P.S.: Por experiência própria: distância não diminui o amor. Muito pelo contrário.

P.S. 2: Não vou falar nada pro meu pai, relaxa. Mas se mudar de ideia em relação ao estágio, melhor avisar com antecedência. Meu pai é meio sistemático.

Rodrigo, cadê você? Tem dias que estou querendo ter aquela conversa, mas você praticamente se mudou pra casa da Priscila! Será que dá pra arrumar um tempinho pra sua irmã, por favor?
Sara

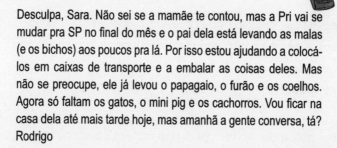

Desculpa, Sara. Não sei se a mamãe te contou, mas a Pri vai se mudar pra SP no final do mês e o pai dela está levando as malas (e os bichos) aos poucos pra lá. Por isso estou ajudando a colocá-los em caixas de transporte e a embalar as coisas deles. Mas não se preocupe, ele já levou o papagaio, o furão e os coelhos. Agora só faltam os gatos, o mini pig e os cachorros. Vou ficar na casa dela até mais tarde hoje, mas amanhã a gente conversa, tá? Rodrigo

Desculpa, Rô, não sabia. Você deve estar muito triste com essa mudança dela, né? Aproveite mesmo o máximo possível enquanto ela ainda está aqui. Não se preocupe, a gente pode conversar mais pra frente, mesmo que seja virtualmente. Lembre-se que pode contar comigo sempre! Só quero seu bem, tá? Sara

Mãe, como assim você não me dá uma boa notícia dessas que a Priscila vai se mudar pra SP??? Certeza que agora o Rodrigo vai concordar em passar pelo menos um tempo comigo no Canadá! Afinal, a Priscila era o que o prendia em BH! O que ele vai fazer aqui sem ela? Sara

Ah, claro, só a Priscila. Ele não tem mãe, pai, irmão, cachorros, amigos, faculdade... nada aqui. Tem razão, acho que já podemos até providenciar a passagem dele para ir com você. Mamãe

De: Sara <sararochette@mail.com.br>
Para: João Marcelo <marcelorochette@netnetnet.com.br>
Enviada: 13 de janeiro, 13:23
Assunto: Caso Rodrigo

João Marcelo, como está a Cloud? Já levou minha gata de volta pro meu apartamento? Não quero que ela fique hospedada no seu, você nem tem tela nas janelas! Prefiro que ela morra de fome do que espatifada no chão depois de ter caído do 13° andar!

Atualização sobre o "caso Rodrigo": apesar da nossa família ser completamente irresponsável e não estar nem aí para o futuro do nosso irmão caçula, acho que a gente não precisa se preocupar. A Priscila vai se mudar de volta pra São Paulo, com os pais. Isso só indica o que eu já sabia... Ele gosta muito mais dela do que o contrário. Se ela se importasse pra valer, nunca concordaria com essa mudança, ela já é maior de idade, poderia perfeitamente continuar morando aqui, não precisaria ficar debaixo da asa dos pais! Aliás, isso só mostra o quanto ela é dependente e imatura. Eu e você com 18 anos já estávamos morando sozinhos e em outro continente!

Mas o fato é que, com isso, eu acho que o namoro deles vai esfriar rapidinho. Como diz o ditado, "o que os olhos não veem, o coração não sente"... Aposto que em poucos meses esse amor todo vai diminuir e eles vão colocar um ponto final nessa relação. Já era hora! O Rodrigo merece aproveitar a vida, ficar a vida inteira preso em uma garota só não dá, né? Ainda mais lindo como ele é!

Tudo que temos que fazer é começar a colocar gradualmente na cabeça dele a ideia de ficar um tempo conosco em Vancouver. Não vamos falar que é pra se mudar nem nada disso, fiz essa sugestão outro dia e ele nem respondeu. Mas podemos apenas convidá-lo pra passar alguns dias de férias conosco... Porque quando esse namoro estremecer, tenho certeza de que ele vai querer fugir para algum lugar! E, tendo esse lugar já em mente, ele só vai ter que marcar a passagem... Depois é fácil. Aposto que quando ele se habituar à cidade, vai querer ficar pra sempre, como aconteceu com a gente...

Preciso da sua ajuda para incentivá-lo a viajar também e quando o momento finalmente chegar, apresentá-lo para o máximo possível de amigas canadenses, para ele ver que não existe só uma mulher no mundo!

Beijo!

Sara

De: João Marcelo <marcelorochette@netnetnet.com.br>
Para: Sara <sararochette@mail.com.br>
Enviada: 13 de janeiro, 18:59
Assunto: Re: Caso Rodrigo

Conte comigo! Já estou fazendo uma lista das gringas que vão adorar consolar o Rodrigo. A maioria delas já passou pelo meu "controle de qualidade", então sei que ele vai gostar!

Pode deixar que vou fazer a cabeça dele pra vir pra cá o quanto antes. Mas vamos deixar a Priscila se mudar primeiro, melhor começar o bombardeio quando ele estiver se sentindo solitário, pra ficar mais vulnerável...

Relaxa, sua gatinha está viva, de barriga cheia e feliz! Ela já está me achando o novo dono dela. Aliás, acho que vou querer ficar com ela pra sempre. Nunca poderia imaginar que as garotas iriam me olhar como se eu fosse o cara mais sensível

do mundo só por ter um animal de estimação...
Acho que estou começando a entender por que o
Rodrigo tem essa mania de bichos!

Beijão,

Marcelo

P.S.: O que foi aquilo no último e-mail da mamãe?
Você não contou que você e o Ethan terminaram?

14

Bonnie: Você está bem? Que pergunta idiota!

(The Vampire Diaries)

"Não acredito que você vai mesmo pra São Paulo sem o Rodrigo, Pri..."

Olhei para a Natália agradecendo por estar com óculos escuros. Os últimos dias estavam sendo bem difíceis e já era constante a ameaça de lágrimas nos meus olhos. Eu estava começando a me despedir dos lugares por onde passava. Claro que ia voltar muitas vezes, mas seria diferente... Quando moramos em uma cidade, nunca temos pressa, pois podemos ir aonde quisermos todos os dias. É diferente quando estamos em um local a passeio. Nesse caso precisamos fazer tudo rápido, para dar tempo de ver o máximo de coisas possível.

É por isso que eu sabia que sentiria muita saudade. Em seis anos, Belo Horizonte tinha se tornado a minha casa. Sim, eu havia vivido toda minha infância em São Paulo, então também tinha uma ligação forte com aquela cidade. Mas em BH eu havia crescido. Foi onde passei toda a minha adolescência. Onde as pessoas me acolheram como se eu sempre tivesse morado ali. E foi também onde eu conheci o Rodrigo...

"É provisório", respondi para a Nat, desejando acreditar um pouco mais nas minhas palavras. "Ele está tentando ir pra lá também. E nesse período nós vamos nos ver pelo menos de 15 em 15 dias, pois vamos fazer um revezamento até ele conseguir se mudar."

Sim, os meus pais haviam ficado tão felizes quando comuniquei que ia me mudar com eles que até concordaram em me deixar voltar uma vez por mês para BH. E também em hospedar o Rodrigo em nossa casa, quando ele fosse a São Paulo. Mas no fundo isso não aliviava em nada o aperto que eu vinha sentindo no coração. Eu estava acostumada a ver o Rodrigo praticamente todos os dias, desde os 13 anos! Só ficávamos separados quando viajávamos nas férias, sempre contando os dias para voltar. Mas agora seria uma viagem sem volta...

Olhei para a piscina na minha frente. Aquela mesma onde anos atrás eu tinha me apaixonado à primeira vista por um garoto lindo, e pouco tempo depois descoberto que ele era o ser mais desprezível da face da Terra! Pelo menos era o que eu achava na época... Hoje eu podia dizer que tinha uma boa convivência com o Marcelo, nas poucas vezes que ele vinha ao Brasil. Ele continuava morando em Vancouver e não tinha a menor intenção de ir embora do Canadá. Tinha se formado em música, tocava em uma banda e dava aulas... O fato de ele ter quase impedido o meu namoro com o Rodrigo de acontecer parecia ter ficado no passado, tanto para o próprio Rodrigo quanto para a família dele. Mas ao olhar para aquela piscina agora, eu não tinha como não me lembrar do meu primeiro dia no clube... e de tudo que veio depois. Por isso, eu só tinha que agradecer por ele continuar bem longe.

"Mas e se você passar na UFMG?", a Natália perguntou, me fazendo voltar para o presente. "Não vai ficar com a consciência pesada de não fazer a matrícula? Você estudou tanto para isso! Aliás, foi tudo que você fez o ano inteiro! Deus me livre de estudar assim... o Rodrigo não reclamou?"

"O Alberto reclamou de você estudar?", devolvi a pergunta. Claro que o Rodrigo não tinha reclamado. Ele inclusive havia me ajudado nos estudos e entendido quando expliquei que precisaríamos concentrar os nossos encontros nos finais de semana... Tudo que ele mais queria era que eu passasse logo, para que depois pudéssemos namorar sem pressa, sem culpa, quando quiséssemos. Pelo menos era o que achávamos naquela época...

"Lógico que não...", a Natália respondeu com um sorrisinho. "Afinal, reclamar de quê? O vestibular não atrapalhou nosso namoro em nada, muito pelo contrário. Perdi a conta das vezes que matei aula do cursinho pra namorar no carro dele..."

"Você não tem medo de não passar?", perguntei meio apreensiva por ela. Eu não queria nem pensar no que o Sr. Gil faria se isso acontecesse. O pai da Natália estava pagando o cursinho mais caro da cidade para ela. E no ano anterior, quando ela não passou, ele só faltou deixá-la de castigo até os 30 anos! Mas daquela vez, pelo menos, eu e a Fani também não havíamos passado... Agora, seria só ela.

"É óbvio que eu vou passar!", ela respondeu se virando de bruços e abrindo uma revista. "A prova estava fácil... O resultado sai que dia mesmo?"

"Dois de fevereiro, bem no dia do aniversário do Rodrigo", respondi baixinho. Se o meu pai e minha mãe não tivessem se reconciliado, se a Samantha não estivesse grávida, se eu não tivesse passado no vestibular em São Paulo, eu estaria esperando aquela data na maior ansiedade. Mas agora o resultado não importava mais...

A Natália, talvez por perceber que eu havia ficado meio melancólica, resolveu mudar de assunto.

"Conversou com a Fani depois que voltou? Ela deve estar sentindo sua falta agora, né? Afinal, você ficou quase um mês lá..."

Eu estava sentada na toalha, ainda observando a piscina, mas, depois da pergunta dela, até me deitei e olhei feliz para o céu azul sem nenhuma nuvem. Aquele definitivamente era o meu assunto preferido. Sempre que eu queria esquecer a minha atual situação, fechava os olhos e voltava para Los Angeles, relembrando os dias que havia passado lá, sem nenhuma preocupação a não ser aproveitar ao máximo cada dia.

"Sim, nós trocamos alguns e-mails", contei. "E ela também me chamou no FaceTime um dia que o Alejandro estava na casa dela. Eu e ele ficamos muito próximos... Você ia adorar o Ale, Nat! Ele é tão divertido!"

"Aposto que sim...", ela disse se virando. "Mas eu quero saber mesmo é do Christian! A Fani não vai mesmo dar uma chance pro cara? Vocês conversaram a respeito disso? Estava doida pra te fazer essa pergunta, mas com o Alberto por perto nunca dá!"

"Sem chance. Apesar de ter terminado com o Mark – inclusive por interferência do Christian –, a Fani não quer nada com ele. E acho que agora finalmente ele sacou isso, porque até arrumou uma namorada nova. Eu conheci a garota. Bem bonita, ruiva de olhos verdes. É cantora, modelo, atriz... A Fani está torcendo para que os dois se casem!"

"Meu Deus, como a Fani perde um gato daqueles! Você sabe se... ela ainda gosta do Leo? Ainda fala sobre ele? Porque só isso explica essa falta de interesse no Christian!"

Aquela pergunta me fez pensar. Claro que a Fani ainda gostava do Leo... Mas era como se tivesse se apegado à lembrança que ela tinha dele antes do término dos dois, ou até anteriormente, quando eles ainda eram apenas amigos. Na única vez em que conversamos sobre esse assunto, percebi claramente que ela não estava sofrendo por ele e nem tinha guardado mágoa. Talvez fosse uma máscara, mas acho que a Fani não conseguiria fingir tão bem assim. De certa forma ela tinha mesmo conseguido esquecer.

"Ela não fica falando dele", respondi depois de um tempo. "E eu perguntei exatamente isso, se ela já tinha superado. Ela respondeu que tinha *aceitado*... Que não era pra ser, que havia percebido que tinha que estar em Los Angeles naquele momento e que tudo tinha convergido para aquilo... Inclusive o término com o Leo."

Ao dizer aquelas palavras, comecei a pensar que era mais ou menos o que estava acontecendo comigo agora. Tudo estava me levando de volta para São Paulo. Era como se eu realmente precisasse estar lá por algum motivo. Mas, ao contrário da Fani, eu nunca aceitaria caso alguma coisa acontecesse e fizesse com que o Rodrigo terminasse comigo!

Aquele pensamento me deixou angustiada. Por isso, me virei para a Natália e falei: "Vamos nadar? Tem um caso engraçado que aconteceu comigo lá... E envolve inclusive o Christian e a namorada dele! Quer ouvir? Mas tem que ser na piscina... afinal, também tem a ver com uma certa sereia".

A Nat nem gostava muito de pular na água, para não estragar o cabelo com o cloro, mas ficou tão curiosa que concordou na hora. Então, enquanto eu contava para ela, meus pensamentos me levaram de volta até L.A., em um dos dias mais felizes e surpreendentes da viagem. Ou melhor, um dos dias mais felizes e surpreendentes da minha *vida*! E que eu adoraria poder reviver...

15

> Rachel: Eu sou como a Sininho, preciso de aplausos pra viver!
>
> (Glee)

Diário de Viagem

<u>16º dia em Los Angeles</u>

Como o tempo está passando rápido!! Daqui a três dias já é o Réveillon! É como se os minutos durassem menos aqui... Em BH as horas custam a passar... Aqui eu mal acordo e, quando vejo, já anoiteceu! Acho que é porque estou aproveitando cada segundo!

Uma outra coisa que está acabando muito rápido é o dinheiro que eu trouxe... Tudo que vejo lembro de alguém e acabo comprando para levar de presente... Já comprei lembrancinhas até para os meus cachorros!! Desse jeito, vou ter que usar o cartão de crédito do meu pai, e eu realmente não queria fazer isso... Mas vou deixar pra pensar nesse problema só quando gastar meu último dólar!

Esta semana está sendo perfeita! Primeiro o Natal com o Arthur e a Samantha. Eles mal foram embora e eu já estou morrendo de saudade... Depois, acompanhei a Fani de novo no estágio e foi ainda mais legal do que da primeira vez! Consegui assistir a várias gravações lá, que infelizmente não eram de seriados, mas de filmes. Só que foi muito legal mesmo assim! Além disso, fui no museu do Harry Potter que tem na Warner! A Fani não parava de falar que eu tinha que conhecer. E ela estava certa, eu amei! Ela acertou também em relação à casa em que o Chapéu Seletor me colocou. Assim que o enfiei na cabeça, ele falou: "Hufflepuff"! Sempre achei que eu seria da Grifinória... Mas gostei de ser da Lufa-Lufa, afinal, o símbolo deles é um texugo! Quer bichinho mais fofo??

Outra coisa legal é que a Fani também conseguiu (com um amigo dela cineasta) que eu visitasse os estúdios da DreamWorks! Fiquei com tanta vontade de trabalhar lá! O lugar parece até uma faculdade, tem vários andares, jardins, refeitório, cafés... Aprendi tantas coisas interessantes que nunca mais vou ver animações em 3D da mesma maneira!

Pra completar, hoje fui com a Tracy ver a filmagem do novo filme do Christian! Era uma cena externa, em um lugar meio longe, perto de Malibu. Eles fecharam uma parte da praia e tinha muita gente curiosa no cordão de isolamento tentando ver o que estavam filmando. Mas tudo que a gente precisou foi falar para um segurança a senha "Can I have a margarita?" e ele deixou a gente passar! Eu me senti tão importante! Aquelas pessoas todas nos olhando como se fôssemos celebridades... Aí, aí, vou voltar pra casa mal-acostumada! O Christian atua superbem, fiquei impressionada! E todas as atrizes estavam simplesmente babando nele... Mas a Tracy me contou que, agora que ele está namorando, nem dá bola pra ninguém, é superfiel. Como pode? O cara é lindo de morrer, talentoso, prestativo, educado, rico (pelo menos eu acho que é, afinal, está fazendo um filme atrás do outro, tem o maior carrão e acabou de comprar um apartamento de cobertura!), e ainda é fiel?! Só tenho uma coisa a dizer: qual é o problema da Fani??? Como ela pôde preferir o Leo? Bem, na verdade eu entendo... Eu também não trocaria o Rodrigo por ninguém. Mas acho que eu e a Fani somos exceções, porque, pelo que vi, todas as mulheres do mundo dariam tudo pra estar com o Christian. Inclusive a Tracy, que não tirou os olhos de cima dele enquanto ele atuava. Acho que essa tal namorada nova tem que ficar muito esperta. Aliás, vou conhecê-la amanhã, todos nós vamos passar o dia na Disney! Oba!

Conto tudo depois!

"Não entendi, o Christian não vinha também?", perguntei enquanto rumávamos para a Disneyland, onde íamos passar o dia. Eu, Fani e Tracy estávamos no carro do Alejandro, que não parava de cantar músicas dos filmes de princesas, segundo ele para "entrar no clima". Eu estava no clima havia mais de uma semana, não via a hora de conhecer a Disney da Califórnia! E o dia tinha amanhecido muito ensolarado, sem nenhuma nuvem no céu, apesar do frio que vinha fazendo. Ou seja, tempo ideal para se estar em um parque de diversões, pois eu lembrava perfeitamente que, na minha última vez na Disney da Flórida, apesar de ser na mesma época do ano, tinha sentido um calor insuportável em alguns momentos.

"Parece que a Brenda, a tal namoradinha dele, teve um problema, por isso ele precisou ir antes pra ajudar...", a Fani respondeu. "Ficamos de telefonar quando chegássemos à entrada."

"Está com ciúmes, Fani?", eu disse só para irritá-la, pois já sabia que ela estava dando graças a Deus por aquele namoro do Christian. Ela apenas revirou os olhos. Mas como eu realmente queria conhecer a garota que tinha feito o Christian finalmente esquecê-la, perguntei: "Mas o que houve com ela?".

"Frescura!", o Alejandro respondeu. "Essa chica es muy chata! No sei o que Christian viu nela! E, além de tudo, se veste mal!"

Ele então continuou a cantar e eu resolvi acompanhá-lo. Porém, pouco depois ele disse: "Ohhh, cantas bien! Parece mesmo una princesa cantando!".

"A Priscila faz aula de canto", a Fani comentou e, se virando para mim, perguntou: "Quer dizer, pelo menos fazia. Continua?".

Expliquei que tinha dado uma parada por causa do vestibular, mas que tinha a intenção de retomar. Nesse momento, a Tracy apontou para uma placa que indicava a entrada da Disney à direita. Mal viramos e vimos que o parque estava lotado, pois a fila começava já no estacionamento.

"Tracy, Ale, vou descer com a Priscila de uma vez enquanto vocês param o carro", a Fani falou. "Ela ainda tem que comprar o ingresso. Vamos encontrar daqui a meia hora em frente ao brinquedo do Peter Pan? Qualquer problema, me liguem."

Os dois concordaram e eu desci com a Fani, torcendo para que a bilheteria não estivesse muito cheia também. Todos eles possuíam um *annual passport*, que permitia que fossem à Disney quantas vezes quisessem no ano, e eu fiquei morrendo de vontade de ter um daqueles também... Aliás, a vontade maior era de morar ali para poder ir à Disney quando eu quisesse.

Por sorte a bilheteria não estava muito cheia, então entramos no parque mais rápido do que esperávamos. Logo percebi que a Disneyland era bem menor do que a Disney World, mas muito charmosa.

"O castelo é rosa!", observei enquanto olhava cada detalhe. Minha vontade era ir a cada brinquedo o mais rápido possível, mas a Fani sugeriu que déssemos uma volta pelo parque para que eu conhecesse, enquanto esperávamos o horário de encontrar a Tracy e o Ale.

"Qual é a sua atração preferida no parque de Orlando?", ela perguntou enquanto andávamos. "A maioria dos brinquedos é igual. Eu não me canso do Small World, acho muito fofo!"

Bem nesse momento, passamos em frente à Splash Mountain, que *costumava* ser a minha atração favorita. Porém, só de olhar para a entrada, várias sensações me atingiram. Saudade da minha viagem aos 15 anos, mas também culpa pelo rumo que alguns acontecimentos tomaram nela. E, especialmente, muita curiosidade de saber como estava o "motivo" dessa culpa. Tinha uns três anos que eu não via nem tinha nenhuma informação sobre o Patrick. A última notícia havia sido através de um e-mail que ele tinha me enviado contando que estava se mudando para Orlando, logo depois de nos encontramos na agência de viagens da mãe dele... Naquela época eu estava completamente confusa por tudo que a gente tinha vivido na Disney, mas aquele último encontro havia me libertado. E desde então eu só pensava nele esporadicamente, quando alguma coisa o trazia à minha lembrança. Como a Splash Mountain naquele momento...

"Não vai me dizer que quer entrar aí?", a Fani perguntou ao perceber para onde eu estava olhando. "Com este frio eu não animo de jeito nenhum, não quero me molhar!"

Suspirei, recordando uma lição que havia aprendido sobre aquele brinquedo: "É só não ir na frente", expliquei. "A gente só molha pra valer se sentar no primeiro vagão. Nos de trás são só uns respingos..." Eu havia descoberto aquilo da pior forma possível. "Mas também não quero ir aí. Vamos dar uma olhada se tem muita fila na Big Thunder Mountain? Pelo que vi no mapa, é aqui pertinho".

A Fani concordou, mas antes de chegarmos lá, o telefone dela tocou e vimos que era o Alejandro. Ela atendeu e poucos segundos depois desligou, falando que ele tinha pedido que a gente o encontrasse depressa na entrada do parque.

"O Ale parecia meio desesperado", ela explicou, e por isso andamos bem rápido.

Chegando lá, vimos que, além da Tracy, o Christian também estava com ele, e todos vieram depressa em nossa direção.

"O que aconteceu?", a Fani perguntou antes mesmo de cumprimentá-los. Percebi que havia também uma senhora com o uniforme da Disney perto deles.

O Alejandro veio direto na minha direção, pegou a minha mão e falou: "De una vuelta", enquanto o Christian e a tal mulher ficaram olhando.

"O quê?", perguntei sem entender.

"Gira!", ele deu uma rodada, pedindo para eu imitá-lo.

Eles estavam com umas expressões bem estranhas, então achei melhor não contrariar. Peguei a mão que o Alejandro estava me oferecendo novamente e girei no meu próprio eixo, como se fosse uma dança daquelas antigas.

"Perfecto!", ele bateu palmas e olhou para o Christian, como se estivesse pedindo aprovação.

"O Alejandro falou que você canta?", o Christian me perguntou.

"O que está acontecendo?", a Fani entrou no meio. "Não estou entendendo nada!"

"A Brenda escorregou quando estava vindo hoje aqui pro parque", o Christian explicou. "Não aconteceu nada muito sério, mas ela ralou a testa e eu a aconselhei ir a um hospital para conferir se foi só isso mesmo. Mas por essa razão, não vai poder participar da parada. O pessoal da Disney é muito rígido, ela veio até aqui, mas eles disseram: 'Onde já se viu uma princesa com a testa esfolada? Certamente as crianças achariam estranho'. O fato é que a garota que poderia substituí-la foi passar as festas de fim de ano com a família, em Carmel, que fica a mais de duas horas daqui! Ou seja, não daria pra ela chegar a tempo. Os coordenadores estavam completamente desesperados porque iam ter que fazer o desfile sem a pequena sereia, sendo que exatamente hoje vai ter uma filmagem para divulgação! Além disso, sempre vêm crianças no parque especialmente para vê-la, não tem como o desfile estar desfalcado..."

Espera. A namorada do Christian fazia o papel de Ariel na Disney?! Eu sabia que ela era atriz, mas por aquilo eu realmente não esperava.

"A Tracy se ofereceu para substituí-la, pero observei que ela es demasiado loura para isso, daria para fazer o papel da Cinderela ou da Aurora, mas o da Ariel no!", o Alejandro continuou a explicação. "Mesmo de peruca, podemos ver las sobrancelhas louras! E, además, ela no canta nada!"

Vi que a Tracy estava meio emburrada, de braços cruzados, só prestando atenção na discussão.

"Foi quando sugeri usted!", o Ale apontou para mim. "Es ruiva, es linda, já te vi interpretando no *outlet* e por isso sei que es una atriz mui buena... E, además, tiene a voz melodiosa e sabes cantar 'Part Of Your World', nosotros ouvimos no carro! Es perfecta para o papel!"

"O quê?!", a Fani franziu as sobrancelhas. "Vocês estão querendo que ela participe do desfile?"

"Eu não sou ruiva...", foi tudo que consegui falar. Eu estava muito chocada para dizer qualquer outra coisa.

O Christian se virou para a senhora uniformizada, que, pelo crachá, vi que se chamava Tammy, e os dois começaram a conversar rápido em inglês, sem parar de me analisar.

"Priscila, não precisa fazer nada disso se você não quiser", a Fani falou. "Ninguém tem culpa dessa tal de Brenda ser uma desastrada!"

Sem nem conhecer a garota, senti uma certa empatia por ela. Eu também era um desastre ambulante... Mas realmente não estava entendendo como poderia substituí-la! Eu nunca tinha feito curso de teatro nem nada parecido. O mais perto que havia chegado de um palco foi em uma peça do final do ano no colégio, quando fiz o papel de árvore! Tudo que eu precisava falar era: "Cuide bem de mim para que eu fique sempre verdinha! Minhas frutas te alimentam e minhas folhas fornecem o ar que você respira". Apenas isso! Como eu poderia interpretar a Ariel?!

Nesse momento o Christian e a Tammy pararam de conversar e ele se aproximou.

"Pri, se você puder nos ajudar eu vou te agradecer pra sempre, pode contar comigo para o que precisar! O caso é que a Brenda, a minha namorada, está em fase de experiência aqui. O que ela quer é ser atriz de musicais, mas trabalhar como personagem na Disney abre muitas portas, pois muitos olheiros sempre vêm aqui em busca de novos talentos. Acontece que ela se machucou antes de entrar no parque e, por estar em fase de testes ainda, não poderia faltar nem um dia. Aqui nos Estados Unidos as coisas são meio diferentes, um atestado médico não salva ninguém... Mas se eu arrumar alguém para substituí-la, a Tammy, que é a supervisora de elenco, falou que abona a falta da Brenda."

Apesar de a Fani, a Tracy e o Alejandro claramente não gostarem da namorada dele, como eu poderia dizer não para um pedido daqueles?

"Ah, e claro que é remunerado! Você vai ganhar uma quantia por cada desfile. Tem um ao meio-dia e outro às sete da noite."

O quê? Eu ainda ia ser paga para me fantasiar da minha personagem preferida? Onde tinha que assinar para fazer aquilo para sempre?

"Mas meu inglês não é fluente...", expliquei. "Eu entendo tudo, quer dizer, quando conversam devagar. Mas falo umas coisas erradas..."

"Você não vai ter que falar nada...", o Christian explicou. "Só ficar em cima de uma espécie de carro alegórico, cantando, rindo para as crianças e jogando charme para o príncipe, que também é um ator."

"Sendo assim, eu topo...", respondi sentindo um súbito frio na barriga.

O Alejandro até bateu palmas! O Christian então se virou para a supervisora e falou que eu tinha aceitado, e em seguida os dois me levaram para um lugar que eu nem imaginava que existia: uma área só de funcionários, logo depois do muro que cercava o parque! Era tão movimentado que eu fiquei chocada, os visitantes nem faziam ideia de que bem ali atrás tinha tanta coisa acontecendo!

Eles me levaram para uma sala cheia de fantasias. A Tammy pegou uma fita métrica, mediu minha cintura, meu busto e meu quadril, e em seguida pegou um bustiê lilás e uma cauda verde de Ariel, que estava em meio a dezenas de outras iguais, e me empurrou para um banheiro, dizendo que era para eu deixar a roupa que estava usando em um dos escaninhos.

Vesti rápido, deixando apenas o zíper lateral da cauda aberto, para que eu conseguisse andar, e assim que saí, ela me entregou uma peruca muito vermelha. Tá vendo? Aquilo sim era ser ruiva. Assim que a coloquei, ela passou um pó no meu rosto, rímel, batom e falou que eu estava pronta.

"Obrigado de novo, Pri", o Christian falou enquanto andávamos em direção ao local de onde os personagens sairiam para a parada de meio-dia. "O que eu disse antes é sério. Estou te devendo um favor."

Eu falei que era para ele relaxar, pois estava adorando a experiência!

Fui apresentada para o "príncipe Eric", que me cumprimentou com um cortejo, como se estivéssemos mesmo em um castelo. Ele me contou que tinha 21 anos e que tinha acabado de se mudar para Los Angeles, para tentar a carreira de ator. As outras princesas também acenaram me dando boas-vindas e, quando o desfile começou, me senti como se estivesse mesmo em um conto de fadas. Ver todas aquelas crianças gritando para mim com os olhos brilhando, como se eu fosse uma princesa de verdade, fez com que eu entendesse o que os atores querem dizer com "entrar no personagem". Eu realmente me senti a Ariel ali em cima daquele carro, mandando beijos e acenando, e desejei poder trabalhar naquele reino encantado todos os dias.

Ao final, de volta à área lateral, comecei a chorar. A Tammy perguntou se eu tinha me machucado e então expliquei que estava apenas emocionada. Ela sorriu e falou que isso acontecia apenas com as verdadeiras atrizes, que se entregavam totalmente ao papel. E, na sequência, perguntou se eu não gostaria de trabalhar lá por mais tempo, em vez de apenas por um dia, pois nunca tinha visto uma Ariel tão natural.

Com tristeza, expliquei que em uma semana estaria voltando para o Brasil. Ela falou que era uma pena, mas que pelo menos eu teria mais uma apresentação, no desfile da noite.

Durante o dia, mal pude esperar para me vestir de Ariel novamente. Quando o momento chegou, a emoção foi mais forte, pois o clima era ainda mais mágico... O castelo estava todo iluminado, tinha mais gente assistindo e eu estava mais preparada.

No fim, a Tammy me abraçou e pediu para tirar uma foto minha, para guardar de recordação. Em seguida, me deu um envelope com o pagamento e, ao abrir, vi que tinha também uma espécie de cartão de plástico, como um cartão de crédito, com um desenho do Mickey, no qual estava escrito: *Annual Passport*. Com ele, um cartão de agradecimento.

Dear Priscila,

Thank you for your help! We hope to see you again soon!

You are always welcome to be "part of our world".*

Guardei tudo na minha bolsa e fui me encontrar com a Fani e o pessoal, desejando muito poder ficar mais tempo ali. Tudo que eu mais queria era fazer parte daquele mundo para sempre...

---

* Querida Priscila, obrigada por sua ajuda! Esperamos te ver novamente em breve! Você será sempre bem-vinda para fazer "parte do nosso mundo".

16

Jal: Que tal isso: sem mãe, sem pai,
tudo por sua conta.
Tony: Parece perfeito pra mim.

(Skins)

Os meus últimos dias em BH voaram. Foi tanta coisa para arrumar e tanta gente de quem me despedir que nem vi o tempo passar. Quando concordei com a mudança, pensei que levaríamos pelo menos dois meses até realmente estarmos em São Paulo... Mas como meus pais já estavam planejando havia bastante tempo – afinal, voltariam para lá mesmo que eu não tivesse resolvido ir junto –, foi muito mais rápido do que eu previa. Meu pai tirou férias do trabalho e minha mãe já tinha pedido demissão, assim eles ficaram por conta de empacotar, encaixotar e viajar de cá pra lá várias vezes, para ir levando aos poucos cada um dos nossos pertences. E também os meus bichos. Seria impossível ir com todos eles de uma só vez.

Meu pai, que já tinha vendido o apartamento dele havia uns meses, alugou para nós uma casa não muito grande, em Pinheiros, mas que tinha um quintal espaçoso, para caber toda a família animal, e também uma pequena piscina. A intenção inicial era voltarmos para o nosso antigo condomínio, mas sabíamos que o Arthur e a Samantha queriam morar próximo aos pais dela, na zona sul... Então minha mãe logo avisou que não gostaria de ter que atravessar a cidade todo dia para ver o (futuro) neto. E, além disso, agora tinha outro motivo para morarmos em um lugar mais central: a minha faculdade.

Eu mal podia acreditar que em duas semanas minhas aulas iniciariam! Eu havia passado anos sonhando com o momento em que começaria a cursar Veterinária, mas agora que finalmente aquilo ia se realizar, minha empolgação estava nula... E no fundo eu sabia que estava assim por ainda não ter certeza de que me mudar de BH era realmente a opção correta.

Meus pais só ficavam me olhando com um ar meio de pena, mas ao mesmo tempo não conseguiam esconder a alegria, pois mal podiam esperar para morarem juntos outra vez.

Para piorar, em poucos dias o resultado da UFMG sairia, e eu sabia que, se visse meu nome na lista dos aprovados, ficaria com o coração apertado, pensando em como seria a minha vida se eu tivesse simplesmente decidido estudar lá. Por isso comecei a torcer para *não* passar, assim tudo seria mais fácil.

O Rodrigo, apesar de fazer o possível para esconder, parecia mais abatido a cada dia. Minha vontade era de colocá-lo dentro da minha bagagem e obrigá-lo a ir comigo! Porque apesar de termos passado cada minuto praticamente grudados desde a minha volta de Los Angeles, tudo que eu mais desejava era parar o tempo, para podermos ficar assim para sempre. E foi pensando nisso que resolvi já fazer a minha mala, deixando de fora apenas algumas roupas. Dessa forma eu poderia aproveitar com ele cada minuto livre das últimas semanas sem ter que ficar lembrando o tempo todo da despedida iminente. Planejamos ir à ONG, ao clube, ver mil seriados, passear pela cidade... tudo de que eu sabia que sentiria falta em pouco tempo.

Por isso, tomei o maior susto quando, faltando ainda uma semana para a data agendada da mudança, meu pai perguntou: "Priscila, você já está com tudo pronto... então que tal ir pra São Paulo amanhã de uma vez?". Arregalei os olhos, completamente indignada, afinal, era óbvio que eu queria curtir o restinho do tempo que ainda tinha em BH! E foi exatamente isso que comecei a dizer, mas ele falou depressa: "Com o Rodrigo".

Fiquei calada no mesmo instante e ele aproveitou para explicar: "Seus coelhos, seu papagaio e seu furão já devem estar sentindo sua falta, pois eu os levei para São Paulo já têm três dias... Além disso, apesar de suas amigas estarem indo diariamente alimentá-los, eles devem estar assustados com o local diferente".

Eu já tinha pensado naquilo e inclusive pedido para a Bruna e a Larissa ficarem o máximo possível na minha casa nova. Mas eu sabia que elas não podiam passar o dia inteiro lá...

"E agora, Pri, ainda temos que levar os gatos, os cachorros e o porquinho...", meu pai continuou devagar. Ele vinha conversando comigo com muita delicadeza, talvez por medo de desencadear em mim um ataque de nervos. "Vai ser impossível transportar todos eles em um carro só, ia acabar dando confusão. A empresa de mudança que vai levar os móveis falou que poderia fazer também o frete deles, mas tenho receio de acontecer alguma coisa e você chorar pelo resto da vida ou algo assim."

Ele não poderia estar mais certo. Certamente eu choraria por toda a eternidade se alguma coisa acontecesse com algum dos meus bichos!

"Então, tive a ideia de irmos em dois carros", meu pai explicou. "No meu, levaríamos os gatos e o Rabicó. E no da sua mãe, os cachorros. Só que, como a casa está sendo pintada para entregarmos para a imobiliária, e sua mãe ainda está terminando de arrumar tudo, ela tem que ficar aqui por pelo menos mais uma semana, como planejado. Então, lembrei que o Rodrigo está de férias da faculdade e que você disse que ele não está mais dando aulas, pois vai começar a fazer estágio... Por isso pensei em perguntar se ele toparia ir dirigindo o carro dela até lá... Assim já o deixaríamos na garagem de São Paulo de uma vez, e em seguida eu voltaria no meu para buscar a sua mãe e ajudá-la com o que estiver faltando aqui... Quando tudo estiver pronto nós partimos definitivamente. Enquanto isso, você e o Rodrigo ficariam em São Paulo tomando conta de todos os bichos. E depois ele pode voltar de avião. O que você acha?"

Ele estava oferecendo para eu ficar sozinha com o Rodrigo por quase uma semana, sem supervisão de ninguém? Aquilo era muito bom para ser verdade, então até estranhei... Nos últimos tempos os meus pais vinham mesmo permitindo que eu viajasse com o Rô, mas sempre para lugares onde também estivessem outras pessoas, como para o sítio dele, para a casa da minha avó em Paraty, para São Paulo na época em que meu pai ainda estava morando sozinho lá... Essa seria a primeira vez que ficaríamos realmente a sós.

Vendo que eu estava meio desconfiada, ele respirou fundo, soltou os braços ao lado do corpo e disse: "Prica, não ache que estou gostando disso. É claro que pensar em vocês dois totalmente desacompanhados por vários dias não me agrada. Mas a quem eu quero enganar? Você acabou de fazer 19 anos. Ele tem quase 20. Vocês namoram há mais de cinco anos e souberam se cuidar até hoje... E, sinceramente, não aguento mais ver a cara triste de vocês a cada vez que entro em casa! Deixando você com o Rodrigo em São Paulo por uma semana, acho que pelo menos não vou ficar me sentindo tão culpado por essa tristeza toda. E talvez, passando um tempo maior com ele, você tenha mais fôlego pra aguentar até o próximo encontro..."

Eu o abracei no mesmo instante e o agradeci muito por ter tido aquela ideia.

Assim que o Rodrigo chegou à minha casa naquela tarde, contei a novidade, ainda na porta. Ele teve a mesma reação que eu, quase não acreditou. E mesmo tendo ficado feliz inicialmente, percebi que logo ficou calado.

"Não gostou?", perguntei preocupada. "Você não pode ficar uma semana lá? Pensei que o estágio e a faculdade só começassem em fevereiro."

"Adorei", ele falou depressa, e vi que estava dizendo a verdade. "O problema é exatamente esse... Vamos ficar uma semana totalmente juntos e então teremos que nos separar... Acho que vai ser mais difícil ainda."

Eu o abracei e ficamos assim por um tempo. Eu estava sentindo um vazio tão grande que nem sabia o que dizer. Só quando o Biscoito apareceu e começou a pular na gente, fazendo festa, é que nos afastamos.

"Tenho só uma dúvida...", ele falou depois de fazer carinho no meu cachorro. "Seu pai disse que o Biscoito e a Duna vão no carro comigo, e a Snow, o Floquinho e o Rabicó com ele..."

Concordei.

"E você, vai com quem?", ele perguntou brincando, mas com um sorriso triste.

Dei um suspiro e falei: "Bom, acho que você está em desvantagem, afinal está levando apenas dois bichos contra os três do meu pai. Acho que vou *ter* que fazer o sacrifício de ir com você, pra empatar...".

Ele me deu uma piscadinha e disse: "Então vou levar dois cachorros e uma gata... Só espero que não tenha brigas no caminho".

Eu o abracei novamente e prometi que não teria briga nenhuma. Muito pelo contrário. Aquela última semana teria que ser encantada. Porque, quando eu começasse a morrer de saudade dele, a lembrança daqueles dias é que ia me consolar.

De: Priscila <pripriscilapri@aol.com>
Para: Bruna <bruninha@mail.com.br>
        Larissa <larissa@mail.com.br>
Enviada: 24 de janeiro, 19:45
Assunto: Já estou indo!

Oi, Lalá e Bruna,

Vocês nem imaginam o que aconteceu... Meu pai ficou louco!! Sério! Vocês acreditam que ele perguntou se eu quero ficar sozinha uma semana com o Rodrigo na nossa casa nova em São Paulo?! Dá pra acreditar nisso?

Acho que ele está morrendo de pena de mim, só isso explica... Mas o fato é que obviamente eu respondi que SIM e por isso amanhã já estarei aí! Eu e o Rodrigo! Não é bom demais pra ser verdade?

Bom, sendo assim, vocês não precisam mais se preocupar em ir na minha casa cuidar dos bichos, amanhã eu mesma já vou poder fazer isso, muito obrigada pelo apoio nos últimos dias! Eles estão bem? Estou preocupada com o Chico, pela foto que a Larissa me mandou ontem achei que está meio abatidinho...

Vamos encontrar amanhã? Nem acredito que posso falar isso depois de tantos anos! Acho que o que mais me consola nessa mudança é isso... Saber que vou ter minhas melhores amigas por perto novamente!

Beijo!

Pri

De: Larissa <larissa@mail.com.br>
Para: Priscila <pripriscilapri@aol.com>
    Bruna <bruninha@mail.com.br>
Enviada: 24 de janeiro, 19:52
Assunto: Re: Já estou indo!

Oi, Pri! Seu pai realmente enlouqueceu! Que presente de despedida maravilhoso, hein? Ele deve estar MUITO feliz por você ter aceitado voltar pra cá! Aliás, quero entender uma coisa: você vem pra ficar seis meses, como era o trato que tinha feito com ele, ou definitivamente? Espero que seja a segunda opção. E que o Rodrigo consiga vir também, pois quero você por perto, mas feliz!

Pri, o Chico está bem, mas realmente um pouco triste. Deve estar sentindo sua falta, e a viagem com certeza foi cansativa pra ele. Tadinho, está sentindo o peso da idade, ele costumava ser um furão tão ativo e brincalhão! Mas assim que ele te vir sei que vai animar totalmente!

Até amanhã! (Também adorei poder falar isso!)

Beijos e boa viagem!

Larissa

De: Bruna <bruninha@mail.com.br>
Para: Larissa <larissa@mail.com.br>
      Priscila <pripriscilapri@aol.com>
Enviada: 24 de janeiro, 22:12
Assunto: Re: Re: Já estou indo!

Ficaram loucas vocês duas? É claro que não vamos encontrar você amanhã, Priscila! Você ganha de presente uma semana de lua de mel e já está chamando convidados para o seu paraíso particular? Faço questão de esquecer da sua existência até o Rodrigo voltar pra BH! E se precisar eu até amarro a Larissa em uma árvore pra ela fazer a mesma coisa!

Aproveita o seu namorado!!! Depois você vai ficar choramingando, reclamando de saudade, querendo ter ficado mais com ele! Eu e a Larissa vamos poder te encontrar todos os dias de agora em diante (também estou feliz por isso!), ao contrário do pobre Rodrigo... Ai, ai, morro de pena dele. Se você namorasse comigo eu nunca aceitaria uma coisa dessas, me trocar por um bebê! Tadinho, devia estar todo feliz achando que agora vocês dois teriam muito mais liberdade em Belo Horizonte, pelo fato dos seus pais irem pra longe... Deve ter ficado superdecepcionado quando você contou que iria junto com eles.

Bem, mas pelo menos vocês ganharam esses dias de despedida. Então, se tranca com ele em um quarto e vê se só sai de lá na semana que vem!

Beijos,

Bruna

P.S.: A melhor amiga do meu irmão também passou pra Veterinária na Anhembi e provavelmente vai ser da sua sala. Vou te apresentar pra ela, mas só depois que o Rodrigo for embora!

17

> <u>Damon</u>: Tudo não se resume
> ao amor por uma mulher?
>
> (The Vampire Diaries)

Sarinha, ontem quando cheguei você não estava em casa, e agora estou saindo e você está dormindo. Não quero te acordar porque a mamãe falou que você chegou muito tarde. Aproveitando os últimos dias no Brasil, né? Faz bem. Sara, aconteceu um imprevisto, vou ter que ir com a Priscila pra São Paulo hoje (agora pra ser mais exato). A família dela me pediu uma força na mudança e não tive como recusar. Só que, por causa disso, não vou estar aqui no dia da sua volta pro Canadá, vou ficar uma semana lá em SP. Me perdoa? Adorei o tempo que passamos juntos e já estou com saudade. Volta logo?

Beijão!

Rodrigo

Rô, acabei de acordar e vi seu recado. Fiquei muito chateada! Desde que a Priscila voltou de Los Angeles você simplesmente esqueceu de mim. E agora viaja sem nem se despedir! Poxa, eu moro muito mais longe do que ela vai morar e te vejo apenas uma vez por ano! Mas tudo bem, não liga pra irmã ciumenta aqui... É só saudade antecipada. Mas você tem suas prioridades. Beijo. Sara

Sarinha, não fala assim, fico com a consciência pesada... Eu queria ter me despedido, mas sei como você fica quando te acordam... Não quis correr o risco de receber um abajur na cabeça. Olha, prometo que vou pensar naquilo que você me disse, de ir passar um tempo com você no Canadá. Não pra fazer faculdade como você quer, mas quem sabe pra ficar uns 10 dias? Avisa pra mamãe que acabei de chegar em SP, tudo tranquilo na viagem (quer dizer, a Duna vomitou no assento, mas conseguimos limpar... pelo menos uma parte). Beijo enorme! Rodrigo

---

De: Rodrigo <rrrrrodrigooooo@gmail.com>
Para: Leonardo <soueuoleo@gmail.com>
Enviada: 25 de janeiro, 15:12
Assunto: Favor

Oi, Leo! Preciso de um favor. Estou meio sem graça, mas será que você pode me passar o e-mail do seu pai? É que eu tinha combinado de começar o estágio amanhã, mas tive um imprevisto. Será que ele vai brigar se eu pedir pra adiar o início pra fevereiro?

Abração,

Rodrigo

De: Leonardo <soueuoleo@gmail.com>
Para: Rodrigo <rrrrrodrigooooo@gmail.com>
Enviada: 25 de janeiro, 16:10
Assunto: Re: Favor

Fala, Rodrigo. Já conversei com meu pai e ele falou que tudo bem... Na verdade ele disse que a ideia dele era mesmo o início do seu estágio ser em fevereiro, mas que foi você que sugeriu de começar já em janeiro. Ele falou também que por causa disso tinha te achado superinteressado e esforçado, e até estava pensando em remunerar o seu estágio "não remunerado"... Bem, mas seu problema está resolvido. Ele falou que você pode começar em fevereiro. Só que acho que a tal remuneração já era. Mas não se preocupa, meu pai tem o coração mole, quando ele perceber que você realmente se esforça, vai reconsiderar... Mas nem espere muito, salário de estagiário mal paga a gasolina.

Afinal, qual foi o imprevisto? Tem a ver com a Priscila? Sempre tem, né?

Abração,

Leo

P.S.: Em todo caso, anota o e-mail dele aí: rubens@mail.com.br

De: Sara <sararochette@mail.com.br>
Para: Lúcia <lucialrochette@mail.com.br>
       Maurício <drmrochette@clinimedic.com.br>
Enviada: 29 de janeiro, 18:11
Assunto: Cheguei

Pai e mãe,

Escrevendo pra avisar que cheguei bem em Vancouver! Mas já estou com saudade de vocês e do calor! Está muito frio aqui!

Daqui a pouco vou passar no apartamento do João Marcelo pra pegar a minha gata e entregar os presentinhos que vocês mandaram. Mas duvido muito que ele vá fazer pão de queijo com essa massa em pó, ele não sabe nem fritar um ovo! Acho que vou ficar com a massa pra mim, isso aqui no exterior vale ouro!

Queria pedir um favor. Sei que vocês não concordam quando digo que quero o melhor pro meu irmão caçula, mas desta vez vocês vão ter que dar o braço a torcer... O Rodrigo está querendo mudar a vida dele inteira por causa da Priscila! Fiquei chocada com o que ele disse quando me ligou ontem para se despedir... Ele disse que está adorando São Paulo e que vai até pedir transferência da faculdade pra lá! Poxa, não era ele que dizia que amava Belo Horizonte e que por essa razão não queria estudar aqui no Canadá?! Ele não pode tomar as decisões dele de acordo com o que a namorada faz! Isso não é saudável, podem perguntar pra qualquer psicólogo ou psiquiatra, ele está se anulando! Por favor, conversem com o Rô e o convençam a vir passar uns tempos comigo... Acho que ele está precisando conhecer mais o mundo para abrir a cabeça. Quando nós moramos aqui ele ainda era apenas um menininho, nem deve se lembrar. Mas ele gostava tanto...

Ok, não precisam nem responder o e-mail brigando comigo, só estou falando isso porque realmente me preocupo com o Rô.

Beijos, já estou morrendo de saudade!! Venham me visitar logo (e tragam o Rodrigo)!

Sara

De: João Marcelo <marcelorochette@netnetnet.com.br>
Para: Sara <sararochette@mail.com.br>
Enviada: 30 de janeiro, 13:43
Assunto: Devolve

Caso você esteja imaginando quem invadiu a sua casa, fui eu, para recuperar a MINHA massa de pão de queijo que você deve ter escondido em algum lugar supersecreto. Como não achei, tive que pegar outra coisa como refém...

Então, devolve minha massa de pão de queijo ou não devolvo a Cloud. Simples assim.

João Marcelo

P.S.: Tá mesmo matando de inveja com esse bronzeado, que saudade do clube de BH! Vou ter que ficar de olho nesses gringos que com certeza vão ficar te cantando. O calor do Brasil te fez bem, você está gata! Espero que o verão também tenha te feito esquecer o Ethan. Aquele cara nunca te mereceu!

De: Sara <sararochette@mail.com.br>
Para: João Marcelo <marcelorochette@netnetnet.com.br>
Enviada: 30 de janeiro, 14:00
Assunto: Re: Devolve

Sim, escondi em um lugar supersecreto... no meu estômago!

Estou chegando aí em 10 minutos pra pegar a minha gata e também a minha chave reserva, da qual, pelo visto, você se apropriou! Sei que você adorou os dias que a Cloud te fez companhia, mas arruma um bicho pra você, ela já é minha! Aliás, você podia até usar isso pra atrair o Rodrigo, né? Diga que quer adotar um animal e que precisa da ajuda dele pra escolher. Quem sabe isso não faz com que ele finalmente concorde em vir pra cá? Porque o caso está sério, espera só pra eu te contar as últimas do nosso irmão. Ele realmente virou capacho da Priscila.

Sara

P.S.: O Ethan é problema meu. Mas sim, ele não me merecia.

De: João Marcelo <marcelorochette@netnetnet.com.br>
Para: Sara <sararochette@mail.com.br>
Enviada: 30 de janeiro, 17:12
Assunto: Re: Re: Devolve

Haha, sabia que era brincadeira, você nunca comeria todos os pães de queijo sozinha, você é muito neurótica com seu peso pra fazer algo assim. Aliás, obrigado por fazer o pão de queijo pra mim e ainda trazer cerveja!

Você viu como a Cloud me ama? Ela fica se esfregando na minha perna o tempo todo. Acho que ela até gosta mais de mim do que de você. Não fique com ciúme...

Sara, não se preocupe com o Rodrigo. Acho que a própria Priscila vai dar um fim nessa palhaçada assim que começar a faculdade dela. Mulher não gosta de cara que fica que nem um cachorrinho correndo atrás... Ele devia era ter dito que, já que ela ia se mudar, era melhor os dois darem um tempo. Aposto que ela desistiria dessa mudança em dois segundos. Mas Rodrigo sendo Rodrigo, tá lá fazendo as vontades dela. Garanto que vai ganhar um pé na bunda antes do semestre acabar.

Beijo,

João Marcelo

P.S.: Se você voltar com aquele Ethan vou começar a te chamar de "Rodriga", tá virando capacho igual a ele! Se dê valor! O cara te TRAIU, esqueceu?? E a partir do momento que alguém te faz sofrer, isso também é problema meu!

De: Ethan <ethanmiller@netnetnet.ca>
Para: Sara <sararochette@mail.com.br>
Enviada: 30 de janeiro, 18:11
Assunto: Please

Sara, please give me one more chance. I know that what I did was wrong, but I already told you, I was drunk! You are the love of my life. I missed you so much that I nearly died during the time you were in Brazil. I almost went down there to be with you! Come back to me. Please answer my calls or at least read my e-mails, I just wanna talk!

I love you.

Ethan*

---

* Sara, por favor me dê mais uma chance. Eu sei que o que fiz foi errado, mas já te expliquei, eu estava bêbado! Você é o amor da minha vida. Eu senti tanto a sua falta, que eu quase morri durante o tempo em que você ficou no Brasil. Quase fui atrás de você! Volte pra mim. Por favor, atenda às minhas ligações ou pelo menos leia os meus e-mails, eu só quero conversar! Eu te amo. Ethan

De: Sara <sararochette@mail.com.br>
Para: Ethan <ethanmiller@netnetnet.ca>
Enviada: 30 de janeiro, 18:36
Assunto: Re: Please

Ok, let's talk. Come over to my place tonight. Just to talk!

Sara*

De: Ethan <ethanmiller@netnetnet.ca>
Para: Sara <sararochette@mail.com.br>
Enviada: 31 de janeiro, 13:03
Assunto: Last Night...

...was awesome.
And you are even hotter.

Ethan**

---

* Ok, vamos conversar. Venha na minha casa hoje à noite. Apenas pra conversar! Sara

** A noite passada... ... foi perfeita! E você está ainda mais gostosa! Ethan

18

Finn: Não sei o que vai acontecer no futuro,
por isso quero passar todo o tempo
possível com você agora.

(Glee)

Nunca gostei muito de brincar de casinha. Quando criança eu tinha várias Barbies, mas elas sempre eram muito independentes. Eu brincava que elas eram mulheres de negócios e que passeavam em shoppings, iam ao cabeleireiro, faziam a unha, estavam sempre impecáveis.

Acho que ainda na infância projetamos nas bonecas aquilo que queremos para o nosso futuro. Ou pelo menos o que *achamos* que queremos. Porque a verdade é que sempre pensei que eu seria uma péssima dona de casa. Porém, desde o momento em que meu pai voltou para BH, deixando o Rodrigo e eu sozinhos, meu pensamento mudou.

Nossa primeira providência foi fazer compras. A casa nova era muito bonita e espaçosa, mas ainda não tinha sequer uma garrafa de água na geladeira. Com a pressa para voltar logo para BH e ajudar a minha mãe, meu pai falou para eu usar o cartão de crédito dele e abastecer a despensa. Então, ainda no primeiro dia, fomos ao supermercado e fiquei surpresa ao perceber como fazer aquilo com o Rodrigo podia ser divertido! Eu estava acostumada a acompanhar a minha mãe em suas compras do mês, totalmente por obrigação, mas aquilo ali era bem diferente... Nós dois nos sentimos tão adultos! Era como se estivéssemos escolhendo produtos para a nossa própria casa. E até as pessoas nos olhavam assim, como se fôssemos recém-casados. Quase tive um ataque de riso quando um funcionário perguntou: "A *senhora* quer que eu pese os tomates?". Fiquei olhando para trás, pensando que talvez a minha mãe tivesse se materializado ali, mas quando percebi que a tal "senhora" era eu, nem consegui responder, tive o maior ataque de riso!

Quando eu tinha uns 13, 14 anos, as pessoas sempre pensavam que eu era mais velha, por ter crescido muito rápido. Mas nos últimos anos o contrário tinha começado a acontecer, talvez por causa das minhas sardas, que faziam com que eu parecesse ter parado no início da adolescência. Quando eu contava que já tinha mais de 18, sempre via olhos se arregalarem e inevitavelmente perguntavam se eu tomava suco de formol... Por isso, ouvir aquele moço se referir a mim como uma *senhora* me surpreendeu... O Rodrigo adorou! Começou a me chamar de Sra. Rochette, como se fosse meu marido de verdade. Eu acabei entrando na brincadeira e, a partir daquele momento, nós realmente começamos a nos sentir assim, como se aquelas compras, aquela casa, aquela *vida* fosse mesmo nossa.

Assim que voltamos, resolvemos fazer um jantar. Meus pais haviam decidido doar nossos eletrodomésticos antigos e comprar tudo mais moderno, acho que com a intenção de começar mesmo uma "vida nova". E aquele fogão reluzente estava pedindo para ser estreado! O único problema é que minha experiência na cozinha se resumia a fazer brigadeiro e miojo... Mas, surpreendentemente, o Rodrigo sabia um pouco mais que isso. Fiquei admirada quando ele se ofereceu para fazer uma lasanha aos quatro queijos. E quando ele tirou do forno aquela travessa fumegante e eu experimentei, quase caí da cadeira. A lasanha dele não ficava devendo em nada às das melhores tratorias!

"Onde você aprendeu a cozinhar, Rodrigo?", perguntei realmente curiosa. Com quase seis anos de namoro eu deveria saber esse detalhe sobre ele! Mas a verdade é que ele nunca havia tido a chance de me mostrar aquele talento. Ele nunca tinha *precisado* mostrar. Quando não íamos a algum *fast food*, geralmente pedíamos uma pizza por *delivery*, ou nossas mães se encarregavam do cardápio.

Ele ficou meio sem graça, mas entre uma garfada e outra respondeu: "Minha mãe me ensinou. Ela sempre fez questão de que eu aprendesse a preparar pratos vegetarianos, pois, quando parei de comer carne, ficou com medo de que eu passasse fome ou ficasse desnutrido quando ela não estivesse por perto. Por isso, toda vez que cozinhava algo que sabia que eu gostava de comer, ela me obrigava a ajudá-la, na esperança de que eu aprendesse as receitas. Acho que funcionou..."

Fiquei rindo para ele completamente encantada... O Rô era totalmente vegetariano e eu não comia carne vermelha, então falei que ele podia se encarregar do nosso jantar todos os dias! Ele disse que só se eu fizesse a sobremesa. Concordei e, assim, depois que terminamos de comer, fiz um brigadeiro de micro-ondas, que nós saboreamos enquanto assistíamos a um episódio de *Modern Family.* Ainda bem que havíamos nos lembrado de trazer uma TV e o aparelho de DVD na viagem... Só faltou mesmo um sofá, que improvisamos com cobertores.

Na hora de dormir, estendemos dois colchonetes no chão do meu novo quarto. A maioria dos móveis ainda viria dali a uma semana, com o caminhão de mudança. E, apesar de estarmos meio acampados e deitados praticamente no chão, eu não conseguia me lembrar de ter passado uma noite melhor na vida.

Apagamos a luz e nos viramos um para o outro.

"E então, Sra. Rochette? Gostou do primeiro dia de volta a São Paulo?", ele perguntou fazendo carinho no meu rosto.

Dei um suspiro antes de responder. Por algumas horas eu tinha conseguido esquecer que aquilo não era só uma brincadeira e que em uma semana ele ia voltar e eu ficaria ali... com tudo que eu podia querer: aquela casa, de que em poucas horas eu já tinha aprendido a gostar, os meus bichos, meus pais juntos novamente, o Arthur, a Sam e o neném, a faculdade dos meus sonhos, minhas melhores amigas por perto... Eu realmente teria tudo. Menos o mais importante: *ele.* Sem o Rodrigo nada daquilo teria a menor graça.

Comecei a sentir um nó na garganta e, por mais que tentasse segurar, algumas lágrimas rolaram pelo meu rosto.

"Você está chorando, Pri?", ele perguntou se apoiando no antebraço, tentando me enxergar na penumbra. Virei o rosto para o travesseiro, tentando ao mesmo tempo enxugar as lágrimas e impedir que ele me visse assim. Não adiantou. Quanto mais fazia força para segurar, mais eu chorava.

"Vem cá, princesa", ele me puxou para mais perto e começou a beijar o meu rosto inteiro. "Tudo isso é porque eu perguntei se você gostou do dia? Foi o jantar que atrapalhou tudo, né? Sabia que você não ia conseguir fingir que tinha me achado um bom cozinheiro por muito tempo...", ele disse fazendo graça.

"Na verdade", respondi rindo, mas sem conseguir conter totalmente o choro, "tudo isso é porque este foi um dos melhores dias da minha vida... E porque você estava certo. Como vou conseguir ficar longe de você, agora que me mostrou que quanto mais perto ficamos, melhor é? Eu gostei muito de fingir que era a Sra. Rochette. Estou até com inveja dessa personagem que inventamos! Tudo que queria era continuar interpretando esse papel, sem ter que passar por tanta coisa até realmente poder estar no lugar dela..."

Ele ficou calado e, depois de um tempo, me abraçou. Aos poucos fui me acalmando e o choro cessou. Senti o sono chegar, mas do nada me lembrei de uma conversa que havia tido com a Fani um dia antes de ir embora de Los Angeles. Ela também tinha vivido uma separação dolorosa, ainda pior do que a a que eu teria que passar – pois no caso dela tinha sido involuntária – e havia tirado de letra. Recordando como ela estava bem, comecei a me perguntar se, caso tivesse tido escolha, ela teria trocado aquela vida de sonho que estava vivendo por um amor...

De repente o Rodrigo me beijou no escuro e eu não pensei em mais nada. Só queria aproveitar intensamente com ele enquanto ainda podíamos... Enquanto ainda tínhamos tempo para isso.

19

> Mitchell: As pessoas podem te surpreender. Você se acostuma a pensar nelas de um jeito, presas em seus próprios papéis. Elas são o que são. Mas então elas fazem algo que te mostra que existe toda essa profundidade e dimensão que você nunca soube que existia.
>
> (Modern Family)

Diário de Viagem

Último dia em Los Angeles

Nem acredito que estou indo embora... Ainda bem que tive a ideia de fazer este diário de viagem e tenho o relato de todos os dias, porque neste momento é difícil acreditar que passei quase um mês aqui. Mas ao mesmo tempo, parece que foi muito mais. Sinto que estou diferente, como se de alguma forma eu tivesse mudado... E acho que realmente mudei. Fiz novas amizades. Pratiquei inglês e espanhol. Conheci lugares. Passei por situações que não esperava. Realizei sonhos. E até recebi aplausos! Com certeza vou sentir saudades. O mais incrível é que, antes de entrar no avião na vinda para cá, pensei que ia me decepcionar, pois as minhas expectativas estavam muito altas. Hoje posso afirmar que todas elas foram superadas. Tudo foi ainda melhor do que eu sonhava...

Agora só me resta aproveitar muito o último dia. Não posso esquecer de agradecer à Fani pelo convite, pela solidariedade e, especialmente, pela amizade. Acho que a maior saudade nem vai ser de Los Angeles... Vai ser dela.

E obrigado também a você, diário, por me acompanhar por 25 dias. Até a próxima viagem, que espero que seja muito em breve!

"Não queria que você fosse embora, Pri...", a Fani falou enquanto me ajudava a fazer a mala. Eu tinha acabado de entregar para ela um DVD que comprei em agradecimento pelos dias de hospitalidade. Ela mal pôde acreditar, pois era do filme *Um amor de verdade*, que eu sabia que ela queria muito. Eu a havia visto perguntar em duas lojas se eles tinham o DVD no estoque, e nas duas disseram que não. Então o encomendei pela internet, o recebi em um momento em que ela estava no estágio e o escondi, para dar apenas no último dia. O sorriso que ela deu quando abriu o embrulho me fez ter certeza de que a surpresa tinha valido a pena!

"Eu também não queria ir...", respondi dobrando uma blusa. "Mas se eu adiar mais um dia que seja, meus pais vêm aqui me buscar! E também tem o Rodrigo..."

Ela concordou com a cabeça e falou: "Você deve estar morrendo de saudade dele, né?".

Percebi que no final da pergunta ela deu um pequeno suspiro, mas continuou a me ajudar a tirar minhas roupas dos cabides e colocar na mala.

"Estou sim...", respondi. "Na próxima vou ter que trazê-lo comigo! Quer dizer, se você não se importar..."

Ela pareceu meio impaciente, e então se sentou na beirada da cama e falou: "Pri, tem uma coisa que eu queria te falar. Nesses dias todos percebi que você evitou falar do Rodrigo, talvez em uma tentativa de não me forçar a lembrar do Leo...".

Comecei a dizer que não era nada daquilo, mas a verdade é que ela tinha acertado completamente. Eu não queria que ela ficasse melancólica, se lamentando pelo passado... Já tinha mais de seis meses que ela e o Leo haviam terminado, mas eu podia ver que aquele assunto ainda era delicado para ela.

"Mas a verdade, Pri", ela continuou, "é que mesmo sem você falar do Rodrigo, eu não consigo te olhar sem me lembrar dele. É como se ele fizesse parte de você! Mas isso não me incomoda, muito pelo contrário... Ver vocês dois juntos há tanto tempo, e ainda tão unidos, me faz acreditar no amor. Por mais que eu tenha mesmo ficado meio traumatizada por tudo que passei, ver casais assim, como você e o Rô, é o que me faz continuar sonhando... Isso me faz desejar amar de novo, quantas vezes precisar, até encontrar alguém que combine perfeitamente comigo, assim como vocês dois combinam. Vocês são como se fossem aquelas duas últimas peças do quebra-cabeça, que, quando encaixamos, todo o conjunto faz sentido..."

As palavras dela me fizeram abrir o maior sorriso. Eu também sentia aquilo e só tinha que agradecer aos céus por terem colocado o Rô no meu caminho tão cedo. Eu sabia que o que tínhamos era muito raro.

"Acho tão bonitinha a sua história com o Rodrigo!", ela continuou. "Ele foi seu primeiro beijo, seu primeiro namorado, primeiro tudo! Aliás, primeiro e único, né? Parece até um dos meus filmes de amorzinho..."

Fiquei calada ouvindo uma voz dentro de mim me chamando de impostora, farsante e mentirosa... Para parar de escutar aquilo, voltei a prestar atenção ao que a Fani estava dizendo.

"Vocês nunca pensaram em terminar? Quer dizer, além daquelas 24 horas que ficaram separados depois do seu acidente na festa junina? Nossa, parece até que aquilo aconteceu numa outra vida! Tem tanto tempo... Lembro que foi uma briga boba, né? Por causa daquela menina que cantou com a banda No Voice..."

Sentei na cama também e respirei fundo. Sim, já tinha muito tempo, mas lembrar daquilo ainda embrulhava o meu estômago.

"Opa, assunto errado?", a Fani perguntou ao ver a minha expressão. "Esquece, eu já deveria saber que revirar o passado nunca é bom!"

"Não tem problema...", falei me recostando em umas almofadas na cabeceira. "Superei aquilo faz tempo. E graças a Deus aquela garota nunca mais pisou em Belo Horizonte, pelo menos não que eu saiba!"

"Sempre tem alguém disposto a entrar no meio e atrapalhar tudo, né?", ela falou recostando também. "Meu coração ainda dói quando lembro de você me contando que o Leo ficou com a Vanessa quando eu ainda pensava que a minha briga com ele seria apenas provisória... Foi por causa disso que eu resolvi vir pra cá no final das contas. Naquele momento eu vi que não tinha mais volta. E que precisava ficar o mais longe dele possível."

"Então a Vanessa foi a responsável por você estar realizando o seu sonho?", perguntei rindo.

Ela também riu, pensou um pouco e então disse: "Será que devo mandar um e-mail agradecendo?".

Nós rimos mais ainda e começamos a imaginar como seria esse e-mail.

"Que tal assim?", a Fani disse com as mãos para cima, como se estivesse digitando no ar. "Oi, sua vaca! Estou escrevendo pra agradecer por ter ferrado a minha vida. Mas não tem problema, pode ficar com ela pra você, já arrumei outra vida muito melhor! Tomara que você morra de gripe aviária, sua galinha!"

Eu ri tanto que até senti lágrimas escorrendo dos meus olhos.

"Fani, você é muito engraçada! Onde você estava esse tempo todo? Por favor, quero voltar para os anos do colégio e pedir pra ser da sua sala! Seus comentários por bilhetinhos deviam ser os mais engraçados, que sorte a da Gabi! Mas só uma coisa, não ofenda as pobres vacas e galinhas as comparando com a Vanessa, tá? Aliás, não entendo esses xingamentos envolvendo animais, acho que isso deveria ser um elogio..."

"Desculpa, foi modo de falar, eu concordo com você, nada a ver ficar rebaixando os bichinhos ao nível dela."

Nós rimos mais um pouco e então me virei de lado, para olhá-la melhor.

"Sabe, Fani, na verdade aquele meu pequeno término com o Rodrigo não foi só por causa da Nicole." Eu ainda lembrava o nome da sujeitinha mesmo tantos anos depois. "Foi muita coisa acumulada. Posso te contar um segredo?".

Ela também se virou para mim e apenas fez que sim com a cabeça.

"Até hoje só contei isso pra Samantha, a minha cunhada. Mas sei lá, você me passa tanta confiança que deu vontade de me abrir com você..."

Ela ficou séria e falou: "Eu sou boa em guardar segredos. Ao contrário de você, que sempre teve fama de ser meio fofoqueira...".

A última parte ela disse rindo, mas me deixou meio irritada.

"Nada a ver! Só por que eu digo verdades? Nem vem! Aliás, acho que não é à Vanessa que você deveria agradecer, e sim a mim! Pra começo de conversa, se eu não tivesse te revelado várias coisas, você nem teria começado a namorar o Leo!".

"Eu sei, Pri, estou só brincando...", ela apertou a minha mão para eu ver que estava sendo sincera. "Sei que você nunca faria buchicho nem nada parecido, tudo que você me contou foi muito importante. E fico feliz de você se sentir à vontade para se abrir comigo..." Eu continuei calada e então ela deu um sorrisinho de lado. "Mas dá pra contar logo o tal segredo que agora fiquei morrendo de curiosidade?"

Cruzei os braços e olhei pra cima, já um pouco arrependida de ter começado aquele papo. Mas mesmo depois de anos aquele acontecimento ainda ficava ardendo na minha memória e eu sabia que era exatamente por não tê-lo tirado totalmente de dentro de mim.

Por isso, tornei a me virar para ela e falei: "É que o Rô foi o primeiro sim... Mas não foi o único. Eu fiquei com outro menino".

Ela ficou calada e vi que estava somando os fatos. E eu já sabia a conclusão que em dois segundos ela ia tirar... Se o Rodrigo tinha sido o primeiro, se a gente nunca tinha terminado e se eu tinha ficado com outro garoto, então...

"Você traiu o Rodrigo?!", ela perguntou, colocando a mão na boca, como se só o fato de dizer aquilo fosse alguma espécie de pecado.

Apenas levantei uma sobrancelha para ela, constatando o que eu já sabia. Aquilo realmente tinha sido um crime. Eu não havia simplesmente sido infiel, eu tinha maculado o namoro perfeito... E mais uma vez agradeci mentalmente por ter seguido o conselho da Samantha e não ter contado nada para o Rodrigo. Definitivamente teria sido muito pior.

"Foi com o Juliano? Todo mundo sabia que ele era louco por você. Lembro que até comentei com a Natália que se o Rodrigo bobeasse ele ia te roubar dele..."

A lembrança do Juliano passou pela minha cabeça. Havia mais de um ano que não o via, desde a nossa formatura no 3º ano. Ele tinha mesmo uma queda por mim, mas no meio do 2º eu tinha dado uma de Cupido e, graças a essa atitude, ele e a Júlia começaram a namorar... Eu nunca mais tinha encontrado com ele e de repente me peguei curiosa para saber se ele estaria bem... Apesar de nunca ter me aproximado muito dele em respeito ao Rodrigo, eu o considerava um bom amigo. E queria que ele fosse muito feliz.

"Claro que não!", respondi para a Fani realmente achando graça naquela suposição. "Eu nunca ficaria com o Juliano! Aliás, nunca ficaria com ninguém..."

Ela franziu as sobrancelhas sem entender. Continuei: "Foi um acidente. Quer dizer, mais ou menos. Eu não planejei nada. Foi na viagem que eu fiz pra Disney pra comemorar meus 15 anos. Você ainda nem estudava no colégio. Eu conheci um garoto lá e desde o começo rolou algo diferente. Ele era o filho da dona da agência de turismo, ficava me provocando e, ao mesmo tempo, me tratava diferente de todas as outras meninas da excursão. Sendo que elas estavam caidinhas por ele...".

Analisei um pouco a Fani. Ela parecia fascinada com o meu relato, mas também tinha um olhar de recriminação.

"Não me olha assim...", falei impaciente. "Na verdade não teve nada demais, foi só um beijo. E, como eu disse, não foi planejado, não fiquei paquerando o cara na viagem, nada disso. Nós ficamos amigos e uma noite acabou rolando o maior clima..."

"Ele era bonitinho?", ela perguntou tentando sorrir, mas vi que ainda estava me julgando.

"Era. Não lindo como o Rodrigo, muito menos como o Christian. Mas ele tinha um charme que eu nunca vi...", respirei fundo e continuei, um pouco mais baixo: "E ele tinha um jeito de me olhar que parecia que estava vendo através da minha roupa. Era desconcertante, mas ao mesmo tempo me instigava..."

Ela deitou de bruços na cama e se apoiou nos antebraços dizendo: "Ai, meu Deus, vamos chamar a Tracy? Ela ia enlouquecer com essa história!".

"De jeito nenhum!", respondi olhando para a porta, para conferir se estávamos mesmo sozinhas. "Já te falei, a única pessoa que sabe disso é a Samantha. E você agora."

"E te garanto que vai continuar assim", ela falou fazendo sinal para eu continuar.

"Foi só isso. Ele ficou dando em cima de mim desde o começo, mas eu contei que tinha namorado. Em nenhum momento eu dei bola, fiz questão de mostrar que queria só amizade, falava do Rodrigo o tempo todo... Mas sei lá, nós acabamos ficando muito próximos. Eu comecei a gostar dele, como amigo, mas acho que no último dia acabei confundindo as coisas... Nós estávamos sozinhos em um lugar meio romântico e quando dei por mim já tinha rolado. Só que no meio do beijo lembrei do Rodrigo e aí virou tudo um inferno. Eu o empurrei, saí correndo... E fiquei um ano traumatizada. Meu namoro ficou péssimo por causa disso, eu mal deixava o Rodrigo me tocar! Sei lá, achei que não merecia o toque dele... Até que a Samantha conversou comigo e me fez procurar o Patrick."

"Esse é o nome dele? Mas você o viu de novo então?"

"Sim, eu o procurei exatamente um ano depois. E foi então que me libertei. Vi que realmente não tinha nada a ver, ele também falou que tinha sido uma coisa de momento, que, apesar de ter se envolvido, sabia que o que tivemos havia sido apenas consequência do encantamento da viagem..."

A Fani continuou a me olhar e de repente perguntou: "Se ele tivesse falado que não tinha sido provisório, que estava apaixonado por você... Teria sido diferente?".

Balancei a cabeça negando. Talvez eu tivesse ficado confusa por mais um tempo, mas eu acabaria percebendo que o sentimento que tinha pelo Rodrigo era muito mais forte.

Eu disse isso para ela, que respondeu: "Acredito em você. Eu passei por isso com o Christian, quer dizer, mais ou menos... Quando fiz intercâmbio, ele era tão fofo comigo que acabei não resistindo. Mas, ele não era o Leo. Então por mais perfeito que fosse, não adiantava. Porque eu queria que ele fosse outra pessoa. E isso ele não podia ser...".

"Exatamente. E isso tudo serviu pra eu perceber o quanto ainda era apaixonada pelo Rô... Nós tínhamos mais de dois anos de namoro, as coisas estavam meio mornas. Mas depois que isso aconteceu, percebi que eu queria ficar com ele pra sempre... E o nosso namoro nunca mais teve crise nenhuma, muito pelo contrário."

"Lembro que quando o meu irmão pediu a Natália em casamento você ficou toda enciumada, porque eles namoravam há menos de um ano, e você já namorava há vários e o Rô não tinha te pedido ainda... Mas repito o que te disse naquela época, o Alberto e a Nat são loucos! Hoje em dia ninguém fica noivo na adolescência!"

Fiquei meio sem graça ao me lembrar daquilo. Eu realmente havia ficado com uma certa inveja da Natália, mas não era como se eu não quisesse a felicidade da minha amiga. Eu só queria aquilo para mim também...

"Eu já namorava há mais de quatro anos...", tentei explicar. "E estava perto do meu aniversário de 18. Tem uma série que eu assisto, que chama *18 to life*, e os protagonistas se casam exatamente com 18 anos. É tão fofo! E olha só, atualmente nós temos cinco anos e meio de namoro. E nos encontramos praticamente todos os dias durante esse período. Já deu tempo de ele saber se quer ou não ficar comigo pra sempre, né?!"

"Priscila, a vida não é uma série de TV! Me explica, vocês iam viver de quê se por acaso se casassem? Com a mesada dos pais? Olha, até morar sozinha, eu não tinha consciência do quanto isso custa caro! Eu achava que a luz, a água, o gás, a comida na geladeira, tudo simplesmente aparecia como mágica. Acredite, hoje sei que não tem nenhuma magia nisso. Se eu não pagar as contas, nem a Hermione Granger consegue fazer um feitiço para eu ter isso tudo de volta! Aliás, tem sim uma palavra mágica que traz a luz, a água, o gás e a comida. Uma palavra até fácil de pronunciar, repita comigo: di-nhei-ro."

Eu ri, sabendo que ela estava certa. Mas não é como se eu quisesse me casar imediatamente...

"Fani, concordo com você. Mas é que com tantos anos de namoro, tem hora que dá vontade de dar um passo à frente, sabe? A gente não precisa se casar depois de amanhã, mas eu não vou mentir pra você, fiquei sim desejando ter uma aliança como a da Natália, deu vontade de ficar noiva também. Só pra eu ter certeza de que o Rô tem essa intenção, de ficar comigo pra sempre..."

Ela deu um risinho de lado e falou: "Você tem alguma dúvida disso? Eu nunca tive... E um anel no dedo não quer dizer nada. Já o jeito que o Rodrigo te olha e te trata provam muito mais que ele te ama do que uma convenção! E aí voltamos ao começo da nossa conversa. Vocês têm o que todo mundo deseja... Esse amor recíproco, essa paixão que não se apaga com os anos, essa cumplicidade de quem conhece um ao outro melhor do que ninguém. Um anel não é importante, muito menos o status de relacionamento no Facebook... O que importa de verdade já é seu. E é melhor você cuidar muito bem disso...".

Sei que ela disse aquela última frase se referindo ao meu caso com o Patrick, mas eu já sabia daquilo havia muitos anos. Aquela história era passado. E ela estava certa... com ou sem aliança, eu tinha certeza de que era o Rodrigo que eu queria.

Então eu apenas assenti e me levantei da cama, para voltar a arrumar a minha mala. Pouco depois ela se levantou também e continuou a me ajudar.

"Só mais uma coisinha, Pri...", ela disse sorrindo depois de um tempo. "Promete que vai me convidar pro casamento quando acontecer? Sei que eu não sou sua melhor amiga como o Leo é do Rodrigo, e que por isso ele tem preferência... Provavelmente vai ficar o maior clima chato quando a gente se encontrar, mas juro que toda vez que ele aparecer eu fujo pro outro lado do salão! Eu preciso te ver de noiva... Promete?"

Sorri de volta para ela e falei: "Só se você prometer que também vai me convidar pro seu quando acontecer... Seja com quem for".

"Combinado!"

Demos um breve abraço e continuamos a arrumar minhas coisas. Eu sabia que tinha feito bem em contar tudo para ela. Eu estava me sentindo bem mais leve agora e tinha certeza de que ela ia guardar com carinho o meu segredo. E ela também devia estar com a sensação de que com aquela conversa a nossa amizade tinha avançado mais um nível. Eu só gostaria que tivéssemos um pouco mais de tempo, para aprofundá-la. Porque assim como o Rodrigo e o Leo, eu adoraria também poder chamar a Fani de minha melhor amiga...

20

> *Nathan: Eu poderia te amar pra sempre.*
> *Haley: Eu também.*
> *Nathan: Então, por que o pra sempre*
> *não pode começar hoje?*
>
> (One Tree Hill)

No sexto dia depois que cheguei a São Paulo, acordei assustada. Eu estava tendo um sonho estranho, com várias pessoas que não conhecia. Lembro que eu ficava procurando o Rodrigo entre elas e não conseguia encontrar, e cada vez me sentia mais perdida. Até que em um certo momento vi um garoto de costas com cabelo parecido com o dele. E então corri e o abracei bem forte, sentindo o maior alívio... Porém, quando o garoto se virou, vi que tinha um rosto completamente diferente, e o susto foi tão grande que até acordei! No mesmo instante rolei para o lado, para abraçar o Rodrigo verdadeiro, mas foi aí que eu realmente assustei. Ele não estava lá... Eu tinha me acostumado a vê-lo todos os dias assim que abria os olhos, e de repente virar para o lado e dar de cara com o vazio foi ainda pior do que o pesadelo.

Levantei depressa e saí pela casa chamando o nome dele. Ele não apareceu, porém, o Biscoito, ao ver que eu tinha acordado, veio correndo fazer festa e, em seguida, como se estivesse me chamando, começou a latir olhando para a porta da área de serviço, que estava aberta. Ainda de camisola e descalça, atendi o desejo dele e o segui. Todo feliz, meu cachorro me levou para o quintal, e foi lá que eu finalmente encontrei o Rodrigo, que estava deitado no chão do viveiro dos coelhos, vestindo apenas tênis e bermuda.

"O que você está fazendo, Rô? Que horas são?" Eu tinha levantado tão assustada que nem havia me lembrado de olhar para o relógio.

Ele se sentou depressa, abrindo o maior sorriso ao me ver. Só então percebi que estava com um martelo na mão.

"Oi, princesa adormecida! Acho que já são mais de 11 horas, porque eu levantei às 9h e já tem bastante tempo que estou aqui... Não quis te acordar, você parecia estar tendo um sonho lindo."

Ele não podia estar mais enganado...

Fiz as contas rapidamente e percebi que eu não tinha exagerado tanto no sono assim, ele é que havia dormido pouco. Nós havíamos deitado muito tarde. Como o Rodrigo conhecia pouco São Paulo, durante a semana fiquei bancando a guia turística para ele. Já o havia levado ao meu antigo condomínio, para ele ver onde eu morei até os 13 anos, e também a vários pontos da cidade que eu gostava de visitar. Já tínhamos ido à Liberdade, à Vila Madalena, ao Masp, ao Museu da Língua Portuguesa, ao Zoo Safari, e, na tarde anterior, como o dia estava lindo, tive a ideia de fazermos um piquenique no Parque Ibirapuera.

Por ser uma sexta-feira, o parque não estava lotado, mas mesmo assim tinha bastante gente, talvez pelo período de férias escolares. Contei para ele que meu pai costumava ir ali todos os domingos, comigo e com o Arthur, para andarmos de bicicleta ou passear com os cachorros, e só de me lembrar daquilo senti a maior saudade da minha infância... E no mesmo instante fiz planos de levar o meu futuro sobrinho ou sobrinha ali também.

Encontramos um lugar vazio à sombra de uma árvore e estendemos a toalha. Havíamos levado frutas, biscoitos, bolo, pão de queijo, suco... Depois de nos servirmos, me deitei no colo dele e ficamos conversando por horas, sobre música, seriados, amigos, animais, passado, presente, futuro... Em certo momento, quando começou a entardecer, lembro que ele estava passando a mão de leve pelo meu cabelo e eu olhei em volta, para as árvores, as crianças brincando, os cachorros correndo, e então novamente para ele, que continuava me olhando com aqueles olhos tristes de sempre, mas que eu sabia bem que na maioria das vezes não significava que ele estava infeliz... o que não era o caso naquela hora. Porque, por mais que eu estivesse sentindo a maior paz pelo momento, meu coração estava dolorido e eu sabia que o do Rô também devia estar assim.

Toquei o rosto dele de leve, que se abaixou para me dar um beijo. A gente vinha se beijando muito nos últimos dias, como se tivéssemos voltado ao comecinho do namoro, quando não conseguíamos desgrudar um do outro.

"Eu queria que este dia nunca acabasse", falei quando ele se afastou. Ele não respondeu, mas me abraçou forte, como se temesse que eu fosse desaparecer de repente.

Por mais que quiséssemos ficar ali para sempre, começou a ficar tarde, e eu estava meio preocupada com os meus bichos sozinhos em casa. Por isso guardamos tudo e fomos andando de mãos dadas para o carro. Eu mal podia acreditar que em dois dias aquilo tudo ia terminar. Meus pais chegariam, o Rodrigo iria embora, minhas aulas iam começar... Eu certamente ainda não estava pronta para aquela nova rotina, por isso, quando estávamos voltando, pedi que o Rodrigo parasse em uma livraria próxima da minha nova casa. O aniversário dele seria em dois dias, exatamente na data em que ele iria embora, e eu já sabia o que dar de presente. Ele estava acompanhando a série *Lost*, e, no dia anterior, quando tínhamos terminado de ver a 3ª temporada, ele havia comentado que mal podia esperar para ver a 4ª logo, mas que ainda tinha que dar uma economizada para comprar. Como o meu aniversário tinha acabado de passar e a minha avó havia me dado dinheiro para comprar exatamente um box de alguma série que eu quisesse, resolvi usá-lo para deixar o meu namorado feliz.

Comprei sem que ele visse qual era e, quando chegamos, logo depois de checarmos se os bichos estavam bem e de tomarmos banho, perguntei se ele queria ver o meu seriado novo. Ele me olhou meio desanimado, pois pensou que seria *Skins*, uma série que eu estava amando assistir, mas com a qual ele não tinha muita paciência. Então resolvi fazer uma certa chantagem emocional, dizendo que dali a uma semana ele estaria com saudade de ver qualquer seriado comigo, mesmo os de que não gostava, e foi aí que ele concordou.

"Ok, mas só porque ontem você fez maratona de *Lost* comigo", ele falou ligando a televisão.

Pedi que ele fosse colocando no DVD enquanto eu preparava uma pipoca no micro-ondas, mas fiquei olhando escondida, para ver a reação dele.

Ele tirou o embrulho da sacolinha da loja, começou a abrir e, assim que viu a capa, levantou as sobrancelhas, fechou novamente e recolocou com cuidado na sacola.

"Pri", ele falou ainda sério. "Acho que erraram o seu..."

E então ele parou, provavelmente entendendo o que tinha acontecido. Nesse momento eu saí de trás da porta sorrindo.

"O que é isso?", ele disse sorrindo também, e eu tive certeza de que ele sabia perfeitamente o que era aquilo.

"Surpresa adiantada de aniversário", respondi mesmo assim. "Não deu tempo de escrever um cartão, mas no dia certo eu te entrego!"

"Pri...", ele falou tirando novamente do embrulho, sem tanto cuidado dessa vez. "Você deixou de comprar uma série que queria para comprar essa pra mim? Não devia ter feito isso..."

"Devia, sim!", falei fazendo cosquinha nele. "Você reclama toda vez que eu te dou alguma coisa, será que eu não posso agradar meu namorado?"

Ele segurou a minha mão e me puxou para um abraço. "Ô, princesa... é que você me agrada naturalmente, não preciso de mais nada além de você!"

"Isso você já tem! Agora, coloca esse DVD aí enquanto eu vou realmente pegar a pipoca. Não vejo a hora de entender o final daquele último episódio!"

Ele obedeceu e, quando voltei à sala, a tela já estava congelada, esperando o play. Nossa intenção era ver só uns três episódios, mas aquela temporada estava tão empolgante que quando percebemos já eram 4h da manhã e havíamos visto quase 10!

E isso explicava o motivo de eu ter acordado tão tarde e talvez também de ter tido aquele sonho estranho. Certamente o seriado havia influenciado no meu inconsciente.

Tornei a olhar para o Rodrigo dentro do viveiro dos meus coelhos e perguntei: "O que você está fazendo, Rô? Assustei quando vi que você já tinha levantado e também que não estava dentro de casa".

"Não viu a surpresa que deixei pra você?", ele perguntou se levantando e abrindo o portão para sair. "Aposto que não me procurou na cozinha..."

Eu realmente não tinha olhado lá. Como o Biscoito logo apareceu e me fez ir atrás dele, acabei não procurando em todos os lugares.

"Que surpresa?", perguntei dando um abraço assim que ele se aproximou.

"Você vai ter que descobrir...", ele falou pegando a blusa que tinha deixado dependurada do lado de fora do viveiro. "Pode ir entrando que só vou tomar uma ducha rápida", ele apontou para o chuveiro ao lado da piscina. "Eu estava deitado no chão porque ontem percebi que a tela do viveiro dos coelhos estava meio solta aqui embaixo, e eles estão cavando nesse local pra sair. Estava tentando arrumar, não quero que eles fujam. Mas a gente vai ter que comprar mais pregos, usei todos que encontrei aqui, mas ainda não ficou muito firme."

Ele me mostrou onde tinha arrumado e eu fiquei sensibilizada por estar zelando pelos meus bichinhos. Umas semanas antes, meu pai tinha contratado pessoas para construírem os viveiros dos coelhos e do Chico, exatamente como tínhamos em BH. Mas pelo visto os pedreiros não deviam ter animais de estimação, pois não estavam tão preocupados com a segurança dos meus quanto o meu namorado...

"Obrigada, Rô...", falei dando um beijinho nele. "Vou lá ver a tal surpresa, você me deixou curiosa!"

Ele deu uma piscadinha e se direcionou para o chuveiro, enquanto eu entrei em casa.

Assim que cheguei à cozinha, realmente me surpreendi. Ele tinha arrumado a mesa de café da manhã com tudo que eu gostava e, para enfeitar, ainda tinha colocado em um copo uma gérbera rosa, que provavelmente havia comprado na floricultura que ficava a uns quarteirões da minha casa. E percebi que várias das guloseimas que estavam em cima da mesa também não estavam na dispensa um dia antes. Ele provavelmente tinha acordado bem mais cedo para comprar e preparar aquilo tudo...

Eu ainda estava meio em choque, admirando a mesa, quando percebi que embaixo do copo da flor tinha um papel. Peguei com cuidado.

Mesmo longe

Mesmo longe vou estar com você...

A cada poema que eu rabiscar
A cada música que eu tocar
A cada refrão que eu cantar
Em todas as noites, pois só com você vou sonhar

Todas as horas vou lembrar de você...

A cada foto sua que eu beijar
A cada bicho de estimação que eu acariciar
A cada dia que Vampire Diaries reprisar
Em cada lugar por onde eu andar

Todos os minutos vou pensar em você...

A cada vez que eu respirar
A cada torta de brigadeiro que eu degustar
A cada ~~ruiva~~ morena que por mim passar
Em cada manhã que eu acordar

Mesmo longe
Todos os dias
Todas as horas
Todos os minutos
Vou contar os segundos para te rever

Até essa distância acabar.

Quando ele apareceu se enxugando, eu ainda estava com o papel na mão, relendo aquelas linhas várias e várias vezes.

"Gostou?", ele perguntou parecendo meio sem graça. "Como você estava longe no seu aniversário este ano, acabei não escrevendo, mas hoje acordei meio inspirado..."

O Rodrigo atualmente vinha escrevendo muito mais músicas do que poesias, mas pelo menos nos meus aniversários ele fazia questão de me presentear com algum poeminha novo, pois sabia que eu adorava tudo que ele escrevia para mim.

"Amei!", falei me aproximando para abraçá-lo. "Pensei que você tivesse esquecido este ano!"

"Não esqueço nunca...", ele me deu um beijo.

Reli o poema mais uma vez, e então nos sentamos para tomar café. Enquanto comíamos, planejamos o que faríamos no dia, que por sinal era o último dele em São Paulo. Os meus pais chegariam na manhã seguinte e o voo dele era à tarde.

"Quer ir ao cinema?", sugeri. "E depois a gente pode jantar em algum lugar..."

"Pode ser...", ele concordou meio reticente, mas logo deu um sorrisinho meio enigmático. "Mas sabe o que eu queria de verdade?"

Só fiz que não com a cabeça, enquanto ele puxou a cadeira para ficar bem ao meu lado.

"Não pense que eu não gostei de São Paulo", ele disse alisando meu cabelo, que provavelmente estava todo atrapalhado, já que eu não tinha penteado ainda. "Só que eu vou sentir muito mais saudade de você do que da cidade... Por isso, acho que prefiro não ir a lugar nenhum e ficar aqui sozinho com você pra aproveitar cada minuto que falta..." Ele me deu um beijo no pescoço que me deixou arrepiada. "Você pode me ajudar a arrumar o viveiro, depois podemos ficar na piscina, mais tarde pedimos uma pizza ou cozinhamos alguma coisa... Em seguida a gente pode dar uma volta com os cachorros e, pra fechar o dia com chave de ouro, deixo você escolher o seriado que vamos assistir à noite! O que você acha?"

Eu tinha achado a programação perfeita, mas, em vez de responder, passei meus braços pelos ombros dele e o puxei para um abraço. Ele tinha razão. A gente tinha que aproveitar muito os últimos momentos que passaríamos sozinhos. Realmente eles iam deixar saudade.

"Que tal dormir mais um pouquinho?", perguntei, lembrando que nem havia tirado os colchonetes do chão do meu quarto ainda. Tudo estava do jeito que eu tinha deixado quando acordei. "Já que hoje o dia é só nosso, podemos ficar de preguiça o dia inteiro..."

Ele concordou, me beijou de novo, e, no momento em que levantamos, o Biscoito e a Duna começaram a latir muito. Fiquei meio preocupada de ser alguém tentando invadir a casa, mas de repente notei que os latidos não eram de alerta, e sim de alegria... Foi quando ouvimos um barulho de chave girando e, no segundo seguinte, meus pais apareceram, carregados de malas.

"Pai, mãe?!", fiquei olhando sem entender. Será que eu tinha confundido? Eu jurava que ainda faltava um dia para eles chegarem.

Eles estavam sorrindo, mas quando perceberam o susto que tinham me dado, fecharam a cara. Porém, quando vi que eles estavam nos olhando de alto a baixo, entendi que não era apenas por terem me assustado... Eu ainda estava de camisola, que na verdade era uma blusa do Rodrigo. E ele só de bermuda...

"Vocês acordaram agora?", minha mãe perguntou alguns segundos depois, se aproximando para me dar um beijo. "A noite deve ter sido boa, hein?"

Dei um abraço nela, e o Rodrigo, se recuperando do susto, também a cumprimentou e foi ajudá-la com as malas e sacolas que estava carregando.

"Aconteceu alguma coisa com seu celular, Priscila?", meu pai perguntou, e assim constatei que ele realmente não estava muito feliz. Ele *nunca* me chamava pelo nome inteiro.

Fiquei tentando lembrar onde eu tinha deixado meu telefone, e então recordei que ele havia ficado dentro da minha bolsa, completamente sem bateria, pois no piquenique do dia anterior havíamos tirado tantas fotos que ele acabou descarregando.

"Não...", respondi me aproximando para abraçá-lo também. Se eu continuasse com aquela cara de quem tinha sido pega em flagrante, seria muito pior. Na verdade, não estávamos fazendo nada errado ao meu ver... Mas não sei pela visão deles. "Ele só está descarregado, esqueci de ligar na tomada ontem à noite."

"Ah, que pena", minha mãe falou meio rindo, mas com uma expressão que dizia que eu estava muito encrencada, "porque, se tivesse lembrado, teria atendido nossos telefonemas ou pelo menos visto a mensagem que enviamos, avisando que, como conseguimos finalizar tudo ontem, resolvemos adiantar a viagem em um dia. Quer dizer, o caminhão de mudança só chega mesmo na segunda-feira, mas nós resolvemos vir antes, imaginamos que você devia estar com saudade... Mas pelo visto vocês estavam se dando muito bem sozinhos aqui."

Notei que ela estava olhando para a mesa de café superca-prichada, que na verdade a gente mal tinha tocado.

"Tem mais coisas no carro?", o Rodrigo perguntou para mudar de assunto, já descendo as escadas para a garagem enquanto colocava a blusa casualmente. "Posso ajudar a trazer aqui pra cima".

Meu pai desceu com ele, e eu fiquei sozinha com minha mãe, que foi andando para o quarto dela e, assim que viu o meu, ainda com a janela fechada e os colchonetes desarrumados, perguntou: "Estragamos sua lua de mel?".

Eu disse que não, mas ela me conhecia muito bem para saber que eu estava mentindo.

"Ai, Pri, sinto muito, mas já estava tudo empacotado há dias. Com isso, qualquer coisinha que eu precisava estava dentro de alguma caixa, eu tinha que remexer tudo... E, além disso, o cheiro de tinta fresca estava me matando de dor de cabeça... Então, no momento que os pintores finalizaram o serviço, pedi pro seu pai para adiantarmos um dia. Saímos de lá hoje de madrugada, não via a hora de chegar aqui! E imaginamos que seria bom sairmos pra passear em São Paulo um dia com você e o Rodrigo, afinal, ele vai embora amanhã e vocês já aproveitaram muitos dias sozinhos, né? O que vocês planejaram pra hoje? Pensamos em aproveitar este dia lindo e fazer um piquenique no Parque Ibirapuera, que tal?"

Sorri amarelo para ela, dizendo que seria ótimo, mas na verdade não tinha lugar que eu desejasse menos ir. Eu queria ficar com a lembrança da tarde anterior na cabeça, do *nosso* piquenique, e ir lá novamente ia acabar atropelando aquela memória.

Mas pelo jeito eu não teria como fugir. Meus pais estavam mesmo muito empolgados com a volta para São Paulo e, por isso, assim que se instalaram, já ficaram nos apressando para curtirmos cada minuto.

Logo que entramos no carro com eles, no banco de trás, o Rô segurou a minha mão e, aproveitando que meus pais ainda estavam se acomodando, falou no meu ouvido: "Não tem problema... Lembra do que eu disse no poema? Uma hora essa distância vai acabar e nós teremos o resto da vida pra ficar juntos".

Eu então apertei a mão dele mais forte e ficamos assim pelo resto do dia.

21

> *Nathan: É a história mais antiga do mundo. Um dia, você tem 17 anos e está planejando o futuro. E então, sem você perceber, o futuro é hoje. E então, o futuro foi ontem. E assim é a sua vida.*
>
> (One Tree Hill)

Rô, dá notícia, filhinho! Quase uma semana sem telefonar e quando eu ligo toca até desligar. Não quero atrapalhar, mas eu e seu pai precisamos saber que hora você vai chegar. Vamos te buscar no aeroporto, afinal, hoje é o seu aniversário! Beijo enorme! Mamãe e papai

Fala, Rodrigão! Parabéns, cara! A Natália falou que hoje é seu aniversário! Queria aproveitar pra pedir um favor... A Nat não passou no vestibular de novo e está completamente deprimida. Pode pedir pra Priscila ligar pra ela, só pra dar uma força? Mas não fala que fui eu que pedi, ok? Abração, tudo de bom! Alberto

Parabéns, Rodrigo! Tô te ligando e você não atende. Mas pelo que você disse da última vez que nos falamos, é hoje que você volta de SP, né? Então faz bem em não atender, aproveita bastante as últimas horas com a Pri! Poxa, bem que ela podia ter mudado pro Rio em vez de SP, assim com certeza te encontraria mais! Depois tento ligar de novo. Felicidades! Leo

Feliz aniversário, moleque! Saudade demais do meu brother! Ainda bem que amanhã vamos nos encontrar, chego por volta das 15h! A turnê no Sul com a banda foi ótima, depois te conto os detalhes! Curta seu dia! Daniel

Parabéns, Rodrigo! Amanhã te dou um abraço pessoalmente, te desejo tudo de melhor na vida e que você e a Priscila se casem logo, estou louca pra ser madrinha, a Pri já me convidou! O Dani tá falando pra eu não escrever isso, mas é o que eu desejo... e aniversários são feitos para se desejar coisas boas! Não consigo imaginar nada melhor do que vocês dois juntos pra sempre! Beijo enorme da cunhada que te adora! Daniela

De: Nicole <nicolestar@mail.com.br>
Para: Rodrigo <rrrrrodrigooooo@gmail.com>
Enviada: 02 de fevereiro, 10:59
Assunto: Saudade

Oi, menino lindo! Ainda se lembra de mim?

Encontrei seu irmão na praia e ele me falou que hoje é seu aniversário... Ele não quis me dar seu telefone, mas através das minhas fontes consegui o seu e-mail... Muitas felicidades, sempre! E que você continue gostoso como já é (sim, esse desejo é meio egoísta... certamente estou pensando em aproveitá-lo também). Tomara que a gente possa se encontrar em breve... Não tem planos de vir passear no Rio? É só me avisar que desmarco tudo pra ir te dar um beijinho. No rosto, claro... Seu irmão falou que você continua com a ruiva. Aff.

Bem, mas pelo menos você não está casado! Um beijo enorme e parabéns! Dá notícia, tá? Estou realmente com saudade!

Nicole

De: Bruno <bruno@novoice.com.br>
Para: Rodrigo <rrrrrodrigooooo@gmail.com>
Enviada: 02 de fevereiro, 11:03
Assunto: Parabéns!

Oi, Rodrigo! Fui eu que dei seu e-mail pra Nicole, estamos aqui no cybercafé da praia e ela perguntou se eu sabia... Desculpa, mas não consigo recusar nada pra mulher bonita! Espero que sua namorada não seja daquelas que sabem todas as senhas e tal. Mas acho que no dia do aniversário é legal a gente receber votos de felicidade até de pessoas que não vemos há muito tempo! Além disso, a Nick tá namorando já faz uns três dias, então tá tranquilo, ela não vai ficar na sua cola.

Mas vamos ao que interessa... PARABÉNS! Muita felicidade, muito rock 'n' roll e muita paz e amor!

Depois vamos comemorar! O pessoal todo do No Voice tá mandando um abração!

Valeu!

Bruno

P.S.: Será que a gente pode gravar a sua música "Só com você" no próximo CD? Tocamos ela aqui na praia e fez o maior sucesso!

De: ONG <cviver@mail.com.br>
Para: Rodrigo <rrrrrodrigooooo@gmail.com>
Enviada: 02 de fevereiro, 12:26
Assunto: Au! Au! Parabéns

Querido Rodrigo, parabéns! Tudo de melhor para quem faz a diferença em nossas vidas!

Lambidinhas carinhosas,

Todos os cachorros e gatos da ONG!

De: Alan <alan_alan@mail.com.br>
Para: Rodrigo <rrrrrodrigooooo@gmail.com>
Enviada: 02 de fevereiro, 14:01
Assunto: Seu dia!

Fala, Rodrigoooooooo!

Parabéns diretamente da Bahia! Que tal vir comemorar aqui? Aposto que seria o melhor aniversário da sua vida!!!

Não sei se cheguei a comentar com você ou se o Leo te contou, mas estou entrando de sócio em um projeto de um camping que vai bombar! O esquema vai ser assim: mulheres desacompanhadas não pagam! Homem paga em dobro. Me fala, como ninguém pensou nisso antes? Imagina, acordar e dar de cara com um bando de gatas de baby doll? Os caras vão pagar até em triplo, afinal, as garotas vão se hospedar lá em peso, atraídas pela palavra mágica "grátis"!

Mas não se preocupe, se você vier me visitar é cortesia da casa!

Curta seu dia onde você estiver! Te desejo muitas gatas maravilhosas!

Abraço!

Alan

De: Sara <sararochette@mail.com.br>
Para: Rodrigo <rrrrrodrigooooo@gmail.com>
Enviada: 02 de fevereiro, 17:22
Assunto: Happy Birthday!

Parabéns, Rô!!!!

Nem acredito que meu irmãozinho já tem 20 anos! Estou me sentindo muito velha!

Desejo que você tenha cada vez mais discernimento para saber quais são os melhores caminhos para a sua vida.

Mil beijos da irmã que te ama muito,

Sara

Meu amor,

Estou muito feliz de mais uma vez estar ao seu lado no dia do seu aniversário. Sabe o que eu lembrei? No dia que te conheci você me contou que tinha feito 14 anos havia dois dias. Então isso significa que você está na minha vida há seis anos! Parece muito, mas ao mesmo tempo parece tão pouco. Sinto como se eu te conhecesse a minha vida inteira... E tudo que mais quero é continuar pra sempre com você.

Rô, quero aproveitar e te pedir desculpas. Sei que fui eu quem nos colocou nessa situação, mas tenho que confessar que, apesar de estar animada porque minha família vai ficar toda unida novamente (e inclusive ganhando mais um integrante em alguns meses!), não tem um dia em que eu não me pergunte se tomei a decisão correta. Não tem um dia em que não me arrependa por alguns segundos. Não tem um dia em que eu não fique imaginando como estaria a nossa vida se eu ainda estivesse em BH... com você.

Mas apesar de saber que em poucas horas teremos que nos distanciar, quero que você saiba que eu tenho certeza de que esses quilômetros apenas nos separarão fisicamente. Eles não vão influenciar em nada no que eu sinto por você, muito pelo contrário. O tempo inteiro vou sentir falta do meu amor, do meu amigo, do meu herói... de tudo que você representa pra mim!

Feliz aniversário, meu lindo! Tudo de melhor o tempo todo é o que desejo pra você.

Te amo, te amo, te amo, te amo, te amo, te amo, te amo!

Milhões de beijos,

Pri

22

> _Cameron:_ Eu quero passar o resto
> da minha vida com você. E se no fim
> das contas existir outra vida após esta,
> eu quero passá-la com você também.
>
> (10 Things I Hate About You)

Depois que meu pai e minha mãe chegaram a São Paulo, pude contar os segundos que consegui ficar sozinha com o Rodrigo. Meu pai parecia ter se arrependido totalmente de ter permitido que eu e ele ficássemos uma semana sem ninguém por perto e passou a nos vigiar como se eu tivesse novamente 13 anos de idade! Mas não foi apenas por ter nos encontrado tão à vontade. O fato de o Rodrigo estar prestes a completar 20 anos também influenciou nisso.

"Pai, ele é apenas 11 meses mais velho que eu, sempre tivemos essa diferença de idade, por que essa crise agora?", perguntei em um momento em que o Rô foi ao banheiro. "Não é por causa de um número que as coisas vão mudar!"

"Seu pai está só com ciúmes, Pri", minha mãe falou atrapalhando o cabelo dele. "Eu o lembrei de que foi exatamente com 20 anos que ele me pediu em casamento. Apesar de termos demorado pelo menos mais cinco para realmente nos casar, acho que ele está imaginando o Rodrigo no mesmo papel..."

Ah, então era isso.

"Pai, te garanto que o Rodrigo não vai me pedir em casamento. Pelo menos não tão cedo..."

Não que eu não quisesse que aquilo acontecesse, mas o próprio Rodrigo já tinha falado o quanto seria difícil uma mudança para São Paulo... Imagina uma mudança de estado civil?! Além do mais, minha conversa com a Fani tinha ficado na minha cabeça. Ela estava certa, casar hoje em dia não é nada fácil. Nós antes precisamos terminar a faculdade, arrumar empregos... E só então pensar em dar o próximo passo.

"Como assim você *garante* que ele não quer casar com você?", meu pai perguntou. "O namoro não está bom? Ou ele está te enrolando?"

"Não foi isso que eu quis dizer! Ele quer se casar comigo sim!"

Bem nesse momento o Rodrigo voltou e ficou olhando para nós com os olhos arregalados, sem entender que história de casamento era aquela. Mas então eu mudei de assunto e passamos a falar da minha faculdade, que começaria em poucos dias.

Na hora de dormir, peguei o colchonete do Rodrigo e comecei a estendê-lo no chão do meu quarto, ao lado do meu. Porém, o Rô apenas balançou a cabeça e disse que achava melhor colocá-lo na sala, pois certamente o meu pai surtaria ainda mais se visse aquilo. Eu não queria dormir longe dele, era a nossa última noite juntos! Mas eu sabia que ele estava certo. Seria muito constrangedor se o meu pai o obrigasse a sair do meu quarto, então era melhor realmente já fazer isso, antes que ele dissesse alguma coisa.

Por isso, fiquei deitada sozinha no colchonete no chão do meu quarto, pensando nos últimos dias, em como tinha sido maravilhoso passar aquele tempo a sós com o Rodrigo e no quanto eu ia sentir falta dele... Mais do que isso, fiquei imaginando como seria o nosso futuro, longe um do outro. Estávamos acostumados a nos ver quase todos os dias e agora aquele número seria reduzido a dois fins de semana por mês. Será que nos acostumaríamos à distância? Será que daríamos um jeito de acabar com ela logo?

Acabei adormecendo sem perceber. Porém, algum tempo depois, acordei com a Snow andando em cima de mim. Minha gata sempre fazia aquilo para me acordar, mas geralmente era de manhã, nunca no meio da noite... De repente entendi. Ela estava sentindo falta do Rodrigo, por ele ter dormido no meu quarto por tantos dias. E pelo visto agora queria ficar com ele na sala. Eu a entendia totalmente...

Olhei as horas e vi que já eram 23h45. Subitamente tive uma ideia: acordar o Rodrigo para dar parabéns para ele exatamente à meia-noite! Abri a porta do meu quarto o mais silenciosamente que consegui e vi que todas as luzes já estavam apagadas. Ótimo, sinal de que meus pais já estavam dormindo. Então, iluminando o caminho apenas com a luz do celular, fui até a cozinha e peguei uma vela, que acendi no fogão. Por último, peguei um *cupcake* de uma bandejinha que minha mãe tinha feito exatamente para cantarmos parabéns para ele ao acordar. Tinha vários, ela não ia sentir falta... E eu tinha a impressão de que ele ia gostar muito mais daquele "parabéns pra você" particular do que o que receberia de todo mundo na mesa do café da manhã.

Fui lentamente até a sala, morrendo de medo de os cachorros latirem, por acharem que algo estranho estivesse acontecendo. Os gatos e o Rabicó estavam presos no meu quarto, mas os cachorros geralmente ficavam soltos à noite. Acho que eles deviam estar com muito sono ou perceberam que era apenas eu, pois ficaram quietinhos.

Com isso, me aproximei pé ante pé do local onde o Rodrigo estava dormindo, na frente da TV. Ainda faltavam dois minutos para meia-noite, então coloquei a vela e o *cupcake* em cima do aparelho de DVD e fiquei parada, como se estivesse zelando pelo sono dele. Apesar de a sala estar completamente escura, a luz da vela iluminava um pouco o rosto do Rô, que estava tão sereno que fiquei curiosa para saber o que ele sonhava. O cabelo dele estava um pouco atrapalhado e a franja tinha caído em cima de um olho. Olhei para a boca dele, que estava levemente aberta, convidando para um beijo... E foi exatamente o que eu fiz, me deitando ao lado dele, que acordou meio assustado. Porém, assim que meu viu, me puxou para mais perto.

"Parabéns, meu amor!", falei bem baixinho. "Trouxe um presente pra você!"

"Já tenho o melhor presente...", ele disse me abraçando mais forte e beijando meu pescoço.

"Rô, a gente está na sala", falei rindo. "Meus pais podem acordar..."

Ele imediatamente me soltou e se sentou. Eu me levantei, peguei a vela e comecei a sussurrar "parabéns pra você...". Ele soprou antes do final da música, com receio de que alguém aparecesse por causa da luminosidade, e então eu peguei o *cupcake* já no escuro e entreguei para ele.

"Obrigado, linda... Você ficou acordada até agora só pra vir me fazer essa surpresa?", ele perguntou, dando uma mordida no doce e me oferecendo em seguida.

Pensei em dizer que sim, mas acabei falando a verdade, que a Snow tinha me acordado e que eu aproveitei que estava quase no horário para dar os parabéns.

"Tenho que agradecer a Snow então", ele falou rindo, mas logo ficou com um olhar meio melancólico. "Vou sentir falta dela. E dos outros bichos..."

Eu tinha certeza de que eles também iam sentir muita saudade do Rodrigo, mas, para tentar espantar a tristeza que estava prestes a tomar conta da gente, o abracei e fiz com que ele se deitasse novamente. Em seguida perguntei se ele se lembrava de todos os aniversários dele que a gente já tinha passado juntos e, à medida que fomos recordando, acabamos adormecendo.

Acordei na manhã seguinte com a minha mãe falando meu nome e cutucando meu braço. Olhei assustada e só então me lembrei de que eu estava na sala. O Rodrigo também acordou e começou a pedir desculpas para ela, explicando que eu só tinha ido dar parabéns, mas que acabamos pegando no sono. Ela falou que entendia, mas que era para eu ir logo para o meu quarto, pois o meu pai já estava saindo do banho e, se nos encontrasse assim, ia pegar ainda mais no nosso pé.

"Ah, feliz aniversário, Rodrigo!", ela falou quando ele já ia em direção ao banheiro. "Preparei *cupcakes* especialmente para comemorar o seu aniversário no café da manhã, espero que tenham ficado bons!"

"Aposto que ficou ótimo", ele disse sorrindo, enquanto trocávamos um olhar cúmplice. No momento seguinte fomos cada um para um lado.

A manhã passou muito depressa. O voo do Rodrigo era à uma da tarde, então só tivemos tempo de tomar café, passear com os cachorros, arrumar a mala dele e logo já tivemos que ir para o aeroporto. Minha mãe ficou insistindo para ir comigo levá-lo, mas acabou concordando em apenas me emprestar o carro para que nós pudéssemos ficar pelo menos mais alguns minutos sozinhos.

Quando já estávamos chegando, ele recebeu uma mensagem no celular. Não foi a primeira do dia, afinal, vários amigos estavam escrevendo para desejar feliz aniversário. Porém, percebi que, depois de ler aquela, ele ficou sério e com o olhar meio perdido, como se estivesse com os pensamentos em outro lugar.

"O que houve, Rô?", perguntei meio preocupada. "De quem era a mensagem?"

Ele forçou um sorriso e respondeu: "Do Alberto".

"E por que você está com essa cara estranha?"

"Cara estranha?", ele disse rindo, pois sabia que eu estava morrendo de curiosidade, mas logo ficou sério de novo.

"Anda, Rô, o que houve?", falei tentando tomar o celular da mão dele. Mas como eu estava dirigindo, não consegui pegar a tempo de ele tirá-lo do meu alcance.

"A Natália não passou no vestibular de novo, Pri..."

Arregalei os olhos e fiquei um tempo sem dizer nada. Aquilo ia afetar totalmente a vida da Nat. Era o segundo ano em que ela tentava entrar na UFMG, que era onde o pai dela fazia questão de que ela estudasse. Porém, eu sabia perfeitamente que a Natália não tinha se esforçado o suficiente... Ela mesma tinha confessado isso para mim.

"O Sr. Gil vai deixar ela de castigo pelo resto da vida...", falei pensativa. "Estou até com pena."

"O Alberto pediu pra você ligar pra ela, pra tentar animá-la um pouquinho..."

Eu concordei, disse que ia telefonar assim que chegasse em casa. Mas então reparei que ele continuava meio cabisbaixo.

"O que houve, Rô? Você está triste por causa da Natália?", perguntei achando aquilo estranho, afinal, apesar de o Rodrigo e a Nat serem amigos, não via razão para aquilo afetar tanto o humor dele.

"Não por causa dela...", ele explicou. "Por causa do resultado do vestibular. Se nada tivesse mudado, hoje seria um dia de grande comemoração para nós."

Dei um suspiro. Ele tinha razão, se eu ainda estivesse em BH e se eu tivesse passado, certamente nós estaríamos festejando o resultado.

"Mas a gente nem sabe se eu passei...", falei desejando ter tirado zero em alguma das provas, pelo menos assim não ficaríamos com aquela sensação do que poderia ter sido.

Ele balançou a cabeça, mexeu um pouco no celular e em seguida me mostrou uma lista. Aproveitei que estava parada no sinal para olhar, minha visão até embaralhou com tantos nomes, mas de repente eu encontrei o que procurava.

CURSO	TURNO	CANDIDATO (A)	RESULTADO
VETERINÁRIA	DIURNO	PRISCILA VULCANO PANOGOPOULOS	APROVADO

O sinal abriu, eu continuei a dirigir e ele apenas disse: "Você tinha alguma dúvida?".

Não respondi, e ficamos calados até chegar ao aeroporto. Estacionei, pegamos a mala dele no porta-malas e fomos de mãos dadas até o saguão.

Só depois de ele ter feito o *check-in* foi que falei, com o coração apertado: "Rô... Ainda dá tempo. Posso voltar pra BH e me matricular na UFMG. Eu achei que seria mais fácil, mas daqui a pouco você vai entrar naquele avião e...".

Ele colocou o dedo sobre os meus lábios para que eu fizesse silêncio, chegou mais perto e falou: "Vou entrar naquele avião para Belo Horizonte agora e daqui a algumas semanas você vai fazer a mesma coisa, mas para me *visitar*. E aí prometo que nós vamos ficar grudados durante todos os dias que você estiver lá, você vai até enjoar de mim!".

Eu o abracei, começando a ver tudo meio embaçado por causa das lágrimas que encheram meus olhos. Como se houvesse a possibilidade de algum dia eu enjoar dele...

Ele continuou: "O tempo vai passar muito rápido, você vai ver. Amanhã suas aulas começam, você adorou a faculdade no dia em que a gente foi fazer sua matrícula! E você vai fazer novas amizades... Quando menos esperar, já chegou o dia da sua viagem. E eu vou estar te esperando no aeroporto...".

Vi que ele estava se segurando para não chorar também e o abracei mais forte. Algumas pessoas passavam e nos olhavam com curiosidade. Outras com pena. Eu já tinha visto alguns casais se despedirem em aeroportos, e tinha olhado para eles da mesma forma... Porém, nunca imaginaria que algum dia eu poderia estar na mesma situação.

"Esquece isso de voltar pra BH, tá, Pri?", ele tornou a falar depois de um tempo. "Não seria bom pra ninguém se você fizesse isso. Seus pais estão superfelizes por você estar aqui com eles... Se você disser que voltou atrás, eles podem não entender e até começarem a dificultar as coisas pra gente. Além do mais, no final de fevereiro seu irmão e sua cunhada vão chegar. Tenho certeza de que você vai ficar toda envolvida com a gravidez dela, você ficaria desesperada se estivesse lá em BH."

Ele não sabia do trato que eu havia feito com meus pais, nem que eles haviam me liberado de cumpri-lo e que, se eu tivesse preferido ficar em BH, eles teriam me apoiado. Mas ainda assim eu sabia que ele estava certo. Uma coisa seria ter recusado me mudar para São Paulo de cara. Outra bem diferente era deixar que me incluíssem no projeto e então mudar de ideia, frustrando todos os planos...

"Estou desesperada é por você estar indo embora...", falei com vontade de sequestrá-lo para que ele não entrasse naquele avião.

Ele sorriu, passou a mão pelo meu cabelo e ficou me olhando, como se estivesse guardando cada detalhe. Nesse momento, ouvimos o embarque do voo dele ser anunciado pelo alto-falante.

"Ah, não...", eu o abracei com ainda mais força, desejando que uma greve dos controladores de voo acontecesse naquele exato momento, para que ele simplesmente não pudesse embarcar.

Ele respirou fundo, segurou o meu queixo e levantou um pouco o meu rosto, para que eu olhasse bem nos olhos dele.

"Pri, isto é provisório. Nós vamos dar um jeito de conviver com esta distância."

Então ele me deu um longo beijo, com sabor de lágrimas, e em seguida entrou na sala de embarque, sem olhar para trás.

23

<u>Jessie</u>: Você vai continuar fazendo perguntas ou vai descobrir por si mesmo?

(18 to life)

1. Everybody's Changing – Keane
2. Chances – Five for Fighting
3. Wild World – Cat Stevens
4. Don't Answer Me – Alan Parson's Project

Cheguei em casa ainda arrasado. Me despedir da Priscila tinha sido pior do que eu imaginava... Minha vontade era obrigá-la a entrar no avião comigo e voltar para BH, mas, além de aguentar minha própria tristeza, tive que fingir para ela que eu estava bem, mostrando uma força que eu estava longe de sentir.

A verdade é que eu sabia que ia ser muito difícil ficar longe. Além de namorada, a Priscila era minha amiga, meu referencial, a primeira pessoa para quem eu ligava para contar as coisas boas e também quando precisava desabafar. E estar na companhia dela sempre deixava tudo ainda melhor... Ela tinha uma energia boa contagiante, que fazia com que nada parecesse sem solução.

Porém, dessa vez, houve uma inversão de papéis. Talvez por ter nos colocado nessa situação, ela parecia perdida, sem saber direito o que fazer com as nossas vidas, como se fosse dela toda a responsabilidade pelo futuro que poderíamos (ou não) ter.

Eu achava que a distância não ia afetar nada, pelo menos da minha parte. Nós já havíamos ficado quase um mês sem nos ver, durante a viagem dela para Los Angeles. Naquele período, apesar de ter ficado com saudade, eu sabia que ela estaria de volta logo. Agora era diferente. Exatamente por saber que a estadia dela na Califórnia era provisória, foi "fácil" aguentar. Dessa vez não tínhamos certeza de quanto tempo aquilo ia durar.

Durante o voo de São Paulo para Belo Horizonte, vim planejando o que eu precisaria fazer durante a semana. Minhas aulas e meu estágio iam começar já no dia seguinte. Eu iria assim que possível à secretaria da faculdade para saber sobre o processo de transferência, e, se isso fosse mesmo possível, eu teria também que perguntar para o pai do Leo se ele conhecia alguma empresa da mesma área da dele para me indicar em São Paulo, para que eu pudesse também trocar de estágio.

Porém, eu sabia que aquilo levaria tempo... Demoraria no mínimo um semestre para conseguir morar perto da Priscila novamente.

Por mais que eu dissesse que não precisava, meus pais foram me buscar no aeroporto. Eu não estava com o menor clima para comemorar meu aniversário, mas eles insistiram em irmos direto almoçar em um restaurante. Por isso, quando consegui entrar no meu quarto já eram quase quatro da tarde.

Logo vi que em cima da minha cama tinha um presente. Eu sabia que não era dos meus pais, pois eles já tinham me dado uns equipamentos novos para a bateria, que eu estava precisando. Percebi que tinha um cartão, então o abri antes do embrulho.

> Rô, espero que goste do presente de aniversário. Queria ter te dado pessoalmente, mas como você viajou sem despedir de mim, não foi possível... Mas espero que esse livro te dê muita vontade de vir para cá logo. Assim vamos comemorar todos os dias!
>
> Beijo da irmã que te ama,
>
> Sara

Mesmo sem abrir, imaginei o que seria e, assim que retirei a embalagem de presente, vi que eu estava certo. Um livro ilustrado sobre o Canadá. A Sara vinha insistindo muito para que eu passasse um tempo com ela em Vancouver e, por mais que eu explicasse que não estava interessado, ela não parava de tentar me convencer.

Comecei a folhear as páginas e minha lembrança me levou de volta à infância, durante os anos que havia passado naquele local. Quando meu pai foi fazer mestrado, levou a família inteira, e, depois que o curso terminou, ainda ficou trabalhando lá por um tempo. Por isso, dos 8 aos 11 anos, morei naquela cidade que, de acordo com vários rankings de institutos de pesquisa, é uma das melhores do mundo para se viver.

A Sara e o João Marcelo, que na época já eram adolescentes, nunca se readaptaram totalmente quando retornamos ao Brasil. Eles tinham muitos amigos e a Sara até já namorava... Por isso, assim que possível ela deu um jeito de voltar para lá, e o João acabou indo depois também. Já o Daniel e eu, talvez por ainda sermos crianças na época, até gostamos da volta para o Brasil, era bom poder voltar a ficar perto dos nossos avós e dos antigos amigos de infância. Mas, agora, olhando aquelas fotos da praia de Vancouver, das ruas tão organizadas e de lugares de que eu já nem me lembrava direito, comecei a sentir certa saudade e uma vontade de visitar a cidade. Sim, apenas *visitar*. Como eu havia dito para a Sara em uma das várias vezes em que ela mencionou a ideia de eu me mudar para lá, eu não tinha a menor vontade de sair do Brasil... Eu tinha vínculos que não queria deixar para trás.

E foi exatamente o "vínculo" principal que me fez fechar aquele livro e pegar o meu celular. Eu precisava ligar para a Priscila e avisar que eu tinha chegado bem. Do jeito que ela era dramática, provavelmente estaria achando que o avião tinha caído, só por eu não ter dado notícia ainda. Na verdade era até estranho ela ainda não ter telefonado... Ela não era do tipo que ficava esperando uma ligação, era muito ansiosa para isso.

Deitei na minha cama e cliquei no nome dela na agenda do meu telefone. Eu estava esperando que atendesse na primeira chamada, mas tocou até cair na caixa postal... Imaginei que ela estivesse tomando banho, então resolvi fazer o mesmo e tentar um pouco mais tarde. Eu precisava também terminar de desfazer minha mala e preparar tudo para a volta às aulas na manhã seguinte... Senti uma imensa preguiça, ainda maior que a dos outros domingos, por isso, decidi que, antes de qualquer coisa, ia passear com os meus cachorros, para pelo menos prolongar um pouco o fim de semana.

Assim que voltei, tentei novamente ligar para a Pri. Mais uma vez ela não atendeu. Comecei a ficar preocupado. Ela realmente tinha mania de esquecer que o celular existia, mas nunca quando estava esperando uma ligação minha...

Sem pensar muito, digitei o número da Lívia. Desligado. Como eu não estava desesperado a ponto de ligar também para o pai da Priscila, decidi entrar no Facebook, para ver se ela não estaria online. Ela não estava, mas o Daniel sim. Ele me chamou para dar parabéns, começou a me contar sobre a viagem dele para Florianópolis, onde estava com a banda desde o Réveillon. Ficamos um tempo conversando e, quando ele se despediu, liguei novamente para a Priscila. Dessa vez o telefone tocou três vezes e, de repente, uma voz de homem atendeu.

"Esse celular é da Priscila?", perguntei completamente atônito. Eu sabia que tinha ligado o número certo, eu nem mesmo havia digitado, o nome dela era o número 1 na discagem automática do meu telefone!

"Sim, mas tem que ficar desligado agora. Ligue mais tarde."

Ele desligou e eu fiquei parado olhando para o celular, me perguntando que espécie de brincadeira seria aquela. E, especialmente, *quem* seria aquele sujeito com o celular da minha namorada. Telefonei novamente, e tocou até desligar. Tentei mais uma vez e a mesma pessoa atendeu, dessa vez já dizendo: "Cara, você é muito insistente!", e em seguida desligou. No mesmo instante tornei a telefonar e então caiu direto na caixa-postal. Ele provavelmente tinha desligado o aparelho.

Praguejando por na casa nova da Priscila ainda não ter telefone fixo, resolvi ligar para o Luiz Fernando. Sim, naquele momento o meu desespero já era o suficiente para ligar para o pai dela.

O telefone chamou várias vezes, e quando eu já estava pensando que a ligação ia cair, ele atendeu.

Fiquei sem graça, pois pelo "alô" ele parecia meio revoltado, como se eu tivesse interrompido um trabalho muito importante, mas criei coragem e disse: "Oi, Luiz, tudo bom com o senhor? É o Rodrigo. Desculpa incomodar, mas estou tentando falar com a Priscila já há algum tempo e tem uma outra pessoa atendendo... Fiquei preocupado e..."

"Rodrigo, ela não pode falar agora, depois vocês conversam."

Além de ter me interrompido, ele desligou na minha cara! Fiquei perplexo. Tudo bem que o pai dela andava meio implicante comigo, por ter flagrado a gente na maior intimidade no café da manhã. Certamente eu também estaria assim, caso tivesse uma filha e a encontrasse vestindo a blusa do namorado, que por sinal mal tapava a calcinha... Mas isso não era motivo para ele desligar na minha cara! E foi ele quem permitiu que eu ficasse sozinho com a Priscila por uma semana. O que ele queria? Que eu dormisse no quarto de hóspedes?

Eu ainda estava pensando nisso quando a minha mãe aprontou o maior berreiro na sala. Pensei que ela estivesse pedindo para o meu pai matar alguma barata, mas então notei que era o meu nome que ela estava gritando. Abri depressa a porta do meu quarto e ouvi a voz dela histérica dizendo: "A Priscila está na televisão, vem depressa!".

Ela não precisou falar duas vezes. Em um segundo eu já estava na frente da TV, com os olhos arregalados constatando que era mesmo a minha namorada na tela.

Era um programa daqueles meio sensacionalistas, e ela estava sentada no sofá, junto com alguns artistas. Cheguei mais perto e aumentei o volume, me perguntando se aquilo realmente estava acontecendo. Será que era um sonho? Será que meu avião tinha caído, eu tinha morrido, e aquela era uma dimensão paralela? Poucas horas antes a Priscila tinha me deixado no aeroporto e agora estava na *televisão*? Era muito surreal para ser realidade!

A câmera de repente deu um close na Pri. Ela ainda usava a mesma roupa com a qual tinha me levado no aeroporto, mas percebi que haviam passado maquiagem nela. Mesmo assim, notei que seus olhos estavam diferentes, e não era só por estarem pintados. Eles estavam inchados... Ela tinha chorado?

"A Priscila veio aqui hoje para fazer um apelo", a apresentadora começou a falar, e eu resolvi prestar muita atenção, para ver se aquele mistério era solucionado. "Ela acabou de se mudar para São Paulo, está morando em Pinheiros, e tem uma história triste para contar para vocês. A palavra é sua, Priscila, explica pra gente o que aconteceu".

"Você sabia disso, Rodrigo?", minha mãe perguntou tão admirada quanto eu.

Eu apenas neguei com a cabeça, para não perder uma palavra do que a Pri ia dizer.

"Boa tarde. Estou aqui pra fazer um pedido. Sim, eu acabei de me mudar de Belo Horizonte. Vim com meus pais pra cá, porque eles estavam separados há muitos anos, mas acabaram de reatar. O meu pai tem uma agência de publicidade aqui em São Paulo, por isso foi mais fácil a minha mãe acompanhá-lo do que o contrário. E eu vim junto com os dois e, por minha vez, trouxe os meus bichos de estimação, pelos quais sou completamente apaixonada. Eu ainda estou em processo de adaptação, mas descobri que não sou só eu..."

A apresentadora, para fazer um drama, interrompeu nesse momento, dizendo que após os comerciais iríamos ouvir o resto da história.

Durante o intervalo, fiquei tentando ligar novamente para a Priscila, para que ela me explicasse o que estava acontecendo, mas o celular dela continuava desligado.

O intervalo durou alguns minutos, e durante esse período minha mãe não parou de indagar o motivo de a Priscila estar na TV. No fim das contas, cheguei até a gritar, tentando fazê-la entender que eu realmente não sabia, mas no segundo seguinte me arrependi e pedi desculpas. No fundo eu só queria também ter alguém que soubesse mais do que eu, para esclarecer o que estava acontecendo.

Eu estava totalmente fora do ar.

24

Bianca: Ótimo discurso. Muito inspirador!

(10 Things I Hate About You)

Pri, estou te vendo na televisão! Amiga, você emagreceu? Está linda com essa sombra verde, realçou o seu cabelo! Sabia que mudar pra SP ia ser bom pra você, é aí que as coisas acontecem! Mas como você fez pra participar de um programa de TV tão cedo? Já deu tempo de você conhecer pessoas influentes? Será que pode pedir pra sua mãe me adotar? Não passei de novo no vestibular e a situação aqui em casa está péssima, estou a fim de fugir! Mas o Alberto vai junto comigo, tá? Mil beijinhos! Nat

Priscila, o Alberto (hermano da Fani) mandou una mensagem avisando para ela mirar agora su entrevista en un programa brasileño que también passa na internet! Eu, ela e Tracy estamos assistindo! Estás belíssima, como siempre! Esse vestido verde combinou muito com seu cabelo! Pero, creo que devias usar un salto maior, sei que já tienes una boa altura, mas lembre-se: quanto mais alta, mais poderosa! Buena sorte! Alejandro

177

Priscila, tinha muito tempo que eu não te via, você continua uma princesa... Estou escrevendo de dentro do banheiro porque estou na casa da Júlia. Eu te elogiei na hora que você apareceu na TV e ela ficou morrendo de ciúmes! Bem, não a condeno, ninguém é páreo pra você! Manda um beijo pra mim ao vivo? Saudades! Seu fã número 1! Juliano

Uau, arrasou! Tá gata demais na TV! Por que você não me avisou? Eu teria colocado pra gravar pra você ver depois! Por acaso você foi nesse programa pra convencer o seu pai a te deixar voltar pra BH? Sabia que isso ia acontecer... Você nunca conseguiria ficar sem o Rodrigo. Me liga assim que sair da emissora. Bruna

Pri, é realmente você que está no programa daquela apresentadora exagerada? A Bruna me ligou para eu assistir, mas não estou entendendo nada! Eles te pagaram pra inventar alguma história comovente? Percebi que seus olhos estão meio inchados, você vai chorar ao vivo? Ai, que emoção, nunca tive uma amiga que foi na TV antes! Beijo, beijo! Larissa

Priscilete, meu bem! Estou te vendo pelo site da emissora, sua mãe mandou uma mensagem para o Arthur, com o link pra vermos online, e nós dois estamos muito orgulhosos de você, por estar em um programa que é veiculado em rede nacional! Aposto que vão te convidar para substituir essa apresentadora chata, você brilha muito mais que ela! Beijo gigante! Sam, Arthur e bebê

Pri... Atende o telefone! O que está acontecendo? Rô

25

> *Effie*: Amor, amor, amor.
> Para que isso serve afinal?
> Absolutamente nada.
>
> (*Skins*)

O programa voltou a ser transmitido depois de menos de cinco minutos de intervalo, o que para mim pareceram cinco horas... A cada segundo minha mente me apresentava mil possibilidades para a Priscila estar ali, e nenhuma delas parecia convincente.

Quem sabe estava faltando algum figurante no tal programa e, no aeroporto, depois que eu entrei na sala de embarque, a pararam perguntando se ela gostaria de participar? Mas, nesse caso, ela não deveria ficar só opinando, em vez de ser entrevistada? Ou, talvez, ela tivesse sofrido um sequestro relâmpago e estivesse ali para pedir aos telespectadores o dinheiro do resgate... Mas os sequestradores a deixariam ir a um programa de TV fazer isso?!

Eu ainda estava usando toda a minha criatividade nas teorias quando a apresentadora voltou a falar. Aumentei ainda mais o som da TV, pois precisava escutar no volume máximo a solução daquele mistério.

"Voltamos ao ar, estamos aqui ao vivo, e hoje temos uma convidada especial. Para quem não viu no primeiro bloco, estamos aqui com a Priscila e ela vai contar a sua história. É com você, querida!"

A Pri segurou com força o microfone e falou: "Boa tarde, pessoal". Inicialmente ela pareceu um pouco tímida, mas também determinada. "Meu nome é Priscila, tenho 19 anos e, como eu falei no outro bloco, sou apaixonada por animais. Como eu disse também, acabei de me mudar para São Paulo e a adaptação tem sido muito difícil... Eu já tinha morado aqui antes, por vários anos na minha infância, mas desde os 13 eu vivia em BH. Lá eu tenho várias amigas e um namorado..."

Minha mãe olhou para mim, mas continuei com os olhos pregados na tela, para não perder uma sílaba que ela dissesse.

"Lá também eu tinha vários bichos de estimação, que vieram pra cá comigo: dois gatos, dois cachorros, um papagaio, um furão, um *mini pig* e sete coelhinhos."

Percebi que a plateia ficou muito admirada com o número de animais, uns até começaram a rir, e a apresentadora perguntou se o sonho dela era trabalhar em um zoológico.

A Pri deu um sorriso triste e, sem responder aquela pergunta, continuou: "Foi meio difícil trazê-los, mas conseguimos dar um jeitinho. Porém, hoje eu fui levar o meu namorado ao aeroporto. Ele estava aqui há uma semana, ajudando a minha família na mudança, mas como a faculdade dele recomeça amanhã, teve que voltar..."

"Foi triste a despedida, Priscila?", a apresentadora interrompeu o discurso dela, certamente enxergando ali um ponto que poderia comover os telespectadores...

A Pri deu um suspiro e falou: "Foi, sim... Foi muito difícil. Mas o que aconteceu depois foi pior".

Tanto a apresentadora quanto os espectadores ficaram em silêncio total, provavelmente tão curiosos quanto eu para saber o que tinha acontecido. Então a Pri perguntou: "Posso me levantar?", já se levantando. A apresentadora falou para ela ficar à vontade e a Priscila começou a andar pelo palco. Observei que o câmera a seguia meio desajeitado, provavelmente por não ter muita prática com os convidados do programa se levantarem e saírem andando. Mas a Pri parecia estar adorando aquilo... Ela sempre gostou de ter audiência...

"Cheguei em casa arrasada", ela começou a falar, como se fosse íntima de cada uma das pessoas da plateia e estivesse contando um caso. "Tenho quase seis anos de namoro, e nesse período o máximo que eu e meu namorado nos afastamos foi durante algumas viagens... Meu coração estava dilacerado só de pensar que agora vai acontecer o contrário, que só vou passar um tempo maior com ele nas férias..."

Ela estava comovida e a câmera focalizou algumas pessoas na plateia que pareciam prestes a chorar. Eu ainda não estava entendendo o motivo de ela estar contando a nossa história em rede nacional, mas tive vontade de pular dentro do primeiro avião e tirá-la de lá, dizendo que tudo ia ficar bem, que eu dormiria até na calçada da rua dela, para ela não ficar triste e a gente não ter mais que se afastar.

Mas quando ela tornou a falar, notei que a causa real da tristeza não era o nosso namoro, e sim algo totalmente diferente.

"Por isso, quando parei o carro na garagem e percebi que meus pais estavam com visitas, resolvi entrar pela porta dos fundos, para não ter que conversar com ninguém... Eu não estava com a mínima disposição pra socializar e certamente os amigos deles iam me achar muito mal-educada."

Até parece... a Priscila conseguia ser simpática mesmo de boca fechada. Mas a apresentadora concordou com ela, dizendo que seria mesmo o maior sacrifício ter que dar atenção para visitas naquele momento.

Ela continuou: "Só que, quando eu dei a volta por trás da minha casa, olhei para o viveiro, onde meus coelhos ficam. Foi aí que vi que eles não estavam lá...".

O quê?! Aquilo não podia ter acontecido!

A apresentadora interrompeu o relato dela e chamou os comerciais mais uma vez, por isso aproveitei para me levantar e buscar a minha mala no quarto, que eu já tinha até começado a desfazer.

"Quê isso, Rodrigo?", minha mãe perguntou vindo atrás de mim. "O que você vai fazer com essa mala?"

"Preciso voltar pra São Paulo", expliquei, jogando algumas roupas limpas dentro dela e a fechando novamente. "A culpa é minha! Eu comecei a arrumar o viveiro ontem, mas como os pais da Priscila chegaram, tivemos que sair com eles. E hoje já era o dia de eu vir embora... Acabei esquecendo! A Priscila deve estar desesperada, tadinha, aqueles coelhos são como filhos pra ela!".

"Rodrigo, você não vai arrumar passagem em cima da hora assim, meu filho! Além do mais, suas aulas começam amanhã, você não pode voltar pra lá hoje! E duvido muito que você tenha alguma culpa nisso! Aliás, você nem terminou de ouvir a história e nem mesmo sabe se isso é verdade... Conversa com a Priscila antes de tomar qualquer atitude!"

Respirei fundo, larguei a mala fechada no quarto e fui novamente para a sala, me sentando de novo em frente à TV, que estava voltando a transmitir o programa. A apresentadora fez um resumo da história, para quem estava começando a assistir naquele momento, e em seguida perguntou: "E o que você fez quando viu que seus coelhos não estavam lá, Priscila?".

Ela deu um suspiro, como se fosse doloroso lembrar daquilo.

"Eu corri para ver de perto, para verificar se eles não estavam escondidos em algum cantinho... Mas não, eles tinham simplesmente desaparecido. E no viveiro tinha um grande buraco, por onde eles devem ter saído. No dia anterior, meu namorado viu mesmo que estava com um furo e começou a arrumar, mas meus pais chegaram e acabamos nos distraindo... Na verdade, eu não imaginava que eles fossem capazes de sair por um espaço tão pequeno como aquele, mas eu devia saber, eles são roedores! Levou só um dia para eles aumentarem a fenda e passarem por ela! E o pior não é isso..."

A Pri escondeu o rosto com as mãos, como se estivesse com vergonha de alguma coisa, e a câmera deu o maior close nela.

"O que é o pior, Priscila?", a apresentadora colocou a mão no ombro dela, como se estivesse dando força para que continuasse.

A Pri balançou a cabeça e vi que estava com os olhos cheios de água.

"Eles estavam com *fome*", ela falou com os olhos baixos. "Sei que foi por isso que fugiram! Normalmente eu coloco comida de manhã e deixo uma quantidade disponível para o dia inteiro, para que eles fiquem bem alimentados. À noite eu ainda dou uma olhada, às vezes coloco um pouco mais de repolho ou de ração... Ontem, meu namorado tratou deles cedo, só que à noite eu estava com tanta coisa na cabeça que nem me lembrei de conferir se eles estavam bem. E hoje, como fui levar meu namorado no aeroporto, pensei que minha mãe ia cuidar deles. Mas ela pensou que eu já tivesse cuidado... Ou seja, tinha muito tempo que eles não comiam! Claro que eles iam fugir... No lugar deles eu teria fugido também! É tudo minha culpa!".

A Pri começou a chorar, a apresentadora deu um abraço nela, que, após se controlar um pouco, falou: "Desculpa, é que eu realmente gosto muito dos meus coelhinhos, tenho uma história com cada um deles. A Pelúcia, a mais velha, eu resgatei em um mercado em Belo Horizonte. Eles mantém os animais lá em uma situação superprecária, sem luz do sol, sem atendimento veterinário... E ela estava com uma ferida na orelha. Eu a peguei, mediquei... e descobri que ela estava grávida".

Aquilo gerou nova comoção e perguntas da apresentadora. Como eu sabia a história de cada um dos coelhos de cor, peguei o meu computador e comecei a checar se tinha algum voo disponível. Eu realmente precisava voltar para ajudar a Priscila a encontrar os coelhos, a culpa não era dela, como havia dito, e sim minha! Eu devia ter verificado se eles tinham comida e também tinha que ter terminado de tapar aquele buraco antes de viajar!

"Mãe, vou tentar ir nesse voo que sai às seis e meia da tarde", falei, depois de verificar em todas as companhias aéreas e calcular quanto tempo eu demoraria para chegar ao aeroporto. "Vou usar meu dinheiro da poupança pra comprar a passagem."

Minha mãe, que ainda estava entretida com o relato da Priscila, desviou o rosto da tela para mim. Pude ver que ela não tinha gostado nada da minha sugestão... Nesse momento, meu pai chegou na sala e perguntou o que estava acontecendo.

"O seu filho está querendo voltar pra São Paulo", ela falou cruzando os braços. "A Priscila perdeu um coelho e ele quer ajudar a procurar. Acho que esqueceu que ela não mora mais a 15 minutos de distância..."

"Não esqueci nada, mãe!", falei com raiva. "E não foi *um* coelho. Foram sete! E você ouviu o que ela disse, a Pri é realmente louca com esses bichos. E a culpa de eles terem fugido foi minha! Eu vi o buraco no viveiro e devia ter me lembrado de terminar de arrumar! E também tinha que ter dado comida pra eles hoje cedo, mas com a minha viagem acabei me esquecendo disso!"

"Por que você tinha que alimentar os bichos e também consertar a gaiola?", meu pai fechou a cara. "O que é isso agora? Virou empregado da Priscila? Pensei que você tivesse ido pra São Paulo para aproveitar seus últimos dias de férias, e não pra ser explorado!"

"Não teve exploração nenhuma!", respondi indignado. "Só estava ajudando a Pri porque ela estava sozinha lá! Vocês não sabem o que ela está passando... Acham que é fácil ter que se mudar de repente, começar tudo de novo, largar as amigas aqui, ficar longe de mim..."

"Que eu saiba ela já é maior de idade e poderia perfeitamente ter ficado aqui, se quisesse", meu pai falou. "Mas a partir do momento que escolheu ir pra lá, creio que ela não considere tão difícil assim ficar longe de você..."

"Você está parecendo a Sara falando!", levantei a voz para ele. "Será que você não pode entender o lado da Priscila? Imagina se fosse o contrário? Se vocês decidissem se mudar para o Canadá novamente... Eu deveria então ficar aqui por causa da minha namorada, em vez de ir embora com vocês?"

"Não tenho a menor dúvida de que você faria exatamente isso...", minha mãe falou meio rindo, mas logo ficou séria, pensando nas próprias palavras.

Sem saber o que responder e ficando mais confuso a cada minuto, apenas fui ao meu quarto, peguei a mala e saí. Meus pais ficaram gritando o meu nome, mas eu nem esperei o elevador, desci pelas escadas, pois não queria que eles tivessem tempo de me alcançar no hall do nosso andar. Cheguei lá embaixo rapidamente e, só quando entrei em um táxi e o motorista perguntou o meu destino, pensei se era mesmo aquilo que eu deveria fazer.

Pedi para o taxista ficar dando voltas no quarteirão enquanto eu me decidia, ele achou aquilo meio estranho, mas fez o que eu pedi. De repente ele ligou o rádio e a primeira música que ouvi foi uma que eu sabia de cor: "Uptown Girl". Ela havia marcado o começo do meu namoro com a Priscila e exatamente por isso nós a considerávamos *nossa*.

Encarando aquilo com um sinal, apenas falei: "Já me decidi. Nós vamos para o aeroporto". Ele concordou fazendo um desvio para pegar a direção certa, e então eu completei: "E aumente o volume, por favor".

26

*Phil: A vida é muito curta pra
ser regida pelo medo.*

(Modern Family)

Enquanto esperava mais um intervalo do programa, fiquei pensando na loucura que estava sendo aquele dia. Ao deixar o Rodrigo no aeroporto, tudo que eu queria era deitar na minha cama e ficar vendo seriados no computador até a hora de dormir, para esquecer a tristeza de ter que ficar sem ele por perto. Uma vez eu li que as pessoas que acompanham muitas séries de TV e fazem intermináveis maratonas de episódios podem estar sofrendo de depressão, e usam isso como uma fuga da realidade. Na época eu achei a maior bobeira. Eu vejo séries porque elas me divertem e emocionam, e também porque muitas vezes me identifico com os personagens e por isso torço para que eles se saiam bem dos conflitos que têm que enfrentar no decorrer das temporadas... Porém, naquele momento, eu não tinha a menor dúvida de que queria mesmo usar aquilo como uma válvula de escape. Agora, eu só desejava mergulhar em uma sequência de episódios para me sentir dentro de uma daquelas séries e esquecer minha própria vida.

Por isso, quando cheguei em casa e percebi que meus pais estavam com convidados, senti uma preguiça tão grande que nem cogitei outra coisa a não ser dar a volta e entrar pela porta da área de serviço. Se ela estivesse trancada eu até pularia a minha janela, mas fazer social naquele momento era algo com que eu simplesmente não conseguiria lidar. Aliás, o que os meus pais estavam pensando ao chamar alguém para visitá-los? Nossa casa nem tinha móveis ainda, só no dia seguinte o caminhão de mudança chegaria! Além da pequena TV e do aparelho de DVD que eu e o Rodrigo havíamos levado, a única parte mobiliada era a cozinha.

Porém, ao chegar no quintal, resolvi dar uma olhada para ver se os coelhos estavam bem. Desde a minha chegada a São Paulo, eu vinha mantendo o Chico dentro de casa, pois ele estava meio abatido pela mudança. Por isso, apenas os coelhos estavam ficando lá fora e, talvez por isso, ao olhar para o viveiro e não ver movimentação nenhuma, fiquei alguns segundos pensando se por algum motivo o Rodrigo ou a minha mãe não os teriam colocado dentro de casa também... Mas então me lembrei de que no dia anterior o Rô estava arrumando um furo na grade e eles estavam ótimos... E foi nesse momento que tive a noção exata do que devia ter acontecido. Corri para mais perto e de cara vi que o tal pequeno furo tinha deixado de ser apenas isso para se transformar em um grande buraco! Abri a porta do viveiro, conferi cada centímetro lá de dentro e não tinha nem sinal de nenhum dos meus sete coelhos.

Saí correndo em volta da casa, e, como não os encontrei, concluí que deviam ter saído por alguma abertura do portão da frente.

Sem nem me lembrar mais que meus pais estavam com visita, entrei pela porta principal já aos gritos, perguntando se eles sabiam onde estavam a Pelúcia e os outros. Eles ficaram assustados ao me verem tão transtornada e, quando eu consegui explicar o que tinha acontecido, pediram desculpas para o casal que estavam recebendo – que por sinal eu nem havia cumprimentado – e começaram a procurar comigo, olhando mais uma vez no quintal e em seguida na rua.

"Pai, a gente nem sabe quando eles fugiram!", falei cada vez mais trêmula. "Pode até ter sido ontem, que foi quando eu os vi pela última vez! A essa altura eles já devem estar longe. Podem até ter sido atropelados!"

Comecei a chorar, o que fez com que meu pai me abraçasse, dizendo que a gente ia dar um jeito. Ele ficava desesperado quando eu chorava e, apesar de eu não ser mais criança, sempre pensava que tinha que dar uma de super-herói e resolver todos os meus problemas.

"Vamos colocar cartazes nos postes do bairro inteiro, Pri", minha mãe falou também me abraçando. "Não é todo dia que sete coelhos aparecem no meio da rua. Se alguém viu, certamente imaginou que eles fugiram de algum lugar!"

Eu expliquei que meu receio era exatamente aquele, os sete não deviam estar juntos, não deviam nem mesmo ter saído ao mesmo tempo da minha casa. Com certeza uns foram vendo os outros escapulindo e aos poucos seguiram o mesmo caminho...

"Eles são muito bonitos, mãe... Imagina se alguém passou de carro na hora e viu um coelhinho fofo sozinho na rua? Certamente a pessoa pegou e levou pra casa!"

Meu choro aumentou, e de repente a amiga dos meus pais, que até então estava com o marido apenas observando o meu desespero, falou: "Oi, Priscila, meu nome é Alice. Eu também adoro animais, tenho uma calopsita".

Eu estava tão nervosa que quase falei que ela não sabia o que era amar animais se tinha apenas *um* simples pássaro, mas ela continuou.

"Como você, já tive gatos, cachorros, coelhos... Mas meu filho tem alergia a pelos. Quando ele era bebê, teve uma crise de bronquite que quase o asfixiou. Os médicos queriam que eu doasse meus bichos para outras pessoas, mas eu os amava muito... Então praticamente dividi a casa ao meio: animais de um lado, meu filho do outro. E funcionou muito bem. Só que, por isso, fiquei apenas com os que eu já possuía desde antes de ele nascer... Inclusive alguns já tinham uma certa idade, pois já estavam comigo há bastante tempo, desde a minha adolescência. Aos poucos eles foram morrendo, de velhice mesmo... E, como disse, não adotei nem comprei mais bichos, pois sabia que, à medida que o Lucas, meu filho, fosse crescendo, aquela divisão na casa ia ficar complicada, pois é claro que ele ia querer explorar todos os locais. Mas eu continuo gostando tanto que meu marido até me deu a Clotilde, a calopsita, no Dia das Mães do ano passado. Ele sabe que, além de mãe do Lucas, eu nunca seria totalmente feliz sem ser também mãe de um animalzinho."

Eu tinha acabado de conhecer aquela mulher, mas já a admirava como se ela fosse uma heroína. Não, uma super-heroína! Eu tinha cansado de ouvir casos na ONG, na época em que eu e o Rodrigo íamos muito lá, de bichos que tinham sido abandonados depois que bebês haviam nascido... Eu achava aquilo um absurdo! Se algum dia eu tivesse filhos (e agora eu rezava para eles não terem nenhum tipo de alergia), eles iam considerar meus bichos como seus irmãos. A Duna, a Snow, o Biscoito e todos os outros podiam até não ter nascido da minha barriga, mas certamente eram meus filhos também!

"Quando eu era mais ou menos da sua idade, eu tinha uma gata, e ela um dia fugiu de casa", a mulher continuou a falar. "Eu coloquei cartazes também, e até faixas... Nada adiantou. Até que um conhecido meu, que era radialista, ao ver minha tristeza, perguntou se eu gostaria de falar na rádio dele, para fazer um apelo, pois com certeza aquilo teria muito mais alcance, já que atingiria pessoas da cidade inteira que estivessem escutando, e não apenas o pessoal do meu bairro. Eu aceitei o convite dele, contei ao vivo que estava sofrendo muito por causa da minha gatinha, a descrevi e ainda ofereci uma recompensa. No dia seguinte ela apareceu! Acredita que a encontraram do outro lado da cidade? Imagina: se eu não tivesse ido à rádio, a pessoa nunca teria visto os cartazes. Bichos têm quatro patas, eles se locomovem muito rápido! E sabe o que mais? A mulher que a achou me confessou que sua primeira intenção tinha sido ficar com ela, por ela ser tão linda e dócil. Mas ao me ouvir suplicando na rádio, ficou totalmente sensibilizada, e por isso resolveu devolvê-la. E nem mesmo aceitou a recompensa..."

Comecei a raciocinar. Aquilo com certeza tinha chance de dar certo, eu só precisava ir a uma rádio com muita audiência... Mas como ia fazer para que me deixassem falar?

"Pai, nenhum cliente seu é dono de rádio?", perguntei depressa. "Duvido que eu consiga falar ao vivo sem alguma indicação..."

"Eu tenho uma ideia melhor, Priscila", o marido da Alice falou antes que ele respondesse. "Em primeiro lugar, muito prazer. Eu sou o Ruy, seu vizinho da frente."

Ah! Aquilo explicava muita coisa... Então meus pais não eram tão sem noção quanto eu pensava, a ponto de terem convidado pessoas para visitar sem ao menos ter a casa montada. Sem noção eram os vizinhos, que provavelmente tinham aparecido para dar boas-vindas ou algo assim. Quem ainda faz isso no século XXI?

"Nós te vimos com seu namorado, na semana passada, passeando com os cachorros aqui na rua. Confesso que achamos estranho um casal tão novo morar sozinho numa casa tão grande... Quantos anos você tem, uns 15?"

"Fiz dezenove!", respondi meio contrariada. Será que eu nunca iria aparentar minha idade real?

"Ah, não parece!", ele falou admirado. "Não reclame, daqui a uns anos você vai agradecer por parecer mais nova! E agora você tem o melhor dos dois mundos... Tem aparência de adolescente, mas já pode entrar em bares, beber..."

Meu pai arranhou a garganta, como se não tivesse aprovado aquele comentário, e o tal Ruy começou a rir. "Ah, vai falar que você prende sua filha, Luiz? Olha que vou começar a contar tudo que você fazia na época da faculdade...".

"Vocês fizeram faculdade juntos?", perguntei surpresa.

Meu pai apenas assentiu, mas o Ruy explicou: "Ah, sim, não contei o resto da história. Como disse, eu te vi circulando durante a semana e achei meio estranho por causa da idade. Por isso, ontem, quando vimos seus pais chegando, entendemos que seu namorado e você apenas tinham vindo antes, e que um dos dois devia ser filho dos donos da casa. E hoje cedo, quando eu estava lavando meu carro, vi seu pai passeando com os cachorros. Eu me aproximei para me apresentar, e quando cheguei perto nem acreditei na coincidência! Fomos da mesma sala na faculdade de Publicidade! E até lembro de quando ele e sua mãe começaram a namorar. Várias garotas tiveram vontade de trucidá-la, seu pai era muito popular, viu... ".

Eu realmente gostaria de escutar esse caso, mas não naquele momento. Enquanto aquele cara batia papo, meus coelhos estavam perdidos por aí!

Talvez por perceber que eu estava meio impaciente, ele falou: "Bem, mas outro dia eu venho aqui exclusivamente pra te contar as histórias do seu pai, garanto que ele nunca mais vai te repreender por nada... Agora temos que resolver o caso dos coelhinhos".

Sim! Eu já ia perguntar novamente para o meu pai se ele conhecia algum radialista, mas me lembrei de que o amigo dele havia tido uma ideia. Então apenas continuei olhando para ele, que perguntou: "Você é tímida? Conseguiria falar na televisão em vez de no rádio? O alcance de um programa de TV é muito maior... Com certeza suas chances de encontrar seus bichos dobrariam".

"A Pri não é nada tímida!", minha mãe falou por mim. "Ela foi presidente do grêmio e garota-propaganda da escola!"

"Mãe!", falei meio sem graça. Eu não tinha sido "garota-propaganda", só havia tirado uma foto para um outdoor do colégio... Uma única vez e já havia vários anos.

"Ótimo!", o tal Ruy falou. "Você acha que seria capaz de falar ao vivo e de comover os telespectadores? A ponto de fazer quem tiver pegado seus coelhos querer devolvê-los após assistir ao programa?"

A última coisa que eu queria naquele momento era aparecer na TV, pois eu estava louca para ficar sozinha e também porque minha aparência devia estar horrível por umas 500 razões. Apesar disso, topei. Tudo para ter meus coelhos de volta. A cada vez que eu imaginava onde cada um deles poderia estar, eu sentia meu coração doer.

"Ok!", o Ruy falou satisfeito. "Vou dar um telefonema. Mas prepare-se para ter seus cinco minutos de fama, Priscila..."

Naquele momento eu só não imaginava que aqueles minutos seriam bem mais do que cinco...

27

> <u>Tom</u>: Estou te pedindo isso como um amigo. Se você não permitir, meu relacionamento está acabado.
> <u>Leroy</u>: E eu estou te respondendo como seu chefe. Se passar por aquela porta, está demitido.
>
> (18 to Life)

Rodrigo, por favor atende o telefone! Estou preocupada com você, meu filho! Não vá pra São Paulo precipitadamente, tente pelo menos falar com a Priscila antes... O programa acabou agora e acho que ela vai recuperar esses coelhinhos bem depressa... Beijos. Mamãe

Mãe, vai ser ótimo se devolverem os coelhos logo, mas eu realmente quero dar uma força para a Pri, não acho certo ela passar por isso sozinha sendo que também tenho culpa pela fuga deles. Consegui comprar a passagem e já estou na sala de embarque. Não se preocupe, dou notícia quando chegar. Beijos, Rodrigo

Fala, Rodrigão! Cara, vi sua mulher na TV! Fiquei vidrado, ela é muito fotogênica! Aquele vestido e as luzes do cenário totalmente realçaram os "atributos naturais" dela... Com todo respeito, ok?? Mulher de amigo meu é homem pra mim! Mas, se posso te dar um toque, não deixa mais ela aparecer na TV, acho que a concorrência pode aumentar... Só acho. Vê se aparece em Caraíva, falou? Abraço! Alan

Rodrigo, vi a Priscila na televisão, fiquei com pena dela, acho que nunca tinha visto a Pri chorar. Pelo que ela disse no ar, você voltou pra BH exatamente hoje, né? Que pena que você não está por perto para consolá-la! Esse é o lado ruim da distância. Quer dizer, acho que não existe um lado bom nisso... Me mande uma mensagem amanhã contando se você gostou do estágio, ok? Meu pai já perguntou se você está animado pra começar, eu falei que sim. Abração, Leo

De: Rodrigo <rrrrrodrigooooo@gmail.com>
Para: Rubens <rubens@mail.com.br>
Enviada: 02 de fevereiro, 17:32
Assunto: Adiamento

Caro Sr. Rubens,

Aqui é o Rodrigo, amigo do Leo. Desculpa estar escrevendo para o seu e-mail pessoal, mas é que é meio urgente.

Gostaria de pedir desculpas, sei que já adiei uma vez, mas seria possível mudar novamente a data do início do meu estágio? Tive um problema pessoal e infelizmente não vou poder começar amanhã. Na verdade, ainda não sei o dia exato em que vou poder iniciar, mas com certeza na próxima semana já estarei com tudo resolvido.

Muito obrigado pela compreensão,

Rodrigo

De: Rubens <rubens@mail.com.br>
Para: Rodrigo <rrrrrodrigooooo@gmail.com>
Enviada: 02 de fevereiro, 18:02
Assunto: Re: Adiamento

Rodrigo,

Em primeiro lugar, gostaria que você soubesse que costumo separar bem as áreas da minha vida. Considero você um ótimo amigo para o Leo, sei que frequentou a minha casa desde a infância e eu realmente gosto muito de você. Porém, sou bastante rígido no setor profissional. O próprio Leo, quando trabalhava na minha empresa, não tinha nenhum benefício extra e nem colher de chá, eu o tratava como um dos funcionários, acho que você deve saber disso.

Infelizmente, não posso abrir uma exceção para você com base na amizade familiar que existe. Eu não estaria sendo justo com os outros estagiários. Além disso, você já teve uma chance, marcou um dia para começar e pediu para o Leo interceder para que adiássemos por uma semana. Aceitei apenas porque amanhã já era mesmo a data planejada inicialmente... Mas entenda que você está ocupando um lugar na empresa. Fizemos um planejamento de funções, se você não estivesse lá, outra pessoa estaria. Sei que você está começando sua vida profissional agora, mas acho bom que você aprenda isso desde o início. Na escola e na faculdade é possível dar um jeitinho, fazer segunda chamada... Trabalho é diferente. As pessoas contam com você.

Sendo assim, estou comunicando formalmente o seu desligamento da minha empresa antes mesmo de começar. É uma pena, pois realmente gostaria de ter você no meu quadro de funcionários, já que o Leo tem uma enorme admiração por você e te acha a pessoa mais responsável do mundo...

Cordialmente,

Rubens Santiago

Pri, seu celular está desligado há horas, mas sei que o programa já acabou... Sim, eu vi e já sei de tudo. E por isso mesmo estou embarcando novamente pra SP, vou pegar um táxi direto pra sua casa. Prometo que vou te ajudar a encontrar os coelhos. O lado bom disso tudo é que vamos poder ficar juntos por mais uns dias...
Beijos, Rô

28

> *Jesse: É a pessoa mais talentosa que eu já conheci. Sem discussão. Se tem alguém que vai ser uma estrela algum dia, certamente será ela.*
>
> *(Glee)*

Senti o maior alívio quando o programa acabou e pude encontrar meus pais no camarim dos convidados. Nunca teria imaginado que ser entrevistada em um programa de TV fosse tão difícil! Todas aquelas luzes, a apresentadora tentando ampliar os fatos, a plateia interagindo... Além da consciência de que muitas outras pessoas estariam assistindo em casa. Porém, eu não tinha ideia de que seriam tantas...

Minha mãe ainda estava comentando sobre o quanto eu tinha falado bem e também ficado bonita na televisão, quando um produtor entrou, dizendo que o programa havia batido o recorde de audiência no mês e que foi o mais assistido na TV aberta durante o período em que o meu caso foi abordado.

O Ruy, o amigo do meu pai que tinha conseguido minha participação, também estava lá e fez que sim com a cabeça, dizendo: "Ah, então foi por isso que te deram tanto espaço... Pensei que iam deixar você falar por uns dois minutos no máximo... Mas você roubou o programa! Os outros convidados é que não devem ter gostado...".

O produtor balançou os ombros e já ia saindo, quando disse: "Ah, aqui está seu celular. Tive que desligá-lo, pois um cara insistente não parava de telefonar. Mas acho bom religar agora. Pela quantidade de recados nas redes sociais que temos recebido falando de você, acho que sua história vai se espalhar rapidamente no boca a boca. E como você disse que poderíamos colocar no ar o seu e-mail e o número do seu telefone, muitas pessoas podem estar ligando para dar notícias dos seus coelhos..."

Um cara insistente... Só podia ser o Rodrigo. Não que ele fosse insistente, na verdade não era. Mas provavelmente tinha ficado sabendo ou até visto a minha entrevista e não estava entendendo nada...

Eu tinha tentado ligar para ele várias vezes no caminho da minha casa para emissora de TV, até poucos minutos antes de entrar no ar. Inclusive, essa havia sido a razão de o produtor ter me tomado o aparelho e ainda ter me dado uma bronca, dizendo que celulares não eram permitidos ao vivo. Mas, em todas as vezes que tentei telefonar para o Rô antes disso, caiu direto na caixa-postal. Eu tinha certeza de que ele havia desligado o celular para entrar no avião e se esquecido de religar quando aterrissou. Mas por esse motivo eu não tinha conseguido explicar o que estava acontecendo... Quando me viu na TV, ele não deve ter entendido nada. O que explica a tal "insistência" que o produtor relatou.

"Vamos indo então?", meu pai falou. "Se a audiência foi tão alta quanto disseram, provavelmente você vai ficar o resto do dia recebendo telefonemas. Só espero que não leve muitos trotes..."

Concordei e já ia apertar o botão para ligar o celular, quando a apresentadora apareceu no camarim.

"Priscila, vim me despedir de você!", ela falou se aproximando. "Menina, que desenvoltura! Na ficha que me passaram constava só que você era estudante, e durante o programa acabou que nem tive tempo de perguntar... O seu curso é de Teatro? Fiquei admirada com seu talento! A plateia chorou e riu junto com você... Fiquei sabendo que a audiência foi alta, mas para mim não foi surpresa nenhuma. Se eu estivesse assistindo ao programa, não conseguiria desgrudar até você terminar de falar! Que magnetismo, parabéns!"

Fiquei totalmente sem graça, especialmente porque, antes de conhecê-la pessoalmente, eu a considerava afetada e convencida.

Mas nos intervalos percebi que ela estava realmente preocupada comigo, vindo perguntar se eu estava bem. E agora ela toda fofa me cumprimentando! Isso era para eu aprender a não julgar os outros pela aparência!

"Obrigada...", respondi sorrindo. "Na verdade eu estudo Veterinária. Quer dizer, vou começar a estudar amanhã, acabei de entrar na faculdade."

Ela levantou uma sobrancelha e falou: "Que pena... Quer dizer, que pena para o mundo artístico, que não vai conhecer o seu talento! Confesso que te visualizei fazendo muito sucesso e ficaria orgulhosíssima com a possibilidade de, no futuro, falar que fui a primeira a te entrevistar. Mas que sorte a dos animais! Pelo carinho que tem com eles, você com certeza vai ser uma grande veterinária!".

Agradeci e me despedi dela, que em seguida disse: "Boa sorte, Priscila, espero que encontre todos os seus bichinhos. E se quiser voltar daqui a um tempo para contar o desfecho da história, será muito bem-vinda!".

Eu sorri, disse obrigada mais uma vez e então ela se voltou para conversar com o Ruy, que, acabei descobrindo, nada mais era do que o empresário dela! Quer dizer que era por isso que ele tinha conseguido tão fácil que ela me encaixasse no programa em cima da hora?!

"Então vamos?", meu pai perguntou mais uma vez.

Concordei e nos despedimos também do Ruy, que ia ficar lá resolvendo alguns assuntos. Mas quando estávamos saindo, ele disse para meu pai: "Luiz, gostaria de convidar vocês três para jantarem na minha casa amanhã. Eu e minha esposa íamos falar sobre isso mais cedo, mas com a confusão dos coelhos acabamos esquecendo. A Alice me mataria se eu chegasse em casa e dissesse que não fiz o convite. É para relembrarmos os velhos tempos e lhes darmos boas-vindas à nossa rua". Ele parou, olhou pra mim e disse: "E também, claro, para comemorar a volta dos coelhinhos da Priscila, que, tenho certeza, amanhã já estarão todos em casa!".

Eu sabia que não estaria a fim de jantar em lugar nenhum no dia seguinte, eu ainda estava triste pela partida do Rodrigo e, ao contrário dele, não tinha certeza nenhuma de que acharia meus coelhos. Além do mais, minhas aulas já teriam começado e eu sabia que estaria morrendo de sono por ter acordado tão cedo depois de dois meses de férias... Porém, entendia que não podia recusar, afinal, ele tinha feito o maior esforço para me ajudar. Bem, talvez não tivesse sido um esforço tão grande, tendo em vista a relação profissional dele com a apresentadora. Mas, ainda assim, eu não podia declinar o convite.

Apenas concordei com a cabeça, enquanto meus pais agradeciam, dizendo que estaríamos lá sem falta.

Suspirei e finalmente liguei meu celular, enquanto andávamos em direção ao estacionamento. No segundo em que a tela se iluminou, as ligações começaram.

"É a Priscila?", uma voz de homem perguntou.

"Sim...", falei esperançosa, pensando que ele estaria com algum dos coelhos ou teria alguma informação sobre eles.

"Casa comigo? Você é muito gostosa!"

E em seguida desligou. Fiquei olhando para o celular sem dizer nada, enquanto meus pais me olhavam questionadores.

"Hum, era um trote", falei, sentindo meu rosto ficar vermelho.

No mesmo instante começou a tocar de novo. Achando que era a mesma pessoa, atendi meio receosa, mas era uma mulher.

"Querida, gostaria de saber onde você comprou seu vestido... Será que tem tamanho GG?"

Meio impaciente, respondi que tinha sido em Belo Horizonte. Mesmo assim a dona quis saber o nome da loja, que eu tive que soletrar três vezes antes de conseguir desligar.

"Acho que isso vai ser mais difícil do que eu pensava...", falei para o meu pai e a minha mãe, que pelos olhares estavam muito curiosos para entender que papo de vestidos era aquele. "Vamos logo pra casa que já está anoitecendo, quero ver se algum coelho voltou..."

Os dois concordaram e, assim que entramos no carro, um toque anunciou uma nova chamada. Atendi já meio desanimada, mas dessa vez era uma voz de criança.

"Moça, eu achei seu coelhinho...", a menina falou e meu coração até disparou.

"Achou onde?", perguntei depressa. "Como ele é?"

"Branquinho! De olhos vermelhos... e muito peludo! Dá ele pra mim?"

Pela descrição, só podia ser a Lili. E claro que eu não daria a minha coelhinha para ninguém... Mas, com medo de a garotinha desligar, perguntei onde ela morava e se eu podia falar com a mãe dela.

"Minha mãe está viajando, ela e o meu pai viajam muito, estou só com a Lourdes, que toma conta de mim... Eu moro em Pinheiros, a gente achou o coelho hoje cedo quando eu estava voltando do clube. Ele queria fugir, mas eu joguei minha toalha em cima dele!"

Ai, meu Deus, tadinha da Lili... Mas se ela morava em Pinheiros, certamente devia ser perto da minha casa.

"Florzinha, como você chama?", perguntei tentado ganhar tempo, enquanto pensava numa maneira de convencê-la a me devolver. "Posso falar com a Lourdes?"

Ela disse que se chamava Manu e começou a gritar o nome da babá, ou quem quer que a Lourdes fosse. Ouvi passos chegando perto e quando pensei que a dona deles ia atender, ouvi a voz da mulher dizendo: "Manuela, sua mãe já falou que não quer que você brinque com o telefone!". E em seguida desligou.

Fiquei desesperada, eu tinha que recuperar a Lili! Mas enquanto tentava encontrar o número no identificador de chamadas para ligar de volta, meu pai me alertou que poderia ser apenas uma menina solitária e sonhadora que tinha inventado aquela história para ganhar alguma atenção...

Congelei com o telefone na mão. Pelo que ela havia dito a respeito das viagens dos pais, ela realmente era solitária. Mas e se não tivesse sido invenção nenhuma e ela simplesmente quisesse a minha coelhinha como companhia? Não seria uma crueldade privá-la daquilo? Só que certamente a Lili estava sentindo falta da família e (eu esperava) de mim... Deixá-la lá seria uma maldade com ela também.

Eu ainda estava pensando quando o celular tocou novamente.

Atendi tão depressa, na esperança de ser a garotinha, que nem olhei o visor. Apenas quando ouvi a voz percebi que era uma pessoa conhecida... A mãe do Rodrigo. E naquele momento me lembrei que nem tinha retornado as ligações dele depois de o produtor ter dito que ele havia tentado falar comigo.

"Oi, dona Lúcia!", falei meio nervosa. Ela devia estar ligando para comentar sobre a minha participação no programa e, normalmente, eu adoraria conversar com ela. Mas naquela hora eu realmente precisava resolver o problema da Lili e também deixar o telefone disponível para outras chamadas...

"Pri, em primeiro lugar, sinto muito pela fuga dos coelhos. Sei como você adora seus bichinhos e que deve estar muito triste. Mas eu te vi no programa e acho que você foi muito convincente. Meus olhos até ficaram marejados quando no final você chorou contando das histórias de maus-tratos com animais que você e o Rodrigo já ouviram na ONG, e achei importantíssimo o apelo que você fez para que as pessoas não abandonem seus animais..."

Saber que eu a havia comovido me deixou satisfeita. Aquela ideia tinha vindo à minha cabeça quando percebi que a plateia estava meio emocionada por eu ter contado que resgatei a Pelúcia, que tinha a orelha machucada. Resolvi aproveitar e contar sobre os outros maus-tratos que os bichos sofriam e também para dizer que animais têm sentimentos, que se apegam aos donos, que quando as pessoas os abandonam ou os dão para os outros, depois de adultos, eles sentem como se o pai ou a mãe tivessem indo embora e os largado... Vi gente à beça na plateia chorando nessa parte!

"Mas, Priscila, estou ligando para te pedir um favor..."

"Claro!", falei depressa, mesmo sem saber o que era. Não dá para negar um favor para a sogra...

"O Rodrigo te viu na televisão e ficou desesperado, ele acha que foi o culpado pelo sumiço dos coelhos, disse que tinha que ter arrumado o buraco no viveiro e dado comida a eles..."

"Não foi culpa dele!", falei depressa. Tadinho do Rô... A culpa tinha sido toda minha! Ele havia me falado do buraco, tinha até começado a arrumar... Eu é que tinha que ter contratado alguém para terminar o serviço! E era minha também a obrigação de dar comida. Mas eu tinha ficado tão abalada com a partida dele que acabei me esquecendo de tudo... Bem, pensando por esse lado, ele havia tido *um pouco* de culpa sim. Mas apenas porque quando eu pensava nele acabava esquecendo o resto do mundo...

"Eu sei que não foi", a mãe dele continuou, "ele explicou o que aconteceu. Mas ele acha que sim e que por isso precisa te ajudar a recuperá-los."

Eu não podia imaginar como o Rô faria aquilo de longe... Por isso apenas falei: "Ele não precisa se preocupar, eu acho que ter ido à TV realmente vai dar certo, já recebi vários telefonemas e inclusive parece que já encontrei uma das coelhinhas. O Rô esta aí? Posso falar com ele? Tentei ligar mais cedo, mas o celular dele estava desligado. Eu ia tentar agora novamente, acabei de sair da emissora. Pode deixar que vou explicar que já resolvi, ele pode ficar tranquilo... E você também".

"Acho que você vai ter que falar pessoalmente, Priscila...", ela disse em meio a um suspiro. "Nessas alturas ele já deve estar novamente dentro de um avião pra São Paulo. Já tinha te ligado outras vezes, pra ver se você conseguiria tirar isso da cabeça dele, mas não consegui falar..."

O quê? O Rodrigo estava vindo de volta para São Paulo?

"O Rô está voltando pra cá?!", perguntei surpresa e feliz, mas ao mesmo tempo preocupada com ele... Não tinha nem seis horas que ele havia viajado e agora já estava voltando. Ele devia estar muito cansado!

"Ele saiu daqui de casa meio nervoso", ela explicou. "Eu e o pai dele não queríamos que o Rodrigo fosse... Você sabe, as aulas começam amanhã e tem também o estágio. E é também o aniversário dele, nós já tínhamos até planejado um jantar aqui, só mesmo para nós e os avós dele, não me lembrei de mais ninguém que pudesse convidar... Com todos os irmãos viajando, e pelo fato do Leo e você terem mudado de cidade, o Rodrigo anda meio sozinho..."

Eu não tinha pensado naquilo... O Rô não era mesmo de muitos amigos, ele adorava dizer que qualidade valia mais que quantidade. Por isso, os amigos dele eram o Leo, o Alan e os meninos da banda do irmão dele, além do próprio irmão... Mas os que não tinham mudado de cidade, estavam viajando.

Antes que eu respondesse, vi que meu celular estava apitando, sinalizando uma chamada em espera.

"Dona Lúcia, vou tentar falar com o Rodrigo e, se ele estiver mesmo voltando pra cá, vou buscá-lo no aeroporto". Notei que meu pai fez uma cara feia, mas fingi que nem vi. "Eu aviso pra senhora assim que conseguir falar com ele."

Ela respirou fundo e disse: "Obrigada, Pri. Sei que ele não voltou apenas pelos coelhos. Ele já sente muito a sua falta. E eu também... Manda um beijo para os seus pais".

Eu disse que também já estava com saudade dela, mandei outro beijo e desliguei.

Imediatamente atendi à outra chamada, imaginando quantos telefonemas mais receberia... Certamente aquela ia ser uma longa noite. E agora, além de precisar encontrar os coelhos, eu tinha também que achar o Rodrigo...

29

> <u>Alex</u>: Você consegue enxergar como está parecendo maluco neste momento?
>
> (Modern Family)

1. Uptown Girl – Billy Joel
2. Spain – Between the Trees
3. Count On Me – Bruno Mars
4. The Woman I Love – Jason Mraz

Quando cheguei ao aeroporto de São Paulo tive a sensação de que nem um minuto tinha se passado desde o momento da despedida da Priscila. Se eu tivesse simplesmente ficado lá, teria poupado tempo (e muito dinheiro)!

Peguei meu celular para avisar a ela que eu tinha chegado, mas no momento em que tentei ligá-lo, ele simplesmente não deu sinal de vida... Com certeza a bateria tinha acabado, e aquilo não deveria ser surpresa nenhuma... Além de não ter colocado para carregar desde o dia anterior, eu o havia usado em "modo-avião" durante todo o voo para escutar música! Porém, eu pensava que poderia carregá-lo no aeroporto de São Paulo caso precisasse. Eu só não contava com o fato de que, na pressa de sair de casa, acabei esquecendo o carregador...

Resolvi pegar um táxi e ir direto para a casa da Pri. Eu esperava que ela tivesse recebido a minha mensagem. Porém, quando cheguei lá, vi que nenhuma luz estava acesa. Será que ela ainda estava no tal programa? Eram quase nove da noite...

Sem ter o que fazer, sentei na calçada e fiquei esperando. Já tinha uns 15 minutos que eu estava lá tentando fazer o meu celular ressuscitar, quando escutei um som parecido com passos. Eu estava preocupado de estar ali parado naquele horário, pois a rua estava meio deserta. Como eu não queria correr o risco de me assaltarem, levantei depressa e escondi atrás de um poste, tentando identificar de onde exatamente vinha o barulho que eu tinha ouvido, pois tudo estava silencioso novamente.

De repente, um carro passou e o farol iluminou o quintal da casa ao lado. E foi quando eu a vi... Estava meio escondida atrás de uma planta e com o pelo todo sujo, mas eu não tinha dúvidas de que era ela: a Pelúcia!

"Pepê!", chamei devagar, me abaixando, para não assustá-la. Ela ficou imóvel. Cheguei mais perto e tentei de novo: "Vem cá, menina, sou eu...". Ela balançou as orelhas, mas não saiu do lugar. Nesse momento, outro carro passou e a iluminou novamente. Então percebi que o que tinha no pelo dela não era sujeira... Era sangue!

Fiquei preocupado e toquei depressa a campainha da casa. Alguma coisa tinha acontecido com a coelhinha da Pri, eu precisava ajudá-la antes que fosse tarde demais!

Esperei por um minuto e ninguém atendeu... Tentei mais algumas vezes e acabei concluindo que não devia ter ninguém lá. Aliás, aquela casa me devia a impressão de ser meio abandonada, apesar de ter um belo jardim e de parecer recém-pintada. Mas em todas as vezes em que eu e a Priscila havíamos passeado com os cachorros na rua, eu nunca havia visto nenhuma movimentação ou luz acesa, e na garagem também nunca tinha carro algum.

Chamei a Pelúcia de novo, em vão. Ela continuava parada, o que era meio incomum, já que ela era superativa e dócil. Ela só podia estar muito machucada! Pensando nisso, tomei uma decisão. Eu precisava pegá-la de qualquer jeito.

Primeiro chequei o portão da casa. Estava trancado. Então olhei grade por grade, procurando alguma solta, por onde eu pudesse entrar. Todas estavam muito bem fixas. Olhei para cima e notei que tinha uma cerca elétrica, que parecia não estar funcionando... Eu conseguiria pular e passar por ali, mas e se eu fosse eletrocutado?

Observei melhor e vi que a cerca ficava só na frente da casa. Nas laterais não tinha nada, talvez por fazer divisa com o muro dos vizinhos. Foi quando tive uma ideia... A casa da Priscila ainda não tinha sistema de segurança, eles iam mandar instalar tudo na semana seguinte. Eu poderia pular o muro dela e, lá de dentro, pular para a casa vizinha, e assim resgatar a Pelúcia. O único problema seria a minha mala, eu não queria deixá-la na rua... Decidi que teria que jogá-la por cima do muro antes de pular. Ela ficaria meio arranhada, mas já estava mesmo um pouco velha. Então, tirei dos meus bolsos o meu celular, minha carteira e meus documentos, abri a mala e coloquei tudo dentro dela, para não ter risco de nada cair no momento em que eu pulasse. E, em seguida, a arremessei.

No instante em que ela bateu no chão, ouvi a Duna e o Biscoito latirem lá dentro. A Pelúcia, talvez assustada pelos latidos ou pelo barulho da queda, correu para a lateral da casa. Eu a chamei novamente, mas ela sumiu na escuridão. Aquilo estava ficando mais complicado, minha intenção era apenas pular lá dentro e pegá-la, eu não queria ter que ficar explorando o quintal de vizinhos que nem mesmo eram meus!

Resolvi dar um jeito naquilo logo, antes que ela entrasse em algum buraco e eu não conseguisse mais encontrá-la. Pegando embalo, arremessei meu corpo para cima e consegui subir no muro. Mas, assim que eu pulei lá dentro, ouvi uma sirene chegando cada vez mais perto. Corri para me esconder atrás do carro da Lívia. Porém, qual foi a minha surpresa quando o carro de polícia parou exatamente na frente da garagem, com os faróis altos em cima de mim!? Dois policiais saíram do carro apontando as armas para a minha cabeça. Com o coração na boca, coloquei as mãos para cima, pedindo para não atirarem, tentando explicar que eu não era um assaltante.

"Cala a boca, moleque!", um deles falou já preparando para pular o muro, enquanto o outro continuava apontando a arma para mim. "Se não estava fazendo nada errado, por que correu?"

Gaguejei tentando dar alguma explicação plausível. Eu tinha corrido exatamente por saber que invadir a casa dos outros era errado, mas naquele caso eu não estava invadindo, eu era praticamente da família...

"Eu... moro aqui!", foi o que acabou saindo da minha boca.

Um dos policiais, que tinha acabado de pular o muro e estava chegando perto de mim devagar, como se houvesse a possibilidade de eu tirar uma bomba do bolso ou algo do gênero, disse: "A informação que recebemos é que nesta casa moram apenas um casal com a filha!".

"Eu sou o namorado da filha!", expliquei depressa. "Esses cachorros que estão latindo aí dentro me adoram, pode abrir a porta que você vai ver como eles vão fazer festa pra mim!"

Ele colocou o revólver na minha cabeça, o que fez meu corpo inteiro gelar, e, se virando para o colega, que ainda estava do lado de fora com a arma apontada em minha direção, disse rindo: "Essa é inédita, o cara quer que a gente pergunte pros cachorros quem ele é! É cada um que aparece...".

Enquanto eu explicava que não tinha sido aquilo que eu quis dizer, e sim que se os cachorros não me conhecessem iam me atacar em vez de vibrarem com a minha presença, ele colocou minhas mãos para trás e me algemou.

O outro policial, que tinha acabado de dar um jeito de abrir o portão falou: "Você vai com a gente agora pra delegacia prestar esclarecimentos! Só esperamos que faça isso falando, e não latindo!".

Os dois começaram a rir e em seguida me empurraram para dentro do carro. Só quando deram partida foi que me lembrei que a minha mala tinha ficado na garagem da casa da Priscila. E, dentro dela, todos os meus documentos...

30

> *Jeremy: Nós enxergamos uma oportunidade e precisamos aproveitá-la!*
>
> (The Vampire Diaries)

De: ONG <cviver@mail.com.br>
Para: Priscila <pripriscilapri@aol.com>
Enviada: 02 de fevereiro, 19:17
Assunto: Agradecimento

Querida Priscila,

Todo mundo aqui da ONG te viu na TV hoje e nós ficamos muito felizes por você ter falado da gente e também por ter alertado as pessoas sobre os abusos contra os animais!

Acredita que recebemos dezenas de e-mails e telefonemas de interessados em serem voluntários na ONG ou perguntando como podiam ajudar?

São pessoas como você que fazem a diferença neste mundo! Por esse motivo, gostaríamos de te convidar para ser nossa "embAUxadora animal"!

Não se preocupe, sabemos que você está morando em São Paulo agora, o Rodrigo já tinha nos contado que você ia mudar de cidade. Ele estava muito triste com isso e nós ficamos também. Mas esse "título" é apenas uma forma de agradecimento e um pedido para que você continue sempre promovendo o nosso trabalho. Pelo que vimos na TV hoje, você ainda vai brilhar muito, e gostaríamos de continuar contando com seu apoio nessa divulgação, sempre que possível!

Muito obrigada pelo carinho que tem com os nossos animais!

Um AUbraço apertado!

Equipe da ONG

P.S.: Estamos torcendo para que você consiga recuperar todos os seus coelhinhos!

De: Bichos Sorridentes <bichorridentes@netnetnet.com.br>
Para: Priscila <pripriscilapri@aol.com>
Enviada: 02 de fevereiro, 19:23
Assunto: Apoio

Cara Priscila,

Somos uma ONG de proteção animal de São Paulo. Vimos seu discurso na televisão hoje (foi onde conseguimos seu e-mail) e estamos escrevendo para parabenizá-la. É de pessoas como você que o mundo precisa.

Como você disse que agora está morando aqui e que a ONG que costumava apoiar fica em Belo Horizonte, queremos te convidar para nos fazer uma visita. Quem sabe você gostaria de nos ajudar também? Caso tenha a oportunidade de participar de mais algum programa de TV, adoraríamos que divulgasse o nosso trabalho. Nossos animais agradecem!

Obrigada,

Equipe Bichos Sorridentes

De: De Estimação <destimacao@mail.com.br>
Para: Priscila <pripriscilapri@aol.com>
Enviada: 02 de fevereiro, 19:35
Assunto: Dia de Beleza

Priscila,

Somos do Spa Animal "De Estimação" e, como forma de agradecimento pelo carinho que você tem com os animais e por promover o bem deles na luta contra o abandono, gostaríamos de te dar um voucher para que você possa trazer seus cachorros e gatos para um dia de beleza em nosso estabelecimento!

Esperamos vocês!

De Estimação - Spa Animal

De: Lookapilar <lookapilar@netnetnet.com.br>
Para: Priscila <pripriscilapri@aol.com>
Enviada: 02 de fevereiro, 19:39
Assunto: Convite

Estimada Priscila,

Somos uma conceituada empresa especializada em beleza capilar, com 30 anos de atuação no mercado. Te vimos hoje à tarde na televisão e ficamos impressionados com o seu cabelo. Muito bonito, bem cuidado, brilhante e em um tom de ruivo único! Além disso você é linda e simpática. Gostaríamos de te convidar para ser nossa representante, vendendo nossos produtos.

Oferecemos salário fixo, comissão sobre as vendas, vale-transporte, horário flexível, plano de saúde e possibilidade de promoção.

Caso tenha interesse, entre em contato. Ficaríamos muito felizes de contar com você em nossa equipe!

Atenciosamente,

Lookapilar

De: Real Life Model <realifemodel@mail.com.br>
Para: Priscila <pripriscilapri@aol.com>
Enviada: 02 de fevereiro, 19:49
Assunto: Convite

Boa noite, Priscila!

Meu nome é Mary Ann, sou da agência de modelos "Real Life Model" e gostaria de te convidar para fazer um book com a gente! Somos uma agência internacional, com anos de experiência, e achamos que você tem tudo para se tornar parte do nosso casting!

Poderia nos mandar uma foto e as suas medidas, para que possamos agendar uma entrevista?

Att,

Equipe da Real Life Model

De: Sexy Play <contato@sexyplay.com.br>
Para: Priscila <pripriscilapri@aol.com>
Enviada: 02 de fevereiro, 19:54
Assunto: Proposta

Priscila,

Somos uma revista voltada para o público masculino e gostaríamos de saber se você teria interesse em fazer umas fotos para alguma de nossas próximas edições. Vimos você na televisão e te achamos muito bonita e fotogênica. As ninfetas são um grande atrativo das nossas publicações, mas é raro encontrar alguma mulher com mais de 18 anos e que ainda tenha um rosto de adolescente. Adoramos saber que você já tem 19, mas que não aparenta.

Gostaríamos de te encontrar pessoalmente para fazer uma proposta para o cachê. Acho que podemos fazer um grande trabalho juntos.

João Claudio Antunes Fontanely

Diretor da Revista Sexy Play

De: Anna Victória <annavictoria@mail.com.br>
Para: Priscila <pripriscilapri@aol.com>
Enviada: 02 de fevereiro, 19:55
Assunto: Seus coelhos

Oi, Priscila,

Meu nome é Anna Victória, moro na sua rua. Achei seus coelhos! Quer dizer, não todos, mas encontrei cinco. Eles estavam todos juntos hoje cedo (bem cedo, 5h da manhã pra ser mais exata), na frente do lote vago que tem no comecinho da rua (moro na casa do lado). Acho que estavam com fome, pois estavam comendo grama. Eu estava voltando de uma festa e os encontrei, até achei que eu estivesse tendo alucinações por causa do sono (ou por causa da bebida), porque não é muito comum ver coelhos passeando aqui em São Paulo...

Bom, exatamente por isso, imaginei que eles tivessem fugido de algum lugar. Corri aqui em casa, peguei um pedaço de bolo de cenoura e os atraí. Eles estão bem, só um pouco assustados. Estou dando a ração do meu gato pra eles e acho que estão gostando muito!

Desculpa não te ligar, os meus créditos acabaram e meu avô bloqueou o fixo para ligar pra celular... Mas como você deu esse e-mail no ar, acredito que vá checar logo.

Moro no número 135, pode passar aqui quando quiser, eu durmo tarde.

Beijinhos!

Anna Vic.

31

> *Bianca: Estou tão feliz de podermos ir pra casa!*
> *Isso tudo não passou de um drama!*
>
> *(10 Things I Hate About You)*

O meu celular continuava tocando sem parar. Bastava desligar uma ligação que outra chamada já começava. E o pior é que na maioria das vezes era apenas alguém perguntando coisas completamente irrelevantes – como o nome da cor e a marca do meu esmalte!! – ou fazendo hora com a minha cara. O mais perto que eu tinha chegado de encontrar os coelhos havia sido o telefonema da menininha. Eu tinha olhado o número dela pelo identificador e estava louca para ligar de volta, mas as chamadas ininterruptas ainda não tinham permitido. Por isso também pedi para a minha mãe ligar para o Rodrigo do celular dela e tentar descobrir onde ele estava, enquanto eu atendia mais algumas ligações.

Ela tentou, mas logo me disse que o celular dele estava desligado. Concluí que o Rô ainda estivesse no avião e continuei conversando com algumas pessoas, até que vi um número conhecido.

"Pri, está dependurada no telefone com o Rodrigo? Tem um tempão que estou te ligando e só dá ocupado!"

Era a Bruna. Expliquei que não era com o Rô, e sim com as pessoas que não paravam de me ligar para *supostamente* falar dos coelhos, e então ela disse: "Nossa, se seu celular já está assim, imagina o e-mail? Você é louca, devia ter arrumado um número de telefone e um endereço eletrônico só pra isso".

Nessa hora lembrei que devia checar também o e-mail! Enquanto eu perdia tempo no celular, alguém podia ter me escrito para realmente dar informações concretas... Por isso me despedi logo da Bruna e pedi para a minha mãe entrar no meu e-mail pelo celular dela.

Quando ela disse que tinha 80 mensagens, nem acreditei! Ela começou a ler uma por uma, e falou que a maioria era de gente me fazendo convites, em grande parte para eventos relacionados com animais. Fiquei interessada naquilo, mais tarde certamente leria tudo atenciosamente. Até que de repente ela falou: "Acharam!".

Eu estava conversando com um garoto que tinha acabado de perguntar se, em vez de ser dona de coelhos, eu não queria ser dona *dele*, mas, quando minha mãe disse aquilo, desliguei no mesmo instante. Puxei o celular dela para ler com atenção e vi que era de uma vizinha, dizendo que eles estavam na casa dela.

Eu já tinha recebido tantos trotes naquela noite que nem me permiti empolgar. Mas pedi para o meu pai acelerar em direção à nossa casa e parar no começo da rua. Pelo número que tinha escrito, ela morava a uns dois quarteirões da gente.

No caminho atendi a mais umas 20 ligações e pedi para a minha mãe continuar tentando falar com o Rodrigo. Ela disse que o celular dele ainda estava indisponível e que o restante dos e-mails eram de pessoas desocupadas, que tinham visto meu endereço na TV e resolveram fazer hora com a minha cara.

Minha única esperança era que a garota do e-mail estivesse falando a verdade. Por isso, quase pulei do carro quando chegamos à minha rua uns 15 minutos depois.

"Calma, Priscila, tenho que estacionar", meu pai falou. "Nós vamos com você! Não sabemos se essa menina está falando a verdade. Aliás, nem sabemos se é mesmo uma menina ou alguém se passando por uma!"

Ele tinha razão, mas algo me dizia que era pra valer. Aquela garota tinha me parecido bem sincera... Quem inventaria que tinha dado bolo de cenoura para os coelhos?! E por que eu não tinha pensado naquilo antes?

Toquei a campainha apreensiva. Esperei uns 30 segundos e, como ninguém atendeu, toquei novamente. Mais uns 30 segundos de espera e eu já estava achando que realmente tinha sido mais um trote, quando ouvi uma voz gritando lá de dentro, dizendo que já ia abrir.

Abracei a minha mãe, como um apoio. Eu estava tão cansada que nem entendia como conseguia ficar em pé! Todas as emoções daquele dia haviam me deixado esgotada.

De repente, uma garota morena de cabelos anelados apareceu na varanda, que ficava no segundo andar. Nós estávamos no portão, mas mesmo olhando-a lá de baixo, percebi que estava carregando um bicho. Estreitei os olhos e vi duas orelhas compridas. Um coelho!

"Anna Victória?", perguntei, sentindo meu coração disparar. "Eu sou a Priscila, recebi seu e-mail!"

"Ah, Priscila! Que bom que você leu depressa, acabei de enviar! Fiquei com medo de ser daquele tipo de pessoa que só checa as mensagens uma vez por semana... Vou abrir pra vocês entrarem!"

Sorri para os meus pais, que pareciam bem aliviados por aquele e-mail ter se revelado real.

O portão abriu e nós entramos, meio sem graça.

Sempre achei esquisito entrar em uma casa onde nunca fui. Fico sem saber para onde olhar, o que esperar... Mas a Anna Victória logo abriu a porta da frente e nos abraçou, tão sorridente que parecia que nós já a conhecíamos havia anos...

"Que bom que te vi na TV, Priscila!", ela falou nos chamando para entrar. "Na verdade não fui eu, e sim a minha avó. Eu odeio televisão, estava desenhando no meu quarto, quando ela me gritou falando que a dona dos coelhos estava em um programa, perguntando se alguém tinha informação sobre o paradeiro deles... Aí sim eu larguei o meu desenho no meio e fui assistir. Eu sou desenhista, estava fazendo uma ilustração para uma capa de livro... Mas foi ótimo, porque seus coelhos me deram uma ótima ideia! Vou fazer uma coisa meio *Alice no País das Maravilhas*, mas ao contrário... vários coelhos correndo atrás de uma menina com um relógio!"

"Hum...", foi tudo que eu disse. Aquela garota parecia meio doida, apesar da simpatia... Ela continuou contando sobre a própria vida, disse que tinha 22 anos e que havia acabado de se formar, que morava com o avô e a avó porque a mãe tinha morrido quando ela ainda era criança e o pai tinha se casado novamente. Mas ela fez questão de ressaltar que amava tanto os avós que achava que, mesmo quando se casasse – caso acontecesse algum dia –, o marido teria que se mudar para lá...

"Pena que eles dormem bem cedo!", ela continuou a falar. "A minha avó estava doida pra te conhecer. Mas como você mora aqui na rua, qualquer dia vou levá-la na sua casa, até pra ela matar a saudade dos coelhinhos... Ela tratou deles com muito carinho! E, por falar nisso, você deve estar ansiosa pra vê-los, né?"

"Sim!", respondi aliviada por ela finalmente ter parado de tagarelar. Da próxima vez que minha mãe reclamasse que eu falo muito, eu ia lembrá-la dessa garota... "Muito obrigada por ter tomado conta deles, agradeça também à sua avó, por favor."

"Imagina!", ela disse, indo em direção à porta. "Por favor, sentem-se enquanto vou buscá-los."

Enquanto esperávamos, comecei a imaginar quais dos meus coelhos estariam com ela... O que ela estava carregando na varanda era cinza, então só podia ser o Veludo ou o Tambor.

"Tomara que a Pelúcia esteja aqui...", falei baixinho, pensando alto, mas logo fiquei com sentimento de culpa. Eu amava todos os meus coelhos, não me parecia certo ter preferência por algum deles. Mas é que a Pelúcia realmente era especial... Talvez por ter ficado algum tempo morando dentro da minha casa logo que a resgatei no mercado, ela tinha adquirido uns hábitos meio felinos... E também caninos. Ela pedia comida como os meus cachorros, gostava de ficar no colo como os meus gatos e, quando eu chegava, pedia carinho como os dois.

"Mesmo que não esteja, nós vamos encontrá-la", minha mãe falou apertando minha mão.

Eu não tinha tanta certeza assim, mas, antes que eu dissesse isso, a Anna Victória apareceu empurrando um carrinho de mão com os coelhos dentro.

"Que ideia genial!", meu pai falou rindo. "Olha, Priscila! Na próxima vez que precisar levá-los ao veterinário você pode usar um carrinho desses!

Realmente era uma ideia boa, mas, no minuto em que os vi, meu único pensamento foi conferir "quem" estaria ali.

"Veludo, Tambor, Pipoca, Jujuba e Paçoca..."

"Você está com fome?", a Anna perguntou franzindo a testa. "Até me esqueci de perguntar se vocês queriam alguma coisa! Querem pipoca de micro-ondas? Jujuba e paçoca eu acho que não tenho, desculpe..."

Eu ri e expliquei que eram só os nomes dos coelhos. Ela então perguntou se não aceitávamos nem um copo d'água, mas eu agradeci, falando que ainda precisávamos achar os que estavam faltando... e infelizmente a Pelúcia estava entre eles.

De repente pensei uma coisa: "Ei, se a Lili não está aqui, é provável que a menininha do telefone esteja falando a verdade!".

"Que menina do telefone?", a Anna Vic perguntou sem entender.

Expliquei para ela, que falou: "Será que é a Manu da rua de cima?".

Apenas balancei os ombros, achando muito improvável que ela conhecesse a tal garota. Afinal, estávamos em São Paulo, e não em uma cidadezinha do interior!

"Bem, a história bate...", ela continuou a falar. "A Manu deve ter uns seis ou sete anos e praticamente mora com a babá. O pai é um empresário que vive viajando e a mãe é modelo, está sempre em algum evento no exterior. A família deles é de São José do Rio Preto, por isso, a menina realmente fica bastante tempo sozinha. Eu morro de pena. A babá passeia muito com ela aqui na rua, então pode ser que tenham mesmo achado algum dos seus coelhos... A Manu é louca com bichos, mas os pais não permitem que ela tenha nenhum, exatamente porque viajam muito. Eles acham que ela ainda é muito novinha pra cuidar sozinha e não querem sobrecarregar a babá. Mas ela vem sempre aqui brincar com o Joe Shuster, o meu gato..."

Lembrei que no e-mail ela havia mesmo dado a entender que tinha um gato. Fiquei com vontade de conhecê-lo, mas resolvi deixar para outra ocasião. Eu precisava encontrar as outras coelhas.

"Você sabe exatamente onde ela mora?", perguntei esperançosa.

"Claro!", a Anna respondeu, parecendo feliz por ajudar. "Virando na próxima esquina à direita, é um sobrado amarelo com uma grande porta de madeira. Não tem erro, dá pra vocês passarem lá antes de irem pra casa, é caminho."

Agradeci e ela então pegou uma caixa para eu colocar todos os coelhos. Em seguida abriu o portão para sairmos, dizendo que eu poderia contar com ela caso precisasse de mais alguma ajuda.

"E se quiser conhecer as melhores baladas, pode contar comigo também!", ela falou depois de um tempo. "Vi que você disse na TV que já morou aqui antes, mas quando criança não conta, né? Você precisa conhecer São Paulo pela minha visão!"

Eu ri, dizendo que depois mandaria um e-mail para ela. E quando já estávamos entrando no carro, ela falou: "Ah, cuidado ao entrarem e saírem de casa, essa região anda meio violenta... Hoje mesmo, poucos minutos antes de vocês chegarem, parece que teve um assalto lá no final da rua, tinha carro de polícia e tudo...".

Agradecemos pelo conselho, e então meu pai deu a partida.

32

> *Judith: Em que você prefere investir? No mercado imobiliário ou no seu filho?*
> *Ben: O mercado imobiliário é menos arriscado!*
>
> (18 to Life)

Rodrigo, acabei de ver sua foto em um site, você foi preso por assaltar uma casa de SP?! A mamãe vai MORRER se souber! Não estou entendendo nada. Quando te liguei pra dar parabéns você estava almoçando em BH! O que está fazendo em SP de novo? Será que essa foto é antiga? Mas aqui está falando que foi tirada hoje à noite! Me explica! Sara

Daniel, te mandei um e-mail, checa urgente! Muito grande pra enviar por mensagem! Sara

De: Sara <sararochette@mail.com.br>
Para: Daniel <danielrochette@netnetnet.com.br>
Enviada: 02 de fevereiro, 21:01
Assunto: Rodrigo preso?!

Daniel, eu estava visitando uns sites de fofocas de celebridades brasileiras na internet, só pra matar um pouco a saudade do "glamour" do Brasil, e na coluna do lado tinha uma notícia falando sobre assaltos a residências de SP, e como a polícia tem sido eficiente, já que algumas vezes captura os assaltantes antes mesmo de eles conseguirem roubar alguma coisa.

Só que de repente apareceu uma foto do Rodrigo!!! Por favor, sei que você está viajando ainda, mas tenta descobrir o que está acontecendo. Liguei pro celular do Rô e está desligado! Você ou a sua namorada devem ter o telefone da Priscila, liguem pra ela urgente e peçam esclarecimentos, aposto que ela está metida nisso!

Não quero matar a mamãe do coração, acho que ela não está sabendo, senão já teria me ligado enlouquecida, então não conta pra ela!

Beijo,

Sara

Pai, liga urgente a TV naquele programa policial que você gosta. Parece que o Rodrigo arrumou alguma encrenca... Não deixa a minha mãe assistir. Daniel

De: Daniel <danielrochette@netnetnet.com.br>
Para: Sara <sararochette@mail.com.br>
Enviada: 02 de fevereiro, 21:11
Assunto: Re: Rodrigo preso?!

A Priscila não está atendendo o celular. O pior é que não está só na internet, mas na TV também, uns amigos me ligaram pra avisar. Parece que a

Priscila não tem nada a ver com isso dessa vez. Pelo que os policiais falaram no programa, acho que o Rodrigo queria roubar uns cachorros de uma casa... Aposto com você que ele viu os donos batendo ou fazendo algum mal para os bichos e quis dar uma de Super-Homem e resgatá-los! Essa obsessão do Rodrigo com animais está passando do limite, vou conversar com ele... depois que ele conseguir sair da cadeia.

Daniel

P.S.: Pensando bem, o Rodrigo não tinha voltado pra BH? Será que esse programa é reprisado?

Rodrigo, estava vendo TV e acabei de ver um cara muito parecido com você chegando algemado à uma delegacia de SP! Depois procura a reprise na internet! Se eu não soubesse que você voltou pra BH hoje, até ficaria preocupado! Preparado para o começo do estágio amanhã? Meu pai é meio severo, vê se não chega atrasado, viu? Abração! Leo

Rodrigo, eu e a Natália estamos te vendo na TV, isso é alguma pegadinha? A Nat acha que você ficou com inveja da Pri, por ela ter participado de um programa hoje mais cedo, mas eu falei que você não assaltaria uma casa só pra ficar no mesmo nível dela... Ou assaltaria? Dá notícia! Alberto

Rodrigo, você passou do limite. Sei que não concordei com sua volta pra São Paulo, mas nunca pensei que você chegaria ao ponto de assaltar uma casa para conseguir dinheiro suficiente para se manter aí por mais alguns dias. Sempre julguei que você fosse o mais responsável dos meus filhos, mas pelo visto me enganei. Eu e sua mãe estamos indo para SP, você vai voltar conosco para BH e não quero ouvir um pio sobre isso! Estou muito decepcionado com você. E sua mãe não para de chorar! Seu pai

33

John Locke: E se tudo que aconteceu aquí tiver sido por uma razão? E se a pessoa que você estava procurando estiver aqui?
Jack Shephard: Isso é impossível.

(Lost)

Resolvemos seguir o conselho da Anna Victória e passar direto na casa da Manuela, senão ficaria tarde e acabaríamos tendo que deixar para a manhã seguinte.

Bati a campainha apreensiva, com meus pais logo atrás de mim. Rapidamente uma senhora atendeu, e logo pensei que devia ser a babá.

"Boa noite, meu nome é Priscila, moro na rua de baixo e fiquei sabendo que vocês acharam o meu coelho. Quer dizer, na verdade ela é fêmea, mas..."

"Não achamos coelho nenhum!", ela falou me cortando. E já ia fechando a porta, mas minha mãe entrou na minha frente, pedindo que ela esperasse.

"Minha senhora, não queremos incomodar, mas foi a própria criança que mora nessa casa que telefonou para a Priscila contando sobre o coelho. Será que ela não o encontrou e o guardou no quarto dela?"

Percebi que, enquanto falava, minha mãe ficava olhando para dentro da casa, tentando ver se a Lili não estaria por ali. Foi quando eu tive uma ideia.

"Manu!", chamei bem alto. "Eu trouxe mais coelhinhos para você ver!"

"Não faça isso!", a babá tentou fechar a porta, mas meu pai segurou antes que ela conseguisse. "Ela é obcecada por animais, vai ficar triste quando descobrir que é mentira!"

"Não é mentira...", falei apontando pro carro. "Estou com cinco coelhinhos ali dentro!"

"Onde estão os coelhinhos?"

Olhamos para dentro da casa e vimos uma menina linda, de longos cabelos louros com cachinhos nas pontas. Ela tinha mesmo jeito de ser filha de uma modelo... Observei mais um pouco e vi que ela estava de camisola e, nas mãos, trazia uma boneca enrolada em um pano. Porém, quando chegou mais perto, notei que não era uma boneca, e sim um animal... Um *coelho*!

"A Lili!", respondi quase invadindo a casa.

A babá pareceu contrariada e falou: "Já que tem cinco, por que não pode deixar esse com ela? Pela primeira vez a Manuela ficou realmente entretida com alguma coisa e me deu sossego!".

Ah, então era isso... Ela só queria que a menina ficasse com o coelho para não ter trabalho. Mas pelo visto não estava ensinando nada sobre como cuidar dele. A Lili estava tremendo de medo e parecia até meio mole, por ser tratada como um brinquedo.

"Vem cá, Manu, vou te mostrar os outros", chamei. E fui depressa ao carro buscar a grande caixa que a Anna Victória tinha me dado.

Os olhos dela até brilharam ao ver que eram mesmo mais cinco.

"Eles são a família da Lili, essa coelhinha que você está segurando, e estavam com muita saudade dela. Que tal você colocá-la aqui dentro também?"

Ela ficou meio hesitante, mas de repente fez que sim com a cabeça e praticamente jogou a Lili na caixa. Os outros coelhos ficaram alvoroçados com a chegada dela, o que fez a Manu rir.

"Quer passar a mão neles?", perguntei.

Ela novamente assentiu. Eu mostrei que ela devia fazer carinho bem de leve, e em seguida mostrei também a melhor forma de carregar, para não ter perigo de machucá-los.

"Olha, Manu, eu moro naquela rua ali de baixo, no número 842", disse olhando mais para a babá do que para ela, me certificando de que ela estava prestando atenção. "No dia que você quiser ir visitar os coelhinhos, é só tocar a campainha e pedir pra me chamar. Se eu estiver em casa, deixo você brincar com eles um tempão. O que você acha?"

Ela não respondeu, apenas ficou fazendo carinho em todos os seis, então eu acrescentei: "Ah, e eu também tenho dois cachorros, dois gatos, um papagaio, um porquinho e um furão!".

Ela olhou para mim meio deslumbrada, mas logo riu e perguntou: "O que é um furão?". Expliquei que era um bichinho parecido com um gato, mas bem mais fino e comprido, e com as patinhas mais curtas. Ela ficou toda interessada, e então combinei de, no fim de semana seguinte, ela ir à minha casa para conhecer o Chico e os outros bichos.

Ela pareceu satisfeita com aquilo. Em seguida, nos despedimos e voltamos para o carro.

Nos dois quarteirões até a minha casa, fiquei pensando em como a vida dela devia ser solitária e em como um bichinho de estimação a faria mesmo mais feliz... Prometi para mim mesma que, quando os pais dela voltassem de viagem, eu ia tentar convencê-los a adotar um cachorrinho para ela. Eu poderia ensiná-la a cuidar, a passear com ele...

Ainda estava pensando nisso quando chegamos na frente da minha casa. No mesmo instante vimos que tinha algo errado... Algumas pessoas estavam na rua, conversando. Já tinha mais de uma semana que eu estava ali e em dia nenhum tinha visto algo parecido, a vizinhança não parecia ser do tipo que ficava batendo papo ao ar livre, talvez por causa dos assaltos que a Anna Victória tinha mencionado.

Paramos na frente da nossa garagem, e então um dos vizinhos se aproximou. Como estava meio escuro, só percebi que era o Ruy quando ele chegou bem perto.

"Receberam minha mensagem?", ele perguntou meio afobado. "Desculpa ter assustado vocês, mas já está tudo resolvido, a polícia conseguiu pegar o assaltante antes que ele entrasse na casa!"

Olhei para o meu pai e para a minha mãe tentando perceber se eles sabiam que mensagem era aquela, mas eles pareciam tão no ar quanto eu. O Ruy, pressentindo que a gente não estava entendendo que papo era aquele, explicou: "Eu mandei uma mensagem pra Priscila, pro número que ela deu no programa, eu não tinha o seu telefone, Luiz".

Peguei meu celular, que tinha colocado no silencioso ao chegarmos à casa da Anna Victória, pois seria impossível falar com ela com todas aquelas chamadas insistentes, e vi que constavam 46 chamadas não atendidas, 13 mensagens de voz e 79 de texto! Mostrei para ele, que balançou a cabeça dizendo: "Então é por isso que não consegui falar com você, só dava ocupado!".

De repente me lembrei do Rodrigo! Ele também devia estar tentando me ligar... A dona Lúcia havia dito que ele estava no avião, naquelas alturas ele provavelmente já tinha chegado.

Eu me afastei um pouco para telefonar para ele, mas mais uma vez caiu na caixa postal! O que teria acontecido? Comecei a procurar o número da mãe dele, para saber se tinha mais alguma notícia, mas quando eu estava começando a digitar, ouvi o Ruy dizer para o meu pai que alguém tinha tentando invadir a nossa casa. Fiquei tão assustada que até guardei o telefone. A Anna tinha falado de assaltos, mas eu nunca imaginaria que um deles pudesse acontecer na nossa casa nova, pois não havia nada lá que merecesse ser roubado... O que eles levariam? O fogão e a geladeira? Como carregariam? Era praticamente tudo que tínhamos lá dentro, além de uma TV velha e um aparelho de DVD antigo...

"Pelo que os policiais falaram, o cara estava meio obcecado pelos seus cachorros, queria vê-los de qualquer jeito...", o Ruy continuou a explicar.

Meu coração até parou.

"A Duna e o Biscoito!", falei já correndo para o portão.

"Calma, Priscila!", meu pai me segurou. "O Ruy acabou de falar que a polícia prendeu o ladrão antes de ele conseguir invadir. Mas em todo caso vamos entrar juntos, não sabemos se era mesmo só um..."

Ele então abriu o portão eletrônico e fomos entrando devagar. Meu pai foi direto para porta e conferiu que ela estava mesmo trancada, o assaltante não a tinha aberto. Ele girou a chave e meus cachorros saíram na mesma hora, fazendo a maior festa, superfelizes por termos chegado.

"Viu, eles estão bem", minha mãe falou os afagando. "Vamos pegar os coelhos no carro e conferir os outros e-mails e mensagens, para ver se conseguimos achar a Pelúcia."

Concordei, acrescentando mentalmente que eu tinha que achar o Rodrigo também.

Quando eu estava entrando em casa carregando a caixa dos coelhos, chamei os cachorros e notei que eles estavam cheirando alguma coisa perto do carro da minha mãe.

Preocupada que pudesse ser algum veneno que o ladrão tivesse jogado, coloquei a caixa em cima do carro e fui verificar. Quando cheguei perto, até fiquei sem ar.

"É a mala do Rodrigo!", gritei. Então ele já tinha chegado... Mas onde estaria?

De repente vários fatos se encaixaram na minha cabeça... A mala caída na garagem. O Rô estar sumido. E o "ladrão" obcecado por cachorros...

Comecei a entrar em pânico.

"Pai, pelo amor de Deus! O assaltante é o Rodrigo! Quer dizer, ele não estava assaltando, deve ter pulado aqui dentro só para não ficar na rua, e a polícia achou que ele estava invadindo! O que será que fizeram com ele?!"

"O assaltante é o seu namorado?", o Ruy perguntou assustado. "Desculpa, Priscila, você falou que ele tinha voltado hoje para Belo Horizonte, nunca imaginaria! Fui eu que liguei pra polícia, mas só queria ajudar... Pensa bem, um cara pulando um muro com uma mala? Pensei que ele quisesse fazer uma 'limpeza geral' na casa!"

Apesar de entender e, de certa forma, ficar grata pela atitude dele, fiquei também com um pouco de raiva. Poxa, mais cedo ele havia dito que tinha me visto com o Rodrigo passeando com os cachorros na rua, não é possível que ele não o tivesse reconhecido! E ele sabia perfeitamente que na nossa casa não tinha praticamente nada para roubar.

"Luiz, devem ter levado o garoto para a 3ª seccional, não é muito longe. Vou com você, com certeza o libertarão assim que esclarecermos os fatos. Acho melhor a Priscila e a Lívia ficarem aqui, o ambiente não é dos melhores..."

"É óbvio que eu vou junto!", falei já abrindo a porta do carro do meu pai. "Quero ver como ele está. Se tiverem feito alguma coisa com ele, esses guardinhas vão me pagar!"

"Priscila, todo mundo queria apenas o nosso bem!", minha mãe falou séria. "Claro que o Rodrigo explicou o que aconteceu para os policiais, ninguém vai fazer nada com ele, fica calma. Mas é melhor o seu pai resolver, não tem nada que você possa fazer neste momento... E lembre-se que ainda temos que achar um coelho!"

Aquela última parte me pegou. Eu realmente queria ver o Rodrigo o quanto antes, mas além de saber que eu ir lá não faria a menor diferença, quanto mais tempo demorasse, menos possibilidades eu teria de encontrar a Pelúcia.

"Ok...", falei ainda meio resistente. "Mas tragam o Rodrigo são e salvo pra mim! Senão eu coloco fogo naquela delegacia!"

"Brava ela, hein?", o Ruy falou rindo para o meu pai.

Então os dois entraram no carro e eu fiquei olhando até virarem a esquina, pensando que até poucos minutos antes eu achava que nada poderia me afligir mais do que o receio de que algo ruim acontecesse com os meus bichos... Mal podia imaginar que teria que passar por aquilo também com meu namorado.

34

> *Patrick: Se você retornasse alguma ligação saberia o que aconteceu. Eu fui preso.*
> *Kat: Oh, e eu pensei que você fosse apenas um idiota... No fim das contas você também é um criminoso.*
>
> (10 Things I Hate About You)

Jovem invade casa de namorada para conversar com cachorros

Uma história inusitada aconteceu na noite de ontem em um bairro nobre de São Paulo. Um jovem de 20 anos resolveu invadir a casa da família da própria namorada. Segundo testemunhas, por volta das 20h30, o estudante Rodrigo Lidman Rochette começou a rondar o local. Ele verificou se o portão estava destrancado ou se tinha alguma outra forma de entrar, até que resolveu pular o muro. Foi quando os vizinhos acionaram a polícia.

Ao ser capturado, o cidadão disse aos policiais que eles poderiam perguntar aos cachorros da casa quem ele era. Julgando que ele tivesse problemas mentais ou que estivesse drogado, pois, além de tudo, não possuía nenhuma identificação, os policiais o encaminharam para a delegacia. Como no mesmo horário um importante doleiro estava sendo detido, havia muitos repórteres no local e o caso sobre "o rapaz que conversa com cachorros" logo foi parar na internet, atraindo vários curiosos com seus bichos de estimação, solicitando que o acusado descobrisse o que seus cachorros e gatos queriam dizer, ou que os ensinasse a falar a língua deles também.

Por causa de todo o movimento na delegacia, o proprietário da casa invadida só conseguiu esclarecer o fato e retirar a queixa às 23h. Ele explicou que o jovem era apenas o namorado de sua filha e que – apesar de gostar muito de animais – não possuía nenhum dom sobrenatural.

Vários cientistas especializados em vida animal se lamentaram, pois estavam esperançosos de que ele pudesse ajudá-los a descobrir se os gatos têm mesmo sete vidas e se o estômago dos cachorros é realmente sem fundo.

Da redação.

Talvez pelo cansaço de ter acordado cedo, me despedido da Priscila, viajado para Belo Horizonte, chegado em casa, voltado para o aeroporto, viajado pra São Paulo de novo e ter ficado mais um tempo esperando na frente da casa da Priscila, nem reclamei muito quando os guardas me mandaram esperar dentro de uma cela até o delegado poder falar comigo. Tudo que eu queria era dormir e esquecer! Se as minhas primeiras horas com 20 anos tinham sido assim, eu realmente não estava ansioso para os próximos 364 dias.

Porém, o tempo foi passando e nada de o delegado me chamar. Pelo menos eu estava aliviado por estar sozinho ali, sem a companhia de outros presos... Aquele lugar era apenas provisório, até que o delegado esclarecesse os fatos e decidisse o que fazer comigo. Mas aquela demora estava me deixando cada vez mais ansioso. Eu estava preocupado com a minha mãe, que devia estar enlouquecida sem notícias minhas; com a Priscila, que provavelmente havia encontrado minha mala na garagem da casa dela e não estaria entendendo nada; e especialmente aflito por causa da Pelúcia.

Eu tinha chegado tão perto de resgatá-la... E agora corria o risco de ela fugir da casa vizinha também. Além do mais, ela estava machucada! Se demorasse muito para receber socorro, eu nem queria pensar no que poderia acontecer... em como a Priscila ia ficar. Por ajudar na ONG desde o início da adolescência, eu tinha me apegado a vários bichos que acabaram morrendo por terem chegado lá muito maltratados, ou por já serem mais velhos, ou ainda por terem contraído alguma doença na rua. Apesar de sofrer, eu tinha chegado à conclusão que não cabia a mim salvar todos os animais do mundo, eu podia, sim, tentar fazer o melhor por eles. Acabei entendendo que em alguns momentos só me restava aceitar. Porém, a Priscila nunca aceitou. A cada um dos gatos ou cachorros da ONG que se iam, a Pri sofria como se eles fossem dela... Ela se sentia culpada por não ter feito mais por eles e se lamentava por dias... Então, quando o Biju, o hamster de estimação dela, morreu, vi que ela realmente não tinha a menor estrutura para lidar com a morte de um animal. Ela chorou e se isolou por semanas, lembrando cada detalhe, cada momento, cada dia de vida do Biju. E era por isso que eu estava tão preocupado. Era por esse motivo que eu havia voltado para São Paulo. Se perder um bichinho já a havia deixado tão triste, imagina sete de uma vez?

Por isso, assim que vi o pai da Priscila aparecer na frente da cela, tive vontade de abraçá-lo! Veja bem, eu sempre me dei bem com o Luiz Fernando, mas na medida do possível... Digamos que nossa relação sempre foi meio formal, aprendemos a conviver um com o outro por termos algo em comum: o fato de amarmos a mesma mulher (ainda que de modos bem diferentes!). Mas acho que exatamente por isso, por causa do ciúme por eu também amar a filha dele, sempre tive aquela sensação de que, se pudesse, ele me empurraria da beira de um penhasco... Porém, naquele momento, foi como ver meu melhor amigo!

Ele se aproximou com um cara que eu não conhecia, acenou para mim meio sério e assentiu para um guarda que estava acompanhando os dois, como se dissesse que era eu a pessoa que ele tinha ido *salvar*... Aquela realmente era uma coisa que eu não esperava, que o pai da Priscila algum dia pudesse ser o responsável por devolver a minha liberdade. Além disso, no momento em que abriram a grade, notei que na verdade eu o havia julgado mal. Ele estava preocupado comigo de verdade, talvez por saber que a Priscila sofreria caso algum mal me acontecesse... E, de repente, percebi que era exatamente o que eu sentia em relação à Pelúcia.

Meio desconfortável por notar que eu estava no mesmo patamar de um coelho, apenas respondi às perguntas dele automaticamente. Expliquei que eu havia voltado assim que soube da fuga, que não havia conseguido avisar à Priscila porque ela estava no programa e, depois, porque a minha bateria acabou. E que eu havia visto a Pelúcia na casa ao lado e, apenas por isso, havia pulado o muro.

O Luiz ficou calado, meio surpreso, então quem falou foi o homem que estava com ele, de quem eu ainda nem sabia o nome. Eles pareciam ter mais ou menos a mesma idade, mas o Luiz era bem mais atlético, enquanto o outro era meio barrigudo.

"Rodrigo, vou te dar um conselho", ele falou se aproximando um pouco. "Sei que você é de uma geração que praticamente já saiu com o celular do berçário, mas é possível viver sem um. No seu caso, eu teria batido na casa de algum vizinho e pedido para usar o telefone, ou pelo menos para eles fazerem uma ligação para você. Se tivesse conseguido falar com a Priscila, com o Luiz ou com a Lívia, não teria passado tantas horas na delegacia... Nem a gente."

As palavras daquele cara me deixaram meio com raiva. Ele nem mesmo me conhecia e já vinha dando sermão disfarçado de conselho?

Por isso, apenas falei: "Ah, muito obrigado por me ensinar, depois vou querer mais dicas sobre como faziam *na sua época...*".

Ele deu um sorrisinho meio cínico e então disse: "Acho que ainda não fomos apresentados. Eu sou o Ruy. Amigo de faculdade do Luiz... e também o vizinho da frente." Dois segundos depois ele acrescentou: "Fui eu que chamei a polícia. Desculpa, eu realmente não poderia imaginar que você era o namorado da Pri...".

Só de ele chamar a Priscila pelo apelido, já tive vontade de dar um soco na boca dele. Além disso, o fato de ele ter sido o responsável por eu estar ali me despertou uma antipatia tão grande por aquele sujeito que, se o Luiz não tivesse falado para irmos logo embora, eu provavelmente teria sido preso de novo, por assassinato dessa vez. Sim, eu estava nervoso a esse ponto.

Durante todo o caminho, não falei uma palavra. Em certo momento, o pai da Pri me contou que, por causa da participação dela na TV, vários coelhos já haviam sido encontrados, todos resgatados na vizinhança. Fiquei feliz com aquilo, e curioso para saber quais seriam.

O percurso de quinze minutos até a casa da Priscila levou uma eternidade, mas, no instante em que chegamos e eu a vi na varanda, foi como avistar um oásis. Ela desceu as escadas correndo e, de repente, tudo que eu tinha passado naquele dia pareceu ter valido a pena, pois pelo menos eu estava com ela novamente.

"Te maltrataram?", ela disse passando a mão pelo meu cabelo, conferindo cada detalhe para ver se não estava faltando nada. Em seguida beijou o meu rosto inteiro, enquanto dizia: "Porque, se tiverem te batido, eu vou lá e acabo com eles todos!".

Garanti que não tinham feito nada comigo e a abracei bem forte. Eu poderia ficar assim a noite toda, mas tinha algo que eu estava louco pra saber.

"E os coelhos?", perguntei. "Seu pai me disse que acharam quase todos..."

"Seis!", ela falou satisfeita.

"Conseguiu pegar a Pelúcia?", perguntei feliz, imaginando que ela também a teria visto na casa ao lado.

"Não... Ela é a única que está faltando agora. Cinco estavam com uma vizinha e a Lili com outra", a Pri disse, triste, me abraçando. "E, por menos que eu queira admitir, a Pelúcia era a que eu mais queria encontrar..."

"E se eu te disser que sei onde ela pode estar?", eu disse meio enigmático. "E que foi exatamente por causa disso que eu fui preso?"

Ela franziu a testa e eu logo contei todos os detalhes. Quer dizer... menos a parte que ela estava machucada. Eu não queria que ela ficasse preocupada antes da hora.

"Ela estava aqui do lado o tempo todo?", a Pri respondeu sorrindo. "Vamos pegá-la depressa!".

Eu expliquei que não estava a fim de pular o muro e ser preso de novo... Ela então saiu correndo para dentro de casa, voltando com algumas folhas de alface, ração para coelhos e... um pedaço de bolo de cenoura.

Franzi a testa e ela só balançou os ombros explicando: "Foi assim que os outros foram capturados... E a Pelúcia deve estar com fome! Se jogarmos comida lá dentro, talvez ela apareça".

Concordei, torcendo para que ela ainda estivesse ali... e viva. Eu estava realmente preocupado com aquele sangue que eu havia visto no pelo dela.

Fomos até o portão da casa vizinha e começamos a chamar a Pelúcia, enquanto jogávamos a comida. Durante um tempo, nada aconteceu, e comecei a temer pelo pior. Mas subitamente vi um movimento perto de uma planta, do lado oposto ao que ela esteve mais cedo.

"Joga ali, Pri", apontei para ela a direção. Ela começou a atirar uns pedacinhos de bolo, e foi aí que vimos um vulto saindo das sombras.

"Será que é ela?", a Pri perguntou baixinho. "Está parecendo um gato..."

"Gatos não gostam de bolo!", respondi sussurrando.

Ela ia começar a responder alguma coisa, mas subitamente vimos que o tal gato tinha orelhas muito compridas...

"É ela!", a Pri disse jogando ainda mais bolo. "Vem cá, Pepê! Sou eu!"

A Pelúcia pareceu meio indecisa, mas pouco depois veio em nossa direção. A Pri bateu palmas e então eu disse: "Tem uma coisa que eu não te contei...".

Ela me olhou intrigada, mas já esticando os braços pela grade, para pegar a Pelúcia assim que ela chegasse perto.

"É que eu vi que no pelo dela tinha..."

"Tinta vermelha!", a Pri disse ao alcançar a coelha. "Meu pai me contou que a casa aqui do lado está para alugar... Devem ter mandado pintar e a Pepê esbarrou em algum lugar que ainda está com tinta fresca."

Ah, então era por isso que nunca tinha ninguém ali... Aliviado, comecei a rir.

"O que é tão engraçado?", ela perguntou fazendo carinho na Pelúcia.

"Nada...", falei passando o braço sobre o ombro da Pri e a direcionando de volta para a casa dela. "Só estou feliz que tudo acabou bem!"

Eu só não tinha a menor ideia de como estava enganado...

35

> *Rachel: Você não escolhe o amor verdadeiro. O amor verdadeiro te escolhe. É preciso ter certeza sobre se casar porque casamento é uma promessa, dura para sempre.*
>
> (Glee)

Chegando em casa depois de resgatar a Pelúcia, fiquei surpresa ao ver um táxi na frente do portão. Já era quase meia-noite e eu tinha certeza de que meus pais não estavam esperando ninguém. Enquanto nos aproximávamos, olhei curiosa para saber quem seriam os passageiros. Me surpreendi quando vi que as pessoas que saíram de dentro do táxi não eram desconhecidas. Muito pelo contrário...

"Pai?! Mãe?!", o Rodrigo perguntou sem entender nada. Eu estava mais perdida ainda, mas mesmo assim dei um jeito de cumprimentá-los.

"Vejo que encontraram os coelhos...", a dona Lúcia falou olhando para a Pelúcia no meu colo. "Eu disse pro Rodrigo que você ia achar. Mas ele nunca me escuta..."

O Rô, que ainda estava parado olhando para os pais com ar de desconfiança, de repente saiu do transe e perguntou: "O que vocês estão fazendo aqui?".

O pai dele, que ainda não tinha aberto a boca, falou em um tom completamente seco, que eu nunca tinha ouvido vir dele antes: "Viemos te tirar da *cadeia*, Rodrigo. Eu nunca abandonaria um filho meu, seja qual fosse a idade dele! Mas eu realmente esperava que com o tempo você ficasse mais responsável, e não o contrário! Parece que, agora que fez 20 anos, está tendo uma crise de adolescência tardia e pensa que pode fazer o que quiser... Eu e sua mãe pedimos para você não voltar pra São Paulo precipitadamente, mas você escutou? Não, você simplesmente deu as costas e saiu! Você está muito enganado se acha que pode fazer o que quiser, sem pensar nas consequências dos seus atos! Comprar a passagem com o dinheiro da caderneta de poupança que nós fizemos para você usar em caso de alguma emergência foi demais! Mas pelo visto você não dá mais valor pra dinheiro e nem pra princípios... Assaltar uma casa, Rodrigo? Sua mãe quase morreu de desgosto quando te vimos na televisão! Sabe quantos telefonemas e mensagens nós recebemos? Nem sei te dizer, pois foram incontáveis!".

Opa... Tinha algumas coisas ali que eu não sabia, como o fato de o Rodrigo ter viajado contrariando os pais e também a coisa da poupança. Mas ele não era responsável por *todas* aquelas acusações...

"Maurício, desculpa interromper, mas o Rodrigo não assaltou casa nenhuma. Ele só pulou um muro, que por sinal é este aqui, o da minha casa...", apontei meio sem graça. Eu não podia deixar o Rô receber aquele sermão todo sem ter culpa. "E ele só fez isso pra salvar os meus coelhos... Acontece que alguns vizinhos viram e pensaram que era um assaltante. Foi tudo um mal-entendido."

Ele começou a processar as informações, mas, antes que dissesse alguma coisa, o Rô perguntou como eles tinham conseguido o endereço da Priscila.

"A Lívia me passou...", a dona Lúcia explicou. "Ficamos tentando ligar para a Priscila desde o momento em que pousamos em São Paulo, pra saber se ela tinha conhecimento de que você estava preso e em qual delegacia poderia estar, mas o telefone só dava ocupado. Até que 15 minutos atrás a mãe dela atendeu e falou que o marido já tinha te buscado na delegacia e que vocês tinham ido procurar o coelho que estava faltando."

O pai do Rodrigo ia recomeçar a bronca, mas então eu os convidei para entrar, alegando que era perigoso ficar lá fora naquele horário.

Assim que entramos, chamei meus pais, que, por já estarem esperando os do Rodrigo chegarem, tinham arrumado a mesa da cozinha com um lanche. Enquanto os quatro conversavam, eu e o Rô fomos para o quintal, pois estávamos ansiosos para ver a reação da Pelúcia ao reencontrar sua "família". Eu tinha colocado todos os outros coelhos no viveiro do Chico, não sem antes conferir se não apresentava algum furo também... Mas, ainda assim, o Rodrigo fez questão de conferir de novo. Por isso, só entramos em casa depois de verificarmos se realmente não tinha nenhum buraquinho por onde eles pudessem fugir outra vez e de esperarmos um pouco para ver como seria a readaptação da Pelúcia.

Quando chegamos perto da cozinha, porém, ouvimos a conversa dos nossos pais, e, ao compreender o que eles estavam falando, fiz com que o Rodrigo parasse, para escutarmos o resto sem que eles nos vissem.

"Eu andava meio preocupado com o namoro dos dois", escutamos o meu pai falar. "Apesar de estarem juntos há muitos anos, eles ainda têm muito o que viver, são muito novos... Mas nós chegamos aqui dois dias atrás e os encontramos com o controle de tudo, eles haviam feito compras, lavado as louças, arrumado a casa..."

"O Rodrigo sempre arrumou a casa, fez compras e lavou a louça", a dona Lúcia interferiu. "Fiz questão de ensinar os afazeres domésticos para os meus meninos também, não apenas para a Sara. É machismo falar que isso é coisa de mulher!"

"A questão não é essa...", a minha mãe falou. "O que o Luiz quis dizer é que eles pareciam marido e mulher... Quase pedimos licença para entrar na casa *deles*, entende? Ficamos meio surpresos de ver como eles estão preparados para isso."

"Mas realmente são bem novos ainda", o Maurício opinou. "Sim, entendo o que vocês querem dizer."

"Pois é", o meu pai continuou. "Só que outro dia eu perguntei pra Priscila sobre o namoro e ela deu a entender que eles estão a muitas léguas de se amarrarem ainda, o que eu confesso que me deixou bem mais tranquilo. Ela falou que tinha certeza de que o Rodrigo não ia pedi-la em casamento tão cedo, como se eu fosse louco por pensar aquilo!"

O Rodrigo levantou uma sobrancelha para mim, e eu apenas fiz sinal para continuarmos escutando.

"Olha, eu não tenho a menor dúvida do amor que o Rodrigo sente pela Priscila", a dona Lúcia falou, o que me fez sorrir para ele. "E não sei, mas acho que, se eles fossem mais velhos, esse pedido já teria acontecido há muito tempo. Mas para se casar é necessário trabalhar, ter dinheiro... E o Rodrigo sabe disso, ele é muito responsável, tem a cabeça no lugar... Quer dizer, era o que eu achava até ele ter feito o que fez hoje! Ele praticamente fugiu de casa, assaltou a própria poupança, só pra vir ajudar a Priscila. Ele nunca tinha feito nada parecido! Depois disso não duvido de mais nada..."

O assunto deles derivou para o caso dos coelhos, e então o Rodrigo fez sinal para voltarmos para o quintal. Chegando lá, ele me abraçou e perguntou: "Como assim você tem tanta certeza de que eu não vou te pedir em casamento tão cedo?".

Ele perguntou em tom de brincadeira, mas ainda assim senti um friozinho na barriga. A gente nunca havia falado sobre aquele assunto antes. A não ser quando a Natália ficou noiva e eu senti uma certa inveja, por ela namorar há muito menos tempo que eu. Mas agora eu entendia que cada namoro era de um jeito e que tudo tinha um momento certo para acontecer.

"Ué, você não ouviu sua mãe dizendo?", falei sorrindo pra ele, mas me sentindo estranhamente tímida. "Você é muito responsável e sabe que pra casar é preciso ter emprego, dinheiro..."

"Ah, mas apesar de ter comprado aquela passagem de avião, eu ainda tenho uma grana na poupança... Daria pra gente alugar um apartamento de um quarto por... umas duas semanas!"

Nós rimos e eu falei: "Uau, já é um começo!".

Ele me abraçou mais forte. Ficamos assim por um tempinho, apenas pensando, e então ele beijou a minha bochecha e perguntou: "Mas se eu te pedisse você aceitaria? Mesmo sem ter emprego, dinheiro, e sabendo que exatamente por isso não poderíamos casar pra valer tão cedo?".

Meu coração disparou, levantei depressa a cabeça para ver se ele estava brincando, mas encontrei seus olhos ansiosos pela minha resposta. Ficamos um tempo meio hipnotizados um pelo outro, sem dizer nada, mas, exatamente nesse momento, ouvimos a voz dos nossos pais se aproximando.

"Foi daquele viveiro que eles fugiram", meu pai apareceu apontando. "Aquele onde eles estão agora é do furão, mas como ele está meio doente, a Priscila o colocou dentro de casa."

"O que ele tem?", a dona Lúcia perguntou.

"Ele já tem uma certa idade e ficou abatido com a mudança", minha mãe respondeu. "Amanhã a Pri vai levá-lo ao veterinário, ela devia ter feito isso durante a semana passada, mas acho que, com a companhia do Rodrigo, acabou esquecendo..."

Ela falou aquilo para eu escutar e então retruquei dizendo que não era verdade, eu havia ligado para a veterinária e ela tinha me dito que era para eu observá-lo por mais uma semana, pois poderia ser apenas a adaptação a um novo lugar.

Eles continuaram conversando e eu observei que o clima tenso do início tinha passado completamente. Se alguém chegasse naquele instante, nunca imaginaria tudo que tinha acontecido durante o dia para levar àquele momento. Parecíamos apenas duas famílias felizes, confraternizando.

Porém, pouco tempo depois, o pai do Rodrigo disse que precisavam ir, pois o voo de volta deles para BH era às 6h da manhã do dia seguinte, e eles ainda tinham que ir para o hotel que tinham reservado.

"E o Rodrigo vai com a gente", a dona Lúcia acrescentou. "Fizemos questão de comprar a passagem de volta no primeiro horário para dar tempo de ele ir à faculdade! E à tarde ele vai começar o estágio".

Vi que o Rô fez uma cara meio esquisita, mas resolveu não contrariar os pais. De qualquer forma, a minha faculdade começaria no dia seguinte também. Não é como se tivéssemos dias para ficar juntos, como na semana anterior... E só de pensar naquilo tive vontade de voltar no tempo.

Enquanto o Rô se despedia de todos os bichos, meus pais disseram para o Maurício e para a dona Lúcia que na próxima visita deles nós já teríamos móveis e um quarto de hóspedes, e que faziam questão de que eles se hospedassem em nossa casa.

Eles concordaram, e, quando estávamos quase chegando ao portão, fiz o Rodrigo parar um pouco antes, enquanto nossos pais se despediam.

"Vou morrer de saudade...", falei o puxando para um beijo. Ele largou a mala, me abraçou forte e falou que tinha valido a pena ter voltado e ter sido preso, só por aquele tempinho a mais que passamos juntos. Eu sorri e ele me deu outro longo beijo, até que o pai dele o chamou, dizendo que o táxi já estava esperando.

Ele então me abraçou uma última vez e disse no meu ouvido: "Você não respondeu a pergunta que fiz lá fora...".

Eu sorri pra ele e disse: "É óbvio que eu aceitaria...".

Ele sorriu de volta, me deu mais um beijo e então foi em direção ao táxi.

36

<u>Lucas</u>: Mesmo que a maioria de nós esconda isso, nossos pais têm um certo poder sobre nós, o poder de afetar nossos pensamentos e emoções do jeito que só eles conseguem.

É um laço que muda com o passar do tempo, mas nunca some, mesmo que estejam do outro lado do mundo. Ou literalmente em outro mundo. É um poder que não entendemos por completo. Mas que nos faz pensar: quando nossa hora chegar, que tipo de influência teremos sobre nossos filhos?

(One Tree Hill)

Belo Horizonte, 3 de fevereiro

Pri,

Cheguei bem, apesar do meu pai e da minha mãe terem vindo falando na minha cabeça o voo inteiro. Sabe que descobri que tem uma coisa pior do que levar bronca dos pais? É levar bronca dos pais às seis da manhã! Tudo que eu queria era voltar pra minha cama! Aliás, pro meu colchonete no seu quarto... E foi nisso que eu fiquei pensando enquanto os dois reclamavam sem parar. Esqueci que eu estava dentro daquele avião e viajei no tempo, de volta para os dias que passei aí com você.

Neste momento já estou na aula. Como no primeiro dia nunca tem muita coisa importante e eu estava quase dormindo sentado, comecei a escrever uns devaneios na última página do caderno, enquanto pensava que agora somos namorados à distância... É estranho pensar que não posso mais "dar uma passada" na sua casa ou no clube, só pra te dar um beijo. E de repente comecei a me lembrar daqueles filmes que se passam muitos séculos atrás, e neles os namorados às vezes nem moravam tão longe um do outro, mas, como o único meio de transporte era através de carroças (ou carruagens, se você fosse bem rico), eles demoravam meses para se reencontrar... No intervalo eles se comunicavam por cartas (que era o único meio de correspondência) e esperavam dias para terem notícias um do outro...

Foi por isso que resolvi escrever esta carta, fiquei pensando como seria se fôssemos um daqueles casais de antigamente. Mas, na verdade, ainda bem que não estamos naquela época, porque eu realmente não aguentaria ter que esperar tantos dias para saber de você! Ainda bem que temos e-mail, redes sociais e celular também! Já estou louco pra aula acabar e te telefonar pra saber como foi seu primeiro dia na faculdade.

Pri, ontem nem deu tempo de te contar uma coisa chata que aconteceu... Eu não imaginei que você encontraria os coelhos tão rapidamente e, por isso, pensei que ficaria mais dias em São Paulo. Eu também nem sonharia que meus pais iriam atrás de mim! Bem... o fato é que, por causa disso, eu escrevi pro pai do Leo perguntando se eu poderia adiar mais uma vez o início do estágio... Apesar de o Leo ter me avisado que ele era rigoroso no trabalho, eu não pensei que fosse ficar nervoso... Mas ele ficou. Ele praticamente me chamou de irresponsável e me "demitiu", antes mesmo de eu começar.

Prizinha, mas hoje cedo (quer dizer, mais cedo, porque agora ainda são 10h30), eu tive que contar isso pros meus pais, pois eles estavam achando que eu mal teria tempo de almoçar depois da faculdade e já sairia correndo pro estágio. Com isso, aquela braveza do meu pai ontem, quando chegou em SP, voltou ainda pior. Nas palavras dele, daqui pra frente não me dará um tostão, para que eu aprenda a valorizar o dinheiro e os compromissos! Como se eu não valorizasse... Acho que ele não entendeu nada. Sim, o dinheiro da poupança era pra uma emergência. Mas, para mim, encontrar os coelhos era uma superemergência. Sei como você ficaria triste se os perdesse pra valer... Eu não queria te ver triste. E sobre os compromissos, foi exatamente por valorizá-los que eu tentei adiar o estágio. Eu poderia simplesmente ter dado "bolo" e não aparecido, mas fiz questão de avisar. Realmente pensei que não faria diferença começar em mais alguns dias...

Mas meu pai não pensa assim, porque, no mesmo instante, ligou pra casa do Leo, pediu pra falar com o pai dele (que estava acabando de acordar) e praticamente implorou que ele me admitisse de volta! Falou que eu tinha me enganado e que poderia sim começar hoje, e que, se ele permitisse, eu estaria lá às 14h em ponto! Bem, o fato é que o Rubens acabou aceitando, em consideração ao meu pai (foi o que ele disse), mas pediu que ele deixasse bem claro pra mim que eu já estou iniciando com "um ponto a menos" e que, na mínima falha, eu serei desligado novamente. Ah, e é claro que o estágio vai continuar sem remuneração.

Como se isso não bastasse, meu pai falou que, como eu gastei naquela passagem o equivalente ao valor de umas quatro (pois comprei em cima da hora na tarifa mais cara), agora eu só vou poder voltar a São Paulo no dia que eu mesmo puder pagar por isso. E que se eu mexer na poupança de novo ele me expulsa de casa. Foi uma grande briga... Minha mãe começou a chorar e tudo mais. Aliás, foi só por ela que eu não virei as costas e fui embora. A vontade que eu tive foi mesmo essa, preferia morar na rua do que ter que ouvir aquele sermão todo. Já tinha visto meu pai falar daquele jeito com o João, mas meu irmão sempre mereceu... Não pensei que algum dia eu fosse passar por isso também.

Pri, o que estou querendo dizer é que acho que vamos nos encontrar com ainda menos frequência do que o planejado. Eu realmente vou ter que começar esse estágio (e não receber um centavo por isso), não só pelas ameaças do meu pai, mas também porque a faculdade está exigindo. Vou arrumar algum emprego no sábado para levantar um dinheiro, mas exatamente por ter o fim de semana comprometido, acho difícil conseguir ir aí nos próximos meses...

Bem, espero que aos poucos eu consiga fazer meu pai voltar a confiar em mim. E espero mais ainda que você venha pra cá logo... Tem poucas horas que estou longe, mas já estou morrendo de vontade de te ver!

Vai começar outra aula agora, ouvi dizer que esse professor de Administração Financeira é muito chato. E acho que pode ser útil aprender umas coisinhas dessa matéria...

Mil beijos, te amo!
Rodrigo

37

> **Phil:** Sempre me vi como alguém capaz de andar na corda bamba. Porém, nem consigo atravessar uma a 15 cm do chão.
>
> **Luke:** Talvez esse seja o problema. Você fica caindo porque um lado seu sabe que pode cair. Se a corda bamba fosse mais alta, talvez você não caísse.
>
> (Modern Family)

São Paulo, 10 de fevereiro

Querido Rô,

Adorei receber sua carta! Fiquei surpresa, você não tinha me contado nada sobre isso! Achei tão fofo e romântico que resolvi responder assim também...

Tem apenas oito dias que eu não te vejo, mas a sensação é que se passaram mais de oito meses! Não é engraçado? Quando eu morava em BH, às vezes ficávamos uma semana sem nos encontrar, por causa dos estudos ou por algum outro motivo, mas como eu sabia que você estava ao meu alcance, a no máximo 15 minutos de distância, não era tão difícil assim... Eu sabia que se quisesse te ver eu poderia. Só que agora o que sei é que não posso... Caso sinta uma saudade repentina, uma urgência de te dar um beijo, sei que não vai ser possível, que vou ter que esperar não sei quanto tempo... E isso chega a ser desesperador!

Mas pelo menos tem muita coisa acontecendo aqui e isso vai me distrair até o nosso próximo encontro.

Eu adorei a sua comparação com os namorados "de antigamente", e exatamente por isso tive uma ideia... Durante a minha viagem pra Los Angeles, fiz um diário de bordo. Eu ia te mostrar, mas com a mudança e tudo mais, acabei esquecendo. Nesse diário eu contei com detalhes tudo que aconteceu lá, dia após dia... Então, quando fico com saudade, eu releio, e isso é uma forma de estar lá de novo, ainda que por lembranças.

O que você acha da gente fazer uma espécie de "diário em dupla" nesse tempo em que vamos ter que morar longe um do outro? Claro, vamos continuar conversando por telefone, e-mail, redes sociais, mensagens e todas as formas de comunicação possíveis (sinceramente, não sei como esse povo dos séculos passados conseguia viver!!!), mas se registrarmos os acontecimentos mais marcantes também em cartas (mesmo que já os tenhamos contado um pro outro), no futuro poderemos colocá-las em um álbum de recordação, em ordem de escrita, como se fosse um diário mesmo... e aquilo será o nosso elo. Vai ser como se não tivéssemos passado esse tempo separados, pois pelo menos as cartas estarão ali, juntas, relatando nosso dia a dia. Faz sentido?

Então, mesmo que grande parte eu já tenha te contado, vou fingir que você não sabe de nada e começar a minha parte na correspondência, contando o que aconteceu desde que você partiu... (viu, estou romântica também, usando palavras bonitas, tipo "partiu" em vez de "foi embora". Hahaha!).

Meus primeiros dias de aula foram muito interessantes. Como já tinha feito um semestre de Biologia na PUC, a faculdade em si não foi novidade, mas as matérias e os colegas sim. É tão engraçado todo mundo me perguntar de onde eu sou, por causa do sotaque (ou pela falta de sotaque, sei lá)! Lembro que, quando fui pra BH, algumas pessoas ficaram imitando meu jeito de falar. Mas aos poucos a minha entonação paulista foi mesclando com o "mineirês" e, por isso, já tinha muitos anos que ninguém perguntava de onde eu era. Mas agora isso está acontecendo outra vez...

As aulas são legais, mas confesso que fiquei meio apreensiva quando visitamos o laboratório. Eles mantêm bichos mortos (tipo embalsamados no formol), e nós teremos que abri-los e explorá-los... Quase chorei! Sei que isso já era esperado, não teria outra forma de aprender, mas ver aqueles cachorros, gatos (e até um carneirinho!) duros e sem vida me deixou muito mal... Nunca imaginei que me sentiria assim. Não consegui comer nada o dia inteiro (nem mesmo chocolate!!). Nem sei se já vai ser nesse semestre, por enquanto os professores têm passado apenas teoria, mas saber que vai chegar o momento em que vou ter que dissecar um bicho realmente acabou comigo.

Mas vamos falar de coisas boas! Eu já fiz algumas amizades lá! No momento em que cheguei à sala, uma garota meio alternativa, cheia de piercings e tatuagens, veio até mim e perguntou se eu era a Priscila... Perguntei como ela sabia, então ela disse que era amiga do irmão da Bruna. Lembrei que a Bruna tinha mesmo me falado algo assim... A garota disse que foi superfácil me reconhecer, pois eu era a única RUIVA da sala, e a Bruna já tinha dito pra ela que o meu cabelo era dessa cor... A Bruna ainda vai ter que escutar muito por causa disso! Bom, mas tudo bem, porque a Pietra (é o nome dela) é muito legal. Ela tem um ótimo senso de humor e adora música! Acho que você vai gostar dela. E, claro, ela também ama animais, me contou que tem três dálmatas, fiquei louca pra conhecê-los!

Agora outro assunto: a mudança chegou e não estamos mais acampados! Quer dizer, mais ou menos... Ainda temos que guardar tudo o que está encaixotado, mas pelo menos os móveis já estão no lugar. Nem acreditei quando dormi na minha cama em vez de em um colchonete! Mas eu poderia dormir mil anos em um colchonete se fosse com você ao meu lado...

Ah, eu levei o Chico ao hospital veterinário! Ele foi atendido por uma veterinária fofa, muito carinhosa. Ela falou que para a idade ele está muito bem, mas pediu alguns exames. O resultado sai daqui a 15 dias, espero que não acuse nada ruim...

Rô, mas a coisa mais estranha que aconteceu nesses últimos dias foi o jantar na casa do Ruy, aquele amigo do meu pai que mora com a família na casa aqui da frente. A esposa dele é bem mais nova, apesar de ele ter a idade do meu pai. E os dois têm um filhinho de cinco anos.

Ele fez faculdade junto com o meu pai, mas não seguiu carreira na Publicidade. Ele nos contou que é empresário e agente de atores (eu meio que já sabia disso, pois ele só conseguiu que eu participasse daquele programa por ser o empresário da apresentadora). E foi aí que tudo começou a ficar surreal.

Primeiro, ele começou a me fazer umas perguntas, tipo, como eu era na época da escola, se eu fazia atividades extracurriculares... Minha mãe na mesma hora fez questão de dizer que eu já tinha feito todas as atividades possíveis, como vários esportes, além de balé, jazz, dança e canto. Ele então ficou muito interessado nisso, passou a perguntar se na época desses cursos eu havia feito apresentações. Respondi que sim, pois nas aulas de dança sempre ensaiávamos coreografias, que eram exibidas no final do ano para família e amigos. E também, na aula de canto, a minha professora (que saudade da sua mãe!) fazia questão de que nos apresentássemos semestralmente.

Rô, ele quase bateu palmas. Virou para o meu pai e falou que eu era uma "artista completa"! E que, além de ser muito fotogênica, tinha carisma e o dom de atrair a atenção das pessoas. Ao final ele ainda disse: "E agora fico sabendo que ela também canta e dança! Priscila, você é exatamente quem eu estava procurando...".

Eu fiquei tipo "do que esse cara está falando?!". Mas então ele, todo empolgado, disse que eu tinha nascido para os palcos, e explicou que, além de ser publicitário, empresário e agente, ele também era "olheiro" e que isso significava que ele estava acostumado a enxergar artistas em potencial.

Ele disse: "Priscila, no momento em que você começou a falar na TV e eu te vi pelo monitor, eu já sabia que tinha uma grande estrela diante de mim. Mas agora que fiquei sabendo que você tem todas essas habilidades também, não tenho dúvidas de que você pode vir a fazer muito sucesso!".

Confesso que tive vontade de rir... Só que de repente me lembrei de que tinha escutado isso há pouco tempo... Quando eu estava visitando a Fani, o Alejandro, aquele amigo dela, me falou que eu tinha jeito de atriz. E depois, na Disney, quando me vesti de Ariel, a coordenadora de lá disse que eu tinha "nascido pro papel", ou algo assim!

Só sei que, antes que eu assimilasse os fatos, o Ruy começou a dizer pro meu pai que adoraria me empresariar, que poderia me mostrar exatamente o que fazer para me dar bem no mundo artístico, e perguntou se eu não gostaria de fazer um teste de elenco, sem compromisso.

Fiquei meio indecisa, mas acabei aceitando, só mesmo para mostrar que isso é viagem da cabeça dele... Porque o único papel que quero representar é o de veterinária! E de namorada do Rô! ♡ Lindo, adorei mesmo escrever esta carta! Me senti novamente por perto, como se você estivesse aqui do lado, ouvindo os meus casos...

Já estou ansiosa pela sua resposta.

Um milhão de beijos!
Pri

38

> <u>Anthea</u>: Eu nunca pensei que fosse possível sentir tanto a falta de alguém...
>
> (Skins)

Belo Horizonte, 21 de fevereiro

Querida Pri,

Realmente estas cartas foram uma ótima ideia! Eu antes nem ligava pro horário que o carteiro passava, agora fico interfonando pro porteiro de hora em hora pra saber se chegou alguma coisa pra mim... E quando a resposta é afirmativa, corro para buscar e volto como se a cartinha fosse algo muito precioso... E de certa forma é. Você tocou naquele papel, passou um tempo escrevendo cada pensamento, gosto de imaginar que deu um beijo antes de colocar no envelope... E então o enviou para mim.

Por aqui tudo bem, estou gostando do estágio. O pai do Leo é bem exigente mesmo, mas acho que ele tem gostado de mim. Acredita que no começo da semana ele até me elogiou na frente de todo mundo? Quer dizer, mais ou menos... Ele falou que "gostaria que todos os estagiários fossem como o Rodrigo...". Bom, acho que isso é uma espécie de elogio.

A faculdade está começando a apertar. Tenho provas marcadas para o começo de março e um monte de trabalhos também... E como agora só dá tempo de estudar à noite, ando bem cansado...

Pri, sei que já te falei, mas quero reforçar que eu não confio muito naquele Ruy. Não gostei do jeito dele... Naquele dia que ele foi com o seu pai me liberar da cadeia, achei que se referiu a você com muita intimidade... E você ainda me conta que a esposa dele é muito mais nova... Sei não, preferia que você ficasse longe desse cara. Mas só quero o seu bem. Se você resolver se tornar uma atriz, saiba que vou ser seu fã número 1! E pensando bem, você tem mesmo uma vocação para o drama...

A Daniela pergunta de você todo dia que vem aqui em casa. Ela falou que está com saudade da gente jogar War e Imagem e Ação, e que você não tinha nada que ter mudado de cidade sem se despedir dela! O Daniel e ela voltaram de Florianópolis falando superbem da cidade. Eles amaram e disseram que nós precisamos conhecer! Quem sabe a gente passa as próximas férias lá? (Quer dizer, alguma das próximas, não sei quando vou ter dinheiro pra isso, agora que vou guardar todas as minhas economias pra te ver em SP...) O Alan é outro que sempre convida para irmos visitá-lo na Bahia. Pena que você não gosta muito de camping... e nem do Alan.

O clima aqui em casa está melhorando. Talvez por estar indo bem no estágio, meu pai parou de me olhar como se eu fosse uma aberração... Gostaria que ele voltasse atrás e liberasse a minha poupança! Eles não a fizeram para mim? Então eu deveria poder usá-la da maneira que achar melhor. E nada melhor do que te encontrar... Estou com tanta saudade que já até pensei em vender o meu carro. Mas antes vou tentar conseguir dinheiro para as passagens de outras maneiras.

Por falar nisso, tenho uma boa notícia! O meu irmão conhece o pessoal de uma banda e eles estão precisando de um baterista provisório, pois o deles está fazendo um curso no exterior. Não é uma banda famosa nem nada, mas eles tocam todas as sextas-feiras no Jack Bar. Além disso, mandei um e-mail para os meus ex-alunos de inglês avisando que vou dar aulas particulares, apenas no sábado, e duas alunas adoraram saber, elas inclusive já combinaram o horário!

Por isso, acho que logo vou juntar dinheiro suficiente para ir te ver. Mas até lá, fico aqui contando os dias para a sua vinda. Nunca estive tão ansioso para o Carnaval, ainda bem que está chegando!

Pri, a carta desta vez vai ser um pouco menor, porque a maioria das minhas novidades você já sabe, apesar de ter insistido pra eu contar tudo novamente no papel... Mas é que agora eu tenho que passear com o Bombom e a Estopa, que estão a ponto de fazerem xixi no meu quarto! Eles dois me mandaram falar que estão com saudade de você! E quem não está? Gostaria de caber no envelope para ir junto com este papel.

Mil beijos, te amo muito!

Rodrigo

39

Stefan: Se fosse minha escolha, eu escolheria ficar com você para sempre.

(The Vampire Diaries)

Depois que o Rodrigo foi embora de São Paulo, o tempo começou a passar muito devagar. Apesar das novidades, os dias pareciam intermináveis e nem a chegada da Samantha e do Arthur me animou o suficiente para me fazer esquecer que eu estava longe dele. Por isso, na primeira oportunidade, dei um jeito de ir para BH, e foi exatamente no Carnaval.

Viajei já na sexta, no final da tarde, e o Rodrigo me buscou no aeroporto. Depois de ficarmos uns 15 minutos no estacionamento, matando (quase) toda a saudade, ele começou a dirigir e, à medida que nos aproximávamos da cidade, percebi uma sensação estranha no peito... Antes, aquela cidade era "nossa". Agora era apenas "dele".

Tinha pouco mais de um mês que eu havia me mudado, mas quanta coisa estava diferente... Normalmente, passamos pelas mesmas ruas dia após dia, então não notamos uma árvore crescendo ou um prédio sendo construído. Nosso olhar se acostuma com a paisagem, e um belo dia a árvore está grande, o prédio está pronto, sem a gente nem perceber. Mas quando saímos do ambiente e depois voltamos, notamos as diferenças todas... Aquele outdoor não estava ali. Aquela loja não existia. Aquela casa foi pintada...

Porém, logo percebi que as maiores diferenças não estavam no panorama, e sim nas pessoas. Eu esperava chegar a BH e encontrá-las como eu havia deixado, afinal, tinha se passado pouco tempo desde a minha mudança. Mas todo mundo estava diferente, pelo menos em relação a mim...

Fomos direto para a casa da minha avó, onde eu ia ficar. Minha intenção era apenas dar um beijo nela, deixar a minha mala e sair com o Rô, mas ela tinha feito o maior lanche para me receber e até convidado a minha tia e a Marina! Fiquei feliz com aquele carinho todo, mas também surpresa, pois durante os seis anos que morei em BH eu nunca tinha ganhado uma comemoração por motivo nenhum... Mas quando questionei isso, minha avó apenas disse: "Mas o motivo é exatamente a sua presença! Agora a gente tem que aproveitar quando você está aqui... Não sei quando você volta". Então vi que era exatamente o que eu estava sentindo também. Eu queria aproveitar ao máximo, pois não tinha ideia de quando seria a próxima vez.

Depois do lanche, fomos direto para a casa do Rodrigo, pois outra reunião estava marcada lá! A Daniela, a namorada do Daniel, tinha preparado uma noite de "jogos, queijos e vinhos", como costumávamos fazer de vez em quando. Por muito tempo eu tinha desejado ter uma amiga que namorasse algum amigo do Rodrigo, para podermos fazer esses programas de casal... Cheguei a pensar que havia conseguido isso quando a Fani e o Leo finalmente se acertaram, mas os meus planos logo foram por água abaixo. Porém, eu não contava com um detalhe... o destino!

Quando eu tinha 16 anos, eu e o Rodrigo passamos um dia inteiro terminados, e o Alan e o Leo, para animá-lo, fizeram com que ele tomasse um porre. Naquela noite, eu imaginei mil coisas, que ele ia arrumar outra, me esquecer, nunca mais querer saber de mim... Mas um anjo da guarda apareceu e fez com que ele me desse notícias. Ou melhor, emprestou o celular para que ele fizesse isso. E assim eu descobri que, ao contrário do que pensava, ele havia passado o tempo inteiro falando do nosso namoro, chorando por mim. Por isso, dormi tranquila e feliz, e, já na manhã seguinte, nós reatamos. Desde aquele dia fiquei pensando numa forma de retribuir aquela ajuda e descobri como faria isso algum tempo depois. O "anjo da guarda", que na verdade era uma "anja", me mandou um e-mail perguntando se o Rodrigo não tinha um irmão. Na época, respondi que não tinha nenhum disponível, pois o Daniel namorava e o Marcelo eu não apresentaria nem para minha pior inimiga! Mas depois de alguns meses o namoro do Dani acabou e ele ficou meio pra baixo por causa disso... A minha mente então na mesma hora se encarregou de juntá-lo com a Daniela, que apesar de eu conhecer havia pouco tempo, já considerava uma amiga. E aí foi fácil. Falei bem dela para ele. Fiz o filme dele com ela. Combinei com o Rô de sairmos especialmente para apresentá-los... E no momento em que os dois se cumprimentaram, eu soube que tinham sido feitos um para o outro! Provavelmente foram mesmo, porque ainda agora, mais de dois anos depois, eles continuavam com a maior cara de apaixonados e sem conseguir ficar separados um dia sequer.

Por muito tempo os dois foram nossa companhia constante. Sempre considerei o Daniel o meu preferido entre os irmãos do Rodrigo, sair com ele e a Daniela era divertido e leve... E exatamente por isso eu sentia tanta saudade.

Pelo que o Rodrigo me contava, não era só eu. Os Danis (como eu os chamava) também sentiam falta de mim e desses nossos programas juntos. E tive a prova disso naquele encontro que eles organizaram. A banda inteira do Daniel havia alugado uma casa em Tiradentes para passar o Carnaval, e, em vez de os dois irem com todo mundo na sexta, deixaram para ir no sábado, apenas para passarem uma noite comigo.

"Priiiiii", a Daniela falou assim que eu consegui que o Bombril e a Estopa parassem de pular em mim. "Isso não se faz, viu, amiga?! Eu viajei e você estava em Los Angeles, com mil planos para o futuro em Belo Horizonte! Quando eu volto, a senhorita está morando em São Paulo?! Poxa, isso enfraquece a amizade!"

Dei um abraço apertado nela e outro no Daniel, e então os dois já começaram a organizar os jogos, a abrir um vinho e a servir os tira-gostos, pois queríamos aproveitar cada segundo daquela noite.

Entre uma partida e outra, conversávamos. Em certo momento, a Dani perguntou: "Pri, o Rodrigo falou que você foi convidada para ser atriz?! Que história é essa? Vou poder matar a saudade de você na novela?!".

Ri e expliquei que aquilo infelizmente não seria possível...

"O amigo do meu pai é empresário e olheiro", comecei a contar. "Ele que conseguiu que eu participasse daquele programa para encontrar os coelhos. E depois de me ver na TV, ele falou que eu tenho talento, que sou desinibida, que fico bem no vídeo, essas coisas..."

"Só um cego não enxerga isso, né, Priscila?!", o Daniel opinou. "Na época que você foi presidente do Grêmio, lembro que o Rodrigo chegava aqui todo enciumado, pois não estava nada feliz em ver os olhares dos outros caras admirando a sua *desenvoltura* ao falar em público..."

O Rô ficou sem graça, eu ri, dei um beijo nele e continuei a explicação: "Aí ele perguntou se eu gostaria que ele fosse meu empresário. Ele falou que me pagaria uns cursos de Teatro e interpretação pra TV, para que eu aprendesse algumas técnicas. Mas segundo ele meu 'talento' é natural, ele acha que levo jeito pra coisa. Ele falou que até nome artístico eu já tenho!".

Comecei a me lembrar do momento em que, na casa do Ruy, no dia do jantar em que ele tinha se oferecido para ser meu empresário, ele havia perguntado meu nome completo e, assim que eu disse, comentou: "Não estou falando?! Você nasceu para o mundo artístico. Até nome de estrela já tem! Imagina só: 'No elenco: Priscila Panogopoulos'! Ou seria melhor: 'Priscila Vulcano'? Puxa, os dois dão certo, tenho que pensar melhor sobre isso...".

O Rodrigo e o Daniel começaram a rir, me chamando ora de Priscila Panogopoulos, ora de Priscila Vulcano, mas então a Dani interrompeu: "Mas e aí? Você não aceitou?".

"Eu cheguei a fazer um teste para uma peça", expliquei para ela. "Ele me passou um texto, pediu pra eu decorar... e no dia marcado a minha mãe foi comigo."

Vi que o Rodrigo estava meio desconfortável. Ele já sabia aquela história e não estava dando muita força, talvez por não ter ido com a cara do Ruy. Mas eu na verdade tinha gostado muito dele...

"E o que deu?", a Daniela perguntou mais uma vez, visivelmente curiosa.

Sorri ao me lembrar daquele dia. Ao final do teste ele havia dito: "Como eu imaginava, você foi incrível! Me disseram que, se você quiser, o papel é seu. Mas eu realmente acho que essa personagem é muito pequena pra você. Se eu for seu empresário, quero que você comece por cima, em uma grande produção, para ficar conhecida de primeira. Só indiquei esse teste para provar que você tem mesmo talento. E então?".

Contei isso para eles e também que eu havia dito que ia pensar, mas que ainda não tinha dado nenhuma resposta. Na verdade, eu não sabia se aquela vida era para mim... Apesar de não estar muito empolgada com a faculdade, eu não me imaginava interpretando profissionalmente. Sim, eu tinha que admitir que adorava falar em público e ser o centro das atenções... E antes dele algumas pessoas já haviam falado que eu tinha jeito pra coisa, como o Alejandro no *outlet* e a coordenadora de *casting* da Disney. Mas eu via aquilo muito mais como uma brincadeira do que como uma carreira...

Expliquei isso para os Danis, que falaram que era uma pena para o mundo artístico, mas um alívio para o Rodrigo, que não teria que dividir a namorada com vários outros fãs... Eu brinquei que ele teria sempre entrada VIP no meu camarim, nós rimos mais um pouco e então passamos a conversar sobre outros assuntos. Contei das minhas novas amigas de SP, que a Samantha e o Arthur tinham acabado de chegar dos Estados Unidos e que eu fiquei surpresa de ver como a barriga dela já estava grande. Ela estava com quase cinco meses, mas ainda não sabia o sexo do bebê. E eu louca para saber se teria um sobrinho ou sobrinha, mas teria que esperar o próximo ultrassom...

O resto da noite passou voando e os outros dias mais ainda. Eu e o Rô só nos separamos para dormir, pois o meu pai tinha mandado a minha avó me vigiar... Dessa forma, por mais que eu quisesse passar a noite na casa dele, sabia que isso prejudicaria as minhas próximas idas a BH... Então tivemos que nos contentar em aproveitar cada segundo durante o dia, e, talvez por isso, as horas passaram tão rápido que, quando percebi, já era terça-feira, e no dia seguinte eu teria que voltar para casa...

"Não quero ir embora...", falei quando ele já estava me levando de volta para o aeroporto. "Faz o tempo parar?"

Ele ficou um pouco calado, mas então segurou minha mão dizendo: "Lembra o que eu falei no mês passado, quando fui embora de São Paulo? Eu disse que o tempo ia passar rápido, e realmente passou, embora menos do que eu gostaria... E agora eu digo a mesma coisa. Vou tentar ir pra lá na Semana Santa e já estou tomando as providências para a transferência de faculdade. Quem sabe da próxima vez que você vier pra cá não vai ser pra me ajudar a arrumar a minha mudança pra lá também?

Dei um abraço nele e fiquei assim até chegar ao aeroporto.

Tudo que eu mais queria era que aquele avião fosse uma máquina do tempo e me levasse em direção ao futuro. Eu gostaria muito de chegar lá depressa...

40

> <u>Hurley</u>: Você precisa fazer a sua própria sorte!
>
> (Lost)

1. I'll Be Your Man – James Blunt
2. A Thousand Years – Christina Perri
3. Marry Me – Jason Derulo
4. You'll Always Be Mine – Phath

Depois do Carnaval, os dias começaram a passar muito devagar, e aguentar a saudade que eu sentia da Priscila ficou ainda mais difícil. Com isso, uma ideia fixa que havia começado a marcar presença na minha cabeça desde a minha volta de São Paulo aumentou ainda mais, e por vários motivos:

1 – A semana que eu e a Priscila passamos sozinhos na casa dela. Foi tudo tão "fácil", tão natural, que fiquei com vontade de que durasse para sempre...

2 – A lembrança de, no dia da fuga dos coelhos, os pais dela terem dito para os meus que parecíamos "estar prontos", pois nos encontraram como se fôssemos marido e mulher...

3 – O clima do momento em que perguntei se ela aceitaria, caso eu a pedisse... Na verdade, se os nossos pais não tivessem aparecido no quintal, eu certamente teria feito o tal pedido naquele mesmo instante, por causa da "atmosfera mágica" que pairou sobre nós ali... Se fosse cena de um dos seriados de que a Priscila gosta, certamente isso teria acontecido.

4 – O último, mas o mais importante: o fato de ela ter dito que aceitaria.

Mas ainda bem que não fiz pedido nenhum naquela ocasião, pois assim pude refletir bastante a respeito, sem ser precipitado. Porém, a cada vez que aquele pensamento voltava, ele parecia mais certo, e aos poucos eu comecei a me sentir feliz sempre que ele vinha à minha cabeça... E por isso comecei a planejar uma forma de tornar aquele momento o mais perfeito possível.

Nós costumávamos comemorar o nosso aniversário no dia 6 de junho, que foi quando realmente assumimos o namoro. Mas nessa data ela sempre esperava alguma surpresa, e, exatamente por isso, acabava não sendo surpresa nenhuma... Então tive uma ideia. Revirei o meu quarto até encontrar um antigo caderno, ainda da época da escola. Eu só não o havia jogado fora junto com os outros da mesma série porque tinha algo ali que eu queria guardar... As anotações sobre alguns trabalhos de Geografia que eu havia feito com a Pri, seis anos antes, em uma época em que eu nem de longe imaginava que a namoraria por tanto tempo, antes mesmo do nosso primeiro beijo... E era exatamente aquilo que eu queria saber: quando aquele beijo havia acontecido. Como eu sabia que tinha sido um dia antes da data de entrega do trabalho final (que por sinal nós acabamos não entregando), seria fácil calcular.

E foi então que descobri: 27 de abril.

Corri para o calendário e vi que o destino estava me favorecendo... Cairia exatamente na Semana Santa! Seria ótimo porque eu poderia ficar um dia a mais lá. Então planejei tudo e comecei a preparar. Para aquilo dar certo, eu precisaria de cada centavo que conseguisse reunir. Afinal, além da passagem, eu teria que comprar um certo *presente* para ela...

Não contei para ninguém o que eu estava prestes a fazer. Eu sabia que todos achariam que eu tinha perdido a cabeça e me recriminariam por ter apenas 20 anos e já querer me casar, mesmo já tendo quase seis anos de namoro... Mas não era bem isso. Sim, eu queria me casar com a Priscila e na verdade eu sempre soube disso, desde o dia daquele primeiro beijo, ou até antes. Eu tinha certeza de que queria ficar com ela para sempre. Só que, exatamente por saber disso – que se dependesse de mim eu passaria o resto da minha vida ao lado dela –, eu não tinha pressa... Eu sabia que aquilo aconteceria mais cedo ou mais tarde. E o que eu queria é que ela soubesse da minha *intenção*. Eu não era (totalmente) maluco, eu sabia que o casamento só poderia acontecer mais pra frente, quando tivéssemos condições financeiras.

Mais de um ano antes, quando a Natália e o Alberto ficaram noivos, a Priscila quase terminou comigo simplesmente porque eu não tinha feito o pedido também, falou que eu não a amava, entre várias outras coisas... Mas não era nada disso, não era como se eu não quisesse. Na ocasião ainda estávamos terminando o colégio e um casamento parecia algo muito distante... Mas de repente algumas coisas novas fizeram com que meu pensamento sobre isso amadurecesse um pouco. Acho que de certa forma eu cresci com o início da faculdade. Além disso, desde o momento em que ela avisou que se mudaria para São Paulo, comecei a sentir como seria árduo ficar sem ela. E quando isso realmente aconteceu, vi que eu estava errado. "Árduo" era um adjetivo que não cabia nesse caso. A palavra mais exata seria "impossível".

Eu *precisava* da Pri por perto.

Assim que tive a certeza de que aquela era a coisa certa a se fazer, parece que tudo começou a me favorecer. Em primeiro lugar, fiz as contas e vi que o dinheiro que eu tinha economizado desde o começo do ano com os shows e a aulas já dava para bancar uma viagem de ida e volta para SP. Mas subitamente encontrei uma grande promoção em um site de viagens e acabei gastando apenas metade do que eu esperava. Por isso agora eu só precisaria economizar mais um pouco para comprar o anel. Sim, eu não queria dar para ela a aliança de uma vez, ela merecia um anel de noivado, como faziam nas séries de TV, naqueles episódios de pedidos de casamento a que ela não se cansava de assistir. Além do mais, eu conhecia perfeitamente a minha "futura noiva"... Eu sabia que ela gostaria de escolher o modelo da aliança, e isso poderíamos fazer futuramente.

Para completar, o resultado do meu pedido de transferência saiu. Nem acreditei quando abri o envelope que a moça da secretaria me entregou e vi que estava escrito "Deferido"! Então, no próximo semestre eu já poderia ser um aluno da PUC-SP!

Sim, "poderia". Porque o problema agora seria como me manter lá... Apesar de ter feito as pazes com meu pai, eu sabia perfeitamente que ele não concordaria com aquela mudança se não fosse por um motivo muito importante.

Pensando nisso, resolvi conversar com o pai do Leo. Eu já havia provado para ele que era uma pessoa responsável, e o elogio que ele havia me feito um tempo atrás provava que ele confiava em mim. Quem sabe ele tinha planos de abrir alguma filial em São Paulo ou conhecia alguma outra empresa para a qual poderia me indicar (e que me pagasse o suficiente para eu me manter lá)...

Eu não achava conveniente conversar com o Rubens no horário do trabalho, pois não queria que ele estivesse ocupado ou com a cabeça cheia de problemas. Por isso, aproveitei as informações extras que eu tinha por ser melhor amigo do filho dele. Eu sabia que todos os sábados de manhã ele costumava correr na Praça JK. O Leo sempre comentava que o pai não parava de tentar convencê-lo a ir junto (o que o Leo nunca fazia, pois odiava acordar cedo, ainda mais no sábado). O único problema é que eu não sabia exatamente o horário que ele ia. O Leo dizia que era "cedo", mas isso é muito subjetivo... Eu acho 9h da manhã cedo, a Priscila acha que cedo é qualquer horário antes das 11h. Como eu não sabia em qual dos "cedos" o pai do Leo se encaixava, coloquei o despertador para as 6h do sábado seguinte.

Quando ouvi o alarme, quase desisti. Eu havia tocado em um bar na noite anterior até 1h da manhã e chegado em casa às 2h. Ou seja, tive vontade de zunir o despertador na parede. Mas então a imagem da Priscila me veio à cabeça. E aquilo foi suficiente para que eu empurrasse o lençol (e o sono) para o lado e entrasse no chuveiro.

Em menos de meia hora eu já estava na praça com os meus cachorros. O único problema é que o Bombril e a Estopa queriam correr para todos os lados e eu tinha que ficar parado, para não correr o risco de me desencontrar do Rubens.

Dei uma volta rápida com eles e, depois de tentarem me puxar por mais algum tempo, os dois desistiram e se deitaram. Eu me sentei em um banco e esperei.

Pessoas chegaram, foram embora e as horas foram passando, sem que o pai do Leo aparecesse. Eu já estava achando que ele não correria naquele sábado ou que eu tinha confundido o nome da praça. Quando pensei em desistir, por sentir que meus cachorros estavam cansados e eu morto de fome, ele apareceu. Pelo visto o conceito de cedo dele significava 10h da manhã.

Levantei depressa e comecei a andar na direção oposta à que ele estava vindo. Meus cachorros, satisfeitos por finalmente terem alguma atividade, vieram atrás de mim latindo. E foi exatamente isso que chamou a atenção do Rubens. Ele estava fazendo alongamento para começar a correr, mas, quando ouviu os latidos, olhou para o lado. Ao me ver, levantou as sobrancelhas, surpreso.

"Rodrigo!", ele falou, vindo me cumprimentar. "Que coincidência te encontrar aqui."

Se ele ao menos soubesse...

"Sim!", fiz cara de surpreso. "Como o senhor sabe, eu moro aqui perto. Sempre trago os meus cachorros aqui, mas geralmente venho mais cedo..."

"Que estranho!", ele falou parecendo ainda mais admirado. "Sempre venho bem antes, por volta das 7h, mas estamos com hóspedes em casa, a irmã da Maria Carmem e o marido. Ele disse que adoraria correr comigo, mas que o meu horário normal era cedo demais... Por isso hoje vim mais tarde um pouco."

Definitivamente existiam conceitos diferentes para a palavra *cedo*... Mas eu nem estava pensando mais nisso, fiquei desanimado no momento em que ele disse que o cunhado tinha vindo correr com ele. Agora não teríamos como conversar... Eu não poderia expor meus problemas na frente de outra pessoa.

"Ele só foi ali comprar uma água de coco, disse que é importante hidratar antes da corrida...", o Rubens continuou a falar. "Esses cariocas... Será que ele acha que aqui faz aquele calor do Rio de Janeiro?"

No momento em que ele disse isso foi como se dois fios tivessem se encontrado na minha cabeça e uma luz se acendido. Se o tal cunhado era do Rio, só podia ser o pai do Luigi, o primo do Leo! Então me lembrei que a mãe dele só tinha mesmo uma irmã! Como meu raciocínio estava lento... Com certeza era por ter acordado cedo demais... para os meus padrões.

Eu tinha acabado de pensar isso, quando ele apareceu, com um coco na mão.

"Rodrigo!", ele disse parecendo ainda mais surpreso que o pai do Leo. "Que coincidência!"

"Vocês se conhecem?", o Rubens perguntou com as sobrancelhas franzidas.

Apenas assenti, enquanto o tio do Leo, que eu me lembrei que se chamava José Carlos, explicou: "O Rodrigo passou uns dias com a gente em dezembro passado, foi visitar o Leo!".

"Ah, claro...", o Rubens concordou, parecendo se lembrar. Provavelmente o Leo havia comentado com ele. E se virando para o cunhado, disse: "Agora o Rodrigo trabalha comigo. Quer dizer, por enquanto ele é estagiário, mas tem se destacado muito. Com certeza tem futuro se continuar assim."

"Não duvido!", o José Carlos falou. "Lá em casa todo mundo gostou dele! Acredita que ele até lava a louça sem reclamar? Minha mulher falou que não precisava, mas todo dia ele fazia questão de ajudar, disse que era o mínimo que podia fazer para agradecer a hospedagem!"

Os dois conversavam como se eu não estivesse bem ali do lado, alheios à vergonha que eu estava sentindo. Poxa, precisava falar para o meu chefe que eu "gosto" de lavar louça? Agora só faltava ele incluir isso na minha lista de tarefas no trabalho e me mandar lavar as xícaras de café da empresa inteira!

Como vi que meus planos tinham ido por água abaixo, resolvi ir embora. Eu estava bem cansado por ter dormido pouco e esperado ali todas aquelas horas. Porém, quando comecei a me despedir, o Rubens disse: "Mas já? Vamos dar uma corrida com a gente! Seus cachorros estão parecendo ávidos para fazer um exercício! Você pode ter vindo só para paquerar, mas eles merecem dar uma corridinha...".

Ele disse isso meio apontando para umas garotas que estavam passeando com uns shih tzus, e que pareciam estar falando sobre mim, mas eu nem tive tempo de processar se elas eram bonitas e se realmente estavam me olhando. Na mesma hora balancei a cabeça dizendo: "Não, não, eu namoro há anos, o senhor conhece a Priscila. Vim pra correr mesmo. Na verdade, já corri, meus cachorros é que são incansáveis...".

"Ah, então descansa um pouquinho e depois vamos tomar um chopinho com a gente!", o José Carlos disse. "Não vamos correr muito, no máximo meia-hora!"

Vi que o pai do Leo pareceu achar pouco, mas não quis contrariar o cunhado. Por isso, apenas disse: "Sim, Rodrigo. É até bom conversar com você fora da empresa. Estou com saudade do Leo e você sempre me lembra dele".

Eu não podia recusar, por isso disse que ia aproveitar aquele tempo para deixar os cachorros em casa e que em 15 minutos estaria de volta.

Na verdade, a corrida deles durou no máximo 20 minutos, pois quando cheguei os dois já estavam sentados em um quiosque na frente da praça, com dois copos de cerveja na mesa. Ao me verem, fizeram sinal para o garçom trazer mais um.

Sentei e comecei a conversar com eles. Eu estava com receio de que o assunto fosse girar em torno de trabalho ou algum outro tema entediante, mas não foi nada daquilo. Talvez pela descontração proporcionada pelo álcool ou pela atmosfera leve daquele dia bonito de outono, falamos apenas sobre assuntos agradáveis, como futebol, música, cinema e mulheres... E foi nesse último tópico que de repente percebi que ter perdido a metade do meu sábado talvez não tivesse sido tão em vão quanto eu achava...

"Você e a Priscila namoram há muitos anos, não é, Rodrigo?", o Rubens perguntou enchendo os copos mais uma vez.

Respondi que íamos completar seis anos em junho, e ele então começou a falar do quanto havia ficado chateado quando o Leo e a Fani terminaram, mas que pelo nível da paixão que o

Leo sentia por ela sabia que aquilo tinha grandes chances de não terminar bem, pois as coisas só dão certo quando começam e se desenvolvem devagar. O José Carlos concordou, dizendo que o Luigi e a Marilu também já namoravam há vários anos e que tinha certeza de que aquilo ia dar em casamento.

Foi quando o Rubens perguntou: "E você, Rodrigo, já pensa em se casar?".

Talvez por não estar esperando, ou por já estar no quarto copo de cerveja, engasguei e enrubesci, o que fez os dois começarem a rir e ficarem com uma ideia completamente errada, como se eu tivesse aversão a casamento ou algo assim.

Por isso, tentei reverter aquela impressão, dizendo que queria muito me casar com ela sim, mas que atualmente até namorar estava complicado, pois ela havia se mudado com a família para São Paulo.

"E com a faculdade e o estágio, não tenho tempo para trabalhar também em outro lugar para poder economizar e comprar passagens para visitá-la..."

"Mas seu estágio não é remunerado?", o José Carlos olhou meio admirado para o Rubens, que explicou que no planejamento da empresa não constava verba para estagiários, que o máximo que podiam fornecer eram vales-transportes, mas que, se eu continuasse me destacando, em breve poderia ser contratado e começar a receber um salário de iniciante.

Fiquei feliz com aquela informação, mas um segundo depois me dei conta de que eu não continuaria a me destacar, pois, se meus planos de mudar de cidade dessem certo, eu sairia da empresa. E então me lembrei que era exatamente por causa daquilo que eu tinha ido ali, para conversar com o Rubens a esse respeito. Eu não queria falar sobre isso com a presença de outra pessoa, mas ali estava a minha chance de tocar no assunto...

"Obrigado, prometo continuar me esforçando", falei para o Rubens, mas emendei: "Só que, como veem, o casamento ainda vai demorar, se é que vai acontecer... Mesmo que eu tenha dinheiro pra visitar a Priscila com mais frequência, vamos continuar a ser um casal que se encontra apenas aos finais de semana. Tenho medo que isso acabe esfriando o relacionamento... Eu até consegui transferência para a faculdade de São Paulo, mas não tenho como me manter lá, então acho que vou ter que cancelar a solicitação e continuar por aqui. Espero que o namoro resista..."

Falei aquilo tentando colocar bastante drama na minha entonação, para comovê-los. E acho que funcionou, porque os dois ficaram pensando um pouco, e então o José Carlos perguntou: "Rodrigo, você está em qual período?".

Contei que estava começando o terceiro, e ele disse: "Acho que eu posso te ajudar, mas só não quero me indispor com o meu cunhado, roubando o funcionário dele...".

O Rubens na mesma hora levantou as mãos na frente do peito e falou: "De forma alguma, quem sou eu para atrapalhar a felicidade de alguém! Gosto muito da Priscila, lembro de quando vocês dois eram praticamente crianças e já 'brincavam de namorar'! Eu não imaginava que ia durar tanto, mas quero que vocês sejam muito felizes!".

O José Carlos então começou a explicar, e uma ansiedade gigante tomou conta de mim. Ele disse que tinha uma empresa de softwares e que atualmente estavam desenvolvendo alguns editores de áudio, especialmente voltados para estúdios de gravação e escolas de música.

"Nossa base é no Rio, mas preciso de alguém que visite esses locais em São Paulo para fazer pesquisa, saber se estão gostando do nosso material e também para descobrir as demandas, as carências do mercado, assim poderemos sair na frente. A partir daí, é preciso colocar tudo em planilhas e fazer gráficos, para analisar nosso desempenho e crescimento. Se você está no 3º período de Administração, certamente já sabe como fazer isso. Atualmente eu mando uma vez por mês um funcionário para São Paulo, que fica durante toda a semana. O que posso fazer é te pagar um salário e acrescentar o valor que eu gastaria na passagem como acréscimo. Não é um estágio, é um emprego mesmo. Mas é importante você gostar de música, afinal, vai lidar com pessoas desse meio o tempo inteiro..."

269

"Eu sou baterista!", falei, muito feliz de saber que eu poderia trabalhar com Administração e Música ao mesmo tempo! Tive vontade de abraçá-lo! E pensar que eu tinha chegado a achar que por causa dele o meu plano daria errado... Mal sabia que ele seria a pessoa a oferecer uma solução para os meus problemas!

Ele continuou a explicar o que eu teria que fazer e falou que, se eu quisesse, a vaga era minha.

Agradeci mil vezes, falei que topava sim, mas de repente me lembrei de um detalhe: "Só tem um problema... A minha transferência pra faculdade de lá é a partir do semestre que vem. Por isso, pelo menos até junho eu tenho que continuar em BH".

Ele pensou um pouco e então falou que não tinha problema, mas seria bom se ele pudesse já ir me mandando umas coisinhas por e-mail para eu fazer de casa mesmo.

"E, claro, vou te pagar por isso. Não é ainda o que você realmente vai receber, mas uma comissão por cada relatório que você me entregar..."

Concordei na hora, e então o Rubens disse: "Puxa, acho que então eu te perdi, Rodrigo... Fico feliz por você, mas estou com pena do estagiário que entrar no seu lugar, a comparação vai ser inevitável!". Eu ri e ele então disse: "Vamos combinar uma coisa. Quero que você vá mais esta semana, para finalizar o trabalho que já estava em andamento. É bom que nesse período você conversa com os seus pais e com a Priscila, para contar as novidades e também pra ter certeza de que é isso mesmo que você quer. E, se for, eu já finalizo o seu contrato, e você terá tempo para os trabalhos do José Carlos e também para começar a preparar a mudança. Vou também te dar uma carta de recomendação, para que você possa anexar ao seu currículo, caso precise no futuro".

Agradeci aos dois mil vezes e até pedi outra cerveja para o garçom, para brindarmos. Por minha conta daquela vez.

41

> <u>Cameron</u>: *Eu não quero desistir dela. Quero ser aquele cara dos filmes que nunca desiste e eventualmente ganha a garota.*
>
> (10 Things I Hate About You)

1. Just The Way You Are – Bruno Mars
2. Everlasting Love – Jamie Cullum
3. We Just Don't Care - John Legend
4. Virginia Moon – Foo Fighters

Eu realmente pensava que meus pais fossem gostar de saber que eu tinha recebido uma proposta para trabalhar em São Paulo. Afinal, era um emprego de verdade, e não um simples estágio! Mas a reação deles não foi bem a que eu previa...

Primeiro a minha mãe, que começou a chorar! Disse que não ia conseguir ficar sem o caçulinha dela, que achava que ainda ia demorar muitos anos para eu sair de casa... Já o meu pai ficou meio calado inicialmente, mas logo começou a fazer mil perguntas sobre o tal emprego, desde quanto eu ia ganhar até o endereço do local! Eu não sabia responder a nenhuma dessas perguntas, o José Carlos só havia falado que me pagaria o suficiente para eu alugar um pequeno apartamento. Ele só sossegou quando eu expliquei que essa empresa era do tio do Leo, na casa de quem eu inclusive havia ficado quando fui visitar o Leo no Rio. Mas, apesar disso, notei que ele ficou com a cara meio fechada durante o resto do dia.

O Daniel me chamou no quarto dele fingindo que ia me mostrar alguma música nova, mas em vez disso ficou dizendo que, se eu estivesse fazendo isso por precisar de dinheiro, ele poderia conseguir outras bandas em que eu pudesse tocar e que também me indicaria para umas pessoas que queriam um professor de bateria... Expliquei que não era nada disso, que a razão da mudança era apenas por eu querer voltar a morar perto da minha namorada. Ele então ficou mais preocupado. Falou que eu não podia construir a minha vida em volta da Priscila, que, se algum dia o namoro acabasse, eu ficaria perdido, e mais várias outras coisas que eu esperaria ouvir da boca da Sara ou do João Marcelo, mas não dele, que sempre havia me apoiado e que inclusive adorava a Pri. Por isso, apenas o agradeci pelo conselho e fui para o meu quarto, para curtir sozinho a bolha de felicidade em que eu me encontrava. Pela primeira vez em vários meses eu não estava me sentindo com uma nuvem negra em cima da cabeça, muito pelo contrário, ao meu redor tudo estava mais claro e, finalmente, eu enxergava a minha vida indo para algum lugar.

Resolvi ligar para a Priscila e contar a novidade, mas parei assim que peguei o telefone. Aquilo também poderia fazer parte da surpresa se eu contasse pessoalmente... Deixaria tudo ainda mais especial. Eu contaria que tinha conseguido a transferência, o emprego, e em seguida faria o pedido...

Fiquei sorrindo para o teto por um tempo, até que resolvi começar a cuidar dos preparativos. Faltavam só três semanas para a minha viagem e eu queria que tudo ficasse perfeito!

Minha família acabou se acostumando com a ideia, e minha mãe até perguntou se eu gostaria que ela fosse comigo até São Paulo para ajudar a escolher o meu apartamento. Expliquei para ela que aquilo aconteceria mais pra frente, mas ela estava tão ávida para ajudar que acabei falando que se ela quisesse podia começar a procurar em sites de imobiliárias para ir adiantando...

Quando o dia finalmente chegou, eu estava nervoso. Apesar de estar com tudo preparado, um aperto ia e voltava no meu peito, e eu acabei percebendo que aquela sensação era apenas por estar iniciando um novo ciclo da minha vida. Ainda não era a viagem definitiva, mas era naquela que eu ia compartilhar com a Priscila os planos para o meu futuro... ao lado dela.

Chegar a São Paulo depois de dois meses foi meio estranho. Em janeiro eu havia ido junto com a Pri, então foi como se nós dois estivéssemos passeando. Mas apenas agora eu sentia que ela realmente morava ali. E que eu era uma *visita*...

De cara notei que ela estava totalmente adaptada. Claro, estranho seria se não estivesse, mas acho que de certa forma eu pensei que ainda seria como da outra vez... Ela já conhecia a cidade, mas fez questão de visitar os lugares de novo comigo. Só que agora ela estava supersegura, dirigindo para todos os lados, sabendo como fugir dos engarrafamentos e contando casos de pessoas que eu não conhecia.

Eu já tinha notado um pouco disso no Carnaval, quando ela havia ido a BH. Se convivemos com uma pessoa no dia a dia, não enxergamos as pequenas transformações pelas quais todos nós passamos diariamente. Mas ao ficar sem ver alguém por semanas, ou até meses, percebemos coisas que não estavam ali da última vez. No caso da Pri, a primeira diferença que notei foi no sotaque. Na primeira carta que havia me escrito, ela tinha contado que só de falar as pessoas percebiam que ela tinha vindo de outra cidade... Não sei se por querer se enquadrar o mais rápido possível ou quem sabe por já ter morado ali e ter recuperado depressa, o fato é que agora a entonação dela estava bem parecida com a que ela tinha quando chegou a BH aos 13 anos. Por telefone não era tão evidente, mas ao presenciá-la conversando com outras pessoas, senti como ela já estava em casa. Agora o "estrangeiro" era apenas eu. Mas aquilo seria questão de tempo...

Em seguida, notei outras mudanças. Agora ela tinha outras amizades... Ela não parava de falar na Pietra e na Anna Victória, duas novas amigas. Apesar de eu ainda não conhecer, já não ia muito com a cara delas... As duas eram totalmente baladeiras e não paravam de querer tirar a Priscila de casa. E, apesar de a minha namorada sempre ter sido caseira, ela vinha saindo muito com elas! Não que eu estivesse com ciúme, eu confiava na Priscila, só era estranho saber que ela estava fazendo coisas que não costumava fazer... Mas também eu não podia culpá-la. A Bruna e a Larissa estavam namorando e eu sabia por experiência própria que ficar "de vela" não era muito agradável. Eu estava passando por aquilo com o meu irmão também. Por muito tempo eu e a Priscila fizemos programas com o Daniel e a namorada, íamos juntos a shows, restaurantes, bares... E agora que a Pri não estava mais lá, os dois não paravam de insistir para eu continuar saindo com eles, mas aquilo não tinha a menor graça... Só que, mesmo assim, não corri para arrumar novos amigos e sair com eles como se o mundo fosse acabar amanhã...

E tinha também a casa dela. Era como se fosse outro local agora. Em janeiro parecia bem mais ampla, já que não tinha móveis. Agora, ela estava muito mais aconchegante. Com cara de "lar". Mas apesar de estar melhor, senti saudade de como ela era no começo do ano, nos dias que passamos lá sozinhos...

Fiquei feliz de ver que pelo menos uma coisa não tinha mudado. Os bichos. Assim que cheguei ouvi a voz do Pavarotti gritando meu nome. A Duna e o Biscoito começaram a fazer festa ainda na garagem. E quando abrimos a porta o Rabicó veio correndo me "cumprimentar", todo feliz. Eu o peguei no colo, olhei em volta, e percebi que mesmo com tudo diferente, o que eu sentia por estar ali não havia alterado: a sensação de estar em casa...

Depois de deixar minha mala no quarto de hóspedes (estava feliz por agora ter uma cama para dormir, mas a trocaria de bom grado por um colchonete duro no quarto dela), fomos para o quintal. Os coelhos estavam ótimos, sem o menor sinal de que haviam passado por uma grande aventura alguns meses antes. Então fui olhar o viveiro do Chico. De cara notei que ele estava mais magro, mas não era só isso. Em poucos meses, o furão da Pri parecia ter envelhecido anos! Estava com o pelo mais fosco e com umas partes brancas. E quando me viu não ficou de pé nas patas traseiras, como costumava fazer. Apenas girou em torno de si mesmo, mostrando que estava feliz, mas logo voltou a se deitar.

"Pri, depois daquela vez em fevereiro, você levou o Chico de novo no veterinário?", perguntei preocupado, tentando lembrar se ela havia me dito algo a respeito disso.

274

"Eu telefonei pra veterinária ontem...", ela disse com uma expressão meio preocupada. "Ele estava ótimo, mas há alguns dias começou a ficar quietinho e a comer muito pouco. Ela pediu pra eu levá-lo o quanto antes pra fazer novos exames, mais minuciosos, porque daquela outra vez não tinha dado nada, era só a adaptação à nova casa mesmo. Mas ela disse que especialmente pela idade é importante conferir toda vez que eu notar alguma diferença no comportamento dele, pois os furões têm o metabolismo alto, o que faz com que as doenças apareçam e evoluam rapidamente... Eu pensei em levá-lo hoje cedo, mas como você ia chegar, deixei para fazer isso amanhã, pra você poder ir comigo...

Fiquei feliz por ela ter me incluído, mas ao mesmo tempo triste por causa do Chico. Eu poderia estar enganado, e torci para realmente estar, mas eu achava que o caso dele era grave...

Em seguida a Priscila perguntou o que eu queria fazer.

"Matar a saudade?", perguntei, levantando o cabelo dela e dando um beijo na nuca. Ela arrepiou, sorriu pra mim e falou que a Lívia chegaria em 15 minutos. Eu já sabia que o pai dela estava viajando para o exterior e que só voltaria em duas semanas. Isso, confesso, havia me deixado satisfeito, pois seria como nos velhos tempos, quando a Priscila morava apenas com a mãe e a "vigilância" era bem mais leve.

"Quinze minutos?", perguntei, puxando-a pela cintura, enquanto continuava a provocá-la com beijos no pescoço. "Isso é praticamente uma eternidade..."

Ela sorriu para mim e então me puxou para entrarmos novamente em casa.

42

*Stefan: Você nunca faz nada pra ninguém,
a não ser pra si mesmo.*

(The Vampire Diaries)

Desde o momento da chegada do Rodrigo, eu comecei a achá-lo meio estranho. Não fisicamente, ele estava igualzinho, talvez até mais bonito, mas aquilo não era novidade... Para mim ele ficava mais lindo a cada dia.

Porém, o jeito dele estava um pouco fora do comum. Logo que chegou, parecia estar meio na defensiva, a cada comentário que eu fazia ele respondia com um ar meio irônico, como a gente fala com alguém que está querendo contar vantagem. Mas eu não estava contando vantagem, tudo que fiz foi falar sobre a faculdade e sobre minha vida em São Paulo, para que ele pudesse se sentir inserido também... Mas ele continuou com aquele ar desconfiado até chegarmos à minha casa. Aos poucos ele foi se soltando e acabou voltando ao normal... Quer dizer, quase. A impressão que eu tinha é que ele estava me escondendo alguma coisa, mas, por mais que eu perguntasse, ele dizia que eu estava "viajando", que era apenas coisa da minha cabeça.

Resolvi deixar para lá e curtir cada momento com ele, afinal, seriam só quatro dias... Mas eu nem podia reclamar disso, pois antes seriam apenas três. O Rô disse que havia conseguido uma folga do estágio na quinta-feira, pois sexta já seria feriado mesmo. Por causa da Semana Santa, a minha faculdade também tinha emendado a quinta, então cada segundo daqueles dias eu queria passar grudada nele!

Na primeira noite, colocamos colchonetes no chão da sala e ficamos vendo seriados até de madrugada. Como meu pai estava viajando a trabalho e a minha mãe não via problema nisso, dormimos na sala mesmo, abraçados, lembrando dos primeiros dias naquela casa.

"Sra. Rochette, eu estava com tanta saudade...", ele disse pouco antes de dormir, passando a mão no meu rosto.

"Eu também", respondi chegando mais perto dele, que me abraçou.

Ficamos calados, só sentindo o sono chegar, e, quando eu estava quase dormindo, ele falou ao meu ouvido: "Seria tão bom dormir assim todos os dias...".

Eu então me aconcheguei ainda mais e adormeci nos braços dele.

Na manhã seguinte, fomos levar o Chico para uma consulta. Eu estava muito preocupada com o que a veterinária ia diagnosticar. Ela disse que não poderia dar certeza de nada sem que ele antes fizesse eletrocardiograma, raio-X e ultrassom, pois da última vez que havia feito hemograma e outros exames laboratoriais, tinha tudo dado normal. O caso dele parecia mais específico. Por isso, passamos horas no hospital veterinário enquanto o meu furão era submetido a vários tipos de análises.

Por já estar cursando Veterinária havia três meses, fiquei tentando entender o que os resultados mostravam à medida que iam ficando prontos, mas algumas terminologias ainda eram muito complexas para mim. Porém, quando me entregaram uma radiografia e eu vi uma mancha escura no corpinho dele, soube na hora que não era um bom sinal...

"Não precisa se preocupar por enquanto, Priscila", a veterinária falou quando expus para ela a minha apreensão. "Sim, essa mancha pode indicar um problema, mas também pode não ser nada... Vamos ter que fazer uma punção no local para colher uma amostra e mandar para o laboratório analisar. Só assim teremos certeza do que é. Mas já que você está estudando Veterinária, que tal me ajudar a fazer isso?"

Fiquei feliz por ela ter me convidado, mas ao mesmo tempo aflita pelo Chico. Enquanto eu o segurava, ela aplicou uma anestesia um pouco acima do umbigo dele e logo depois veio com uma agulha para colher a amostra. Nesse momento, tive vontade de sair correndo... Eu podia sentir a dor do meu bichinho!

"Vai ter que se acostumar com isso, Priscila!", ela falou rindo ao ver a minha expressão de pânico. "Mas com os nossos próprios animais é mais difícil mesmo."

Apenas assenti, mas quando saí da sala de cirurgia com o Chico nos braços, o Rodrigo – que tinha ficado esperando do lado de fora – até perguntou por que eu estava branca. Nem tive tempo de responder. A veterinária, que estava logo atrás, me entregou uma receita e falou: "Por enquanto é isso, agora temos que esperar o resultado do exame, que deve levar uma semana pra sair. Pode levá-lo pra casa e dar esses medicamentos, de acordo com a prescrição." Eu concordei e ela acrescentou: "Tente não deixá-lo muito tempo sozinho... É importante que você dê muita atenção pra ele nesse momento, ele precisa se sentir seguro. Ao perceber que tem o seu carinho e amor, pode ser que ele ainda viva por muito tempo".

Eu falei que ela não precisava se preocupar e então pedi para o Rodrigo dirigir, para que eu pudesse levar o Chico no colo.

Exatamente por não querer deixá-lo sozinho, ficamos em casa durante o resto do dia. Na verdade, acho que faríamos isso de qualquer forma, pois, além de estar chovendo, nós estávamos com saudade de fazer uma maratona de seriados. Então passamos a tarde debaixo do cobertor, apenas curtindo a companhia um do outro.

Quando minha mãe chegou do trabalho no começo da noite e viu vasilhas vazias de pipoca e brigadeiro, perguntou horrorizada se tínhamos comido apenas aquilo o dia inteiro. Tentei disfarçar, mas pela minha cara ela percebeu que tinha sido exatamente aquilo. Por isso ela resolveu fazer um jantar, para que nós comêssemos "como gente"...

Enquanto ela cozinhava, eu e o Rodrigo fomos arrumar a mesa. De repente me peguei lembrando dos dias que tínhamos passado sozinhos em janeiro... Quantas vezes havíamos cozinhado, colocado a mesa, lavado a louça... Quando levantei os olhos, notei que ele estava me olhando, certamente se lembrando da mesma coisa. Ele então pegou a minha mão e a apertou, com um olhar que dizia que algum dia nós viveríamos aquilo novamente.

Dei um suspiro pensando em quanto tempo mais teríamos que esperar para isso acontecer.

Durante o jantar conversamos basicamente sobre o Chico. Minha mãe quis saber tudo que a veterinária havia dito, as recomendações, como tinham sido os exames... Porém, quando já estávamos recolhendo os pratos da mesa e colocando para lavar, ela falou: "Pena que por terem que ficar tomando conta do Chico o dia inteiro não deu pra você começar a olhar os apartamentos, né, Rodrigo? E amanhã é feriado... Quem sabe no sábado você consegue?".

Fiquei olhando para a minha mãe sem entender sobre o que ela estava falando. Que história de apartamento era aquela? Será que o Rodrigo tinha que fazer algum trabalho para a faculdade e não tinha me falado? Mas como minha mãe sabia daquilo?

Olhei depressa para o Rô, para ver se ele sabia do que se tratava, e fiquei surpresa ao notar que ele estava com a maior cara de quem tinha sido pego no flagra.

"Do que você está falando?", perguntei para a minha mãe, mas sem tirar os olhos do Rodrigo.

Ela, que já estava lavando a louça, não viu minha expressão desconfiada, por isso apenas respondeu: "Da mudança do Rodrigo, claro! Onde você acha que ele vai morar, em um albergue?!".

"Que mudança?!", eu quase gritei, sentindo meu coração disparar.

Minha mãe então se virou e finalmente viu que aquilo era uma grande novidade para mim. Ela tapou a boca com a mão, percebendo que tinha falado demais. Mas, pouco depois, olhou para o Rodrigo e perguntou: "Ela não sabia ainda?".

Ele só fez que não com a cabeça, e minha mãe começou a pedir mil desculpas, dizendo que a mãe dele havia mandado um e-mail para ela pedindo ajuda... A dona Lúcia queria saber se os bairros dos apartamentos que ele ia olhar eram bons e seguros. Por isso, ela havia presumido que eu já soubesse de tudo.

"Vou deixar vocês conversarem...", ela falou, enxugando a mão e saindo rapidamente da cozinha.

Fiquei olhando para o Rodrigo sem conseguir falar nada. Ele ia se mudar mesmo para São Paulo?! De verdade?

"Pri, era pra ser uma surpresa...", ele falou levantando as mãos. "Eu ia te contar na hora certa, tinha planejado vários detalhes. Eu consegui transferir a faculdade e arrumei um emprego aqui. Mas só vou me mudar em julho ou agosto, minha mãe foi muito precipitada em falar com a sua. É que ela está ansiosa com isso, fica procurando apartamentos na internet, me passou uma lista pra eu ir visitar, por mais que eu explicasse que não teria tempo pra isso dessa vez..."

"Você vai mudar pra São Paulo?", perguntei incrédula, como se não tivesse ouvido o que ele tinha acabado de dizer.

Ele só assentiu vigorosamente com a cabeça, rindo.

"Você. Vai. Mudar. Pra. São. Paulo?" Fiquei saboreando aquelas palavras na minha boca, ainda com dificuldade para entender o significado delas.

Ele veio me abraçar, mas eu fiz sinal para ele esperar e repeti mais uma vez, agora não mais como uma pergunta: "Você vai mudar pra São Paulo!".

"Pri, acho que a quantidade de vezes que você falar isso não vai alterar o significado... Sim, eu vou. Esta é a última vez que vim te visitar. Da próxima eu venho pra ficar..."

Então pulei no pescoço dele, que me abraçou bem forte. Quando consegui controlar um pouco a minha empolgação, ele me explicou detalhadamente como tinha acontecido. Fiquei feliz de saber que o acaso havia dado uma forcinha. Eu sabia que os tios do Leo raramente iam a BH. E bem no fim de semana em que o Rodrigo resolveu conversar com o pai dele, o tio estava junto! Só podia ser mesmo o destino!

"E a surpresa que você ia fazer?", perguntei me lembrando do que ele havia dito. "Me conta o que você tinha planejado?"

"Não", ele respondeu meio rindo, fazendo cara de suspense.

"Não? Como assim? Eu quero saber!"

"De jeito nenhum, a surpresa só teria graça se fosse surpresa!"

"Rô, por favor!", comecei a fazer cócegas nele.

"Não posso te contar...", ele segurou as minhas mãos, "porque pode ser que tenha uma parte da surpresa que sua mãe não tenha estragado... E nem teria como, ninguém sabe, nem a sua mãe, nem a minha, nem o pai do Leo, nem o tio e nem mesmo os meus cachorros. Eu guardei só pra mim. Especialmente pra você."

Ele disse aquilo me olhando tão profundamente, e ao mesmo tempo com um olhar tão doce, que meu coração até bateu mais forte.

"E quando você planeja me contar o que é?", perguntei suavemente.

"Na hora certa", foi tudo que ele disse. E então se virou para lavar o resto da louça que minha mãe tinha deixado na pia.

Eu comecei a secar tudo, e, só quando já estávamos acabando, minha mãe apareceu novamente.

"Nossa, pelo visto a explicação foi tão boa que a Priscila está até lavando a louça... e feliz!"

Eu coloquei a língua para fora e mostrei que eu estava apenas secando. Ela então foi guardar tudo nos armários, enquanto dizia para o Rodrigo que poderia ajudar no que ele precisasse, não apenas verificando os bairros, mas também o levando aos locais e indicando algumas imobiliárias.

"Tem pouco tempo que alugamos esta casa, então ainda tenho o contato de vários corretores, posso te passar", ela completou. Ele agradeceu, e quando já estávamos saindo da cozinha, minha mãe disse rindo: "Só espero que seu pai não te ofereça nenhuma viagem pra Los Angeles em troca de ficar em BH com a família, afinal, foi assim que o Luiz Fernando convenceu a Priscila a vir pra São Paulo com a gente...".

Percebi que o sorriso do Rodrigo foi se desfazendo até sobrar apenas um olhar inquisitivo para mim.

"Não foi bem assim!", falei fechando a cara para a minha mãe, que, ao perceber que tinha dado outro fora, disse que ia ver como o Chico estava e saiu depressa.

"Você trocou a possibilidade de ficar em BH pela viagem da Califórnia?", ele falou tentando ver sentido nas próprias palavras.

"Quer dizer que não teve nada a ver com o fato de a Samantha estar grávida? Você mentiu pra mim?!"

"Não menti, eu só vim por causa do neném, juro! Eu te falei no dia que fiquei sabendo que a Sam estava grávida e que eu ia ser a madrinha! E mesmo assim eu só resolvi vir mesmo pra cá depois de conversar com você..."

"Então sua mãe *inventou* essa história?", ele perguntou ainda com a cara fechada.

Respirei fundo, puxei uma cadeira para me sentar e pedi para ele fazer o mesmo. Aquela ia ser uma longa história...

"Rô, lembra que na época que meu pai e minha mãe reataram eles queriam que nós viéssemos pra cá imediatamente? E que então eu combinei com eles que minha mãe ficaria em BH comigo por mais um semestre, até a época do vestibular, e depois ela viria pra cá e eu ficaria com a minha avó?"

Ele assentiu com um olhar que dizia que tudo seria bem mais simples se tivéssemos seguido esse planejamento.

"Pois é", continuei. "E lembra que ele disse que eu teria que fazer vestibular também em São Paulo, mas que poderia escolher onde estudar, caso passasse aqui e em BH?"

Ele concordou novamente.

"Só que, quando eu pedi pra ir pra L.A., ele mudou o acordo um pouco. Disse que me daria a passagem, mas que pra isso eu precisaria estudar pelo menos um semestre em São Paulo, caso passasse no vestibular aqui. Veja bem... *se* eu passasse."

Ele pareceu começar a entender, mas mesmo assim ainda estava desconfiado.

"Eu fiz a prova de qualquer jeito", continuei a explicar. "Jamais imaginei que eu passaria. Só que isso acabou acontecendo... Fiquei sabendo do resultado no dia que voltei de viagem, e fiquei arrasada! Eu ia te contar que teria que ficar aqui um semestre, o prazo que meu pai tinha estipulado... Eu sei que eu não devia ter aceitado essa condição dele, mas é que eu realmente não acreditei que pudesse passar fazendo a prova tão rápido como eu fiz... Acho que estudei demais no final das contas."

"Então na verdade você só teria que ficar aqui um semestre?", ele disse cruzando os braços. "Por que me fez acreditar que seria pra sempre?"

"Porque aí sim entrou o bebê na jogada...", expliquei. "Quando meus pais notaram que eu estava muito triste por ter que vir pra São Paulo, ainda que apenas por seis meses, eles acabaram me liberando dessa obrigação. Falaram que eu podia fazer o que eu quisesse, vir pra cá ou ficar lá. Eu não tinha a menor dúvida de que eu queria ficar em BH, por sua causa. Mas no mesmo dia, ou melhor, no mesmo momento, fiquei sabendo do bebê da Sam e do Arthur. E o resto da história é exatamente o que eu te contei... Eu só resolvi vir mesmo pra cá depois que você me falou que tentaria vir também. E você não imagina o quanto estou feliz por ter conseguido, estou com vontade de pular de alegria!".

Eu tentei abraçá-lo, mas ele desviou. "Priscila, o fato dos seus pais terem voltado atrás no acordo não livra você de ter mentido pra mim".

"Eu não menti!", falei alto. "Eu ia te contar, só não queria que você se preocupasse à toa! Eu tinha certeza de que não ia passar no vestibular aqui, dá pra entender? Quando fiz o acordo, minha intenção era zerar a prova! Se eu menti pra alguém foi pro meu pai... Só que, no momento da prova, eu fiquei com a consciência pesada e resolvi responder pelo menos algumas questões. Eu não imaginei que ia acertar todas elas, e nem que aquela pontuação seria suficiente para eu ser aprovada!"

"Mesmo assim, Priscila! Você praticamente me trocou por uma viagem pra Los Angeles, dá pra entender? Imagina se fosse o contrário, como inclusive sua mãe mencionou... O que você acharia se o meu pai me oferecesse uma viagem, mas em troca disso eu tivesse que ficar em BH? Você acha que por um minuto eu cogitaria essa possibilidade?"

Eu fiquei calada, e ele então se levantou dizendo: "Não! Eu não aceitaria isso, porque ficar com você é muito mais importante do que qualquer viagem! Você viu o que eu acabei de fazer? Eu transferi faculdade, larguei estágio, vou ficar longe da minha família... tudo por sua causa. Tudo porque eu achei que você merecesse, que o nosso sentimento fosse recíproco, que você faria o mesmo por mim...".

Ele passou as duas mãos pelo cabelo e, antes que eu respondesse, foi em direção à sala.

"Aonde você vai?", perguntei segurando o braço dele. "Rô, por favor, eu faria o mesmo por você sim! Eu já expliquei... Sei que o que eu fiz foi errado, mas eu me arrependi, me desculpa... Eu não faria nada conscientemente que fizesse com que eu ficasse sem você!"

Ele balançou a cabeça e disse em tom irônico: "Você estava inconsciente quando aceitou a oferta do seu pai? Ele te hipnotizou ou coisa parecida?".

"Rô..."

"Não, Pri. Você fez isso por impulso, porque quando quer uma coisa, não mede esforços pra conseguir. Já vi você manipular pessoas para obter o que quer, e também sei como reverte as situações ao seu favor. Mas nunca imaginei que nesse seu jogo você abriria mão de mim."

Ele então abriu a porta e começou a descer as escadas.

"Rô, o que eu tenho que fazer pra você acreditar? Por favor, não vá embora!"

Ele parou em um degrau, respirou fundo e disse: "Só preciso de um tempo sozinho pra pensar. Não saio jogando o que eu amo pra cima, como você".

Ele terminou de descer, abriu o portão e sumiu da minha vista. Eu ainda fiquei um tempo olhando para o espaço por onde ele tinha passado, mas então fui correndo para o meu quarto. Eu sabia que uma crise de choro estava prestes a começar...

43

<u>Nathan</u>: Meu orgulho me diz: "É isso. Apenas vá embora". Mas meu coração fala: "Esqueça seu orgulho, seu idiota. Você ama essa garota!".

(One Tree Hill)

1. Creep – Radiohead
2. Don't Look Back In Anger – Oasis
3. The Scientist – Coldplay
4. Crying In The Rain – A-Ha

Saí da casa da Priscila e comecei a andar devagar pela rua, sem rumo, apenas pensando... Será que eu tinha me precipitado ao programar aquela mudança toda na minha vida? Eu ia trocar de faculdade, largar o estágio, deixar minha família e meus cachorros para trás... Quer dizer, eu esperava conseguir trazer os cachorros eventualmente, meus pais e irmãos sempre poderiam me visitar, e, claro, eu também sempre iria a BH. Os meus melhores amigos já estavam morando fora mesmo, isso não seria um problema. Mas a questão era... eu não estava fazendo aquilo tudo por *mim*. Sair de Belo Horizonte não era o sonho da minha vida, eu gostava da cidade. Se fosse para pensar em uma mudança, provavelmente eu iria para o Canadá, pois, apesar de já ter voltado de Vancouver havia quase 10 anos, eu ainda me lembrava da vida tranquila que levávamos lá, da cidade bonita e segura... E agora com a insistência da Sara e do Marcelo, eu às vezes me pegava com saudade, com vontade de visitar, só para conferir se ainda era como eu me lembrava...

Mas o fato é que a razão de eu estar me mudando para São Paulo tinha um nome: *Priscila*.

Com quase seis anos de namoro, eu conhecia muito bem a namorada que tinha... O que eu havia jogado na cara dela naquele momento de raiva era a mais pura verdade. Ela era, sim, cheia de vontades, manipuladora e impulsiva. A Priscila não aceitava um "não" como resposta. Era o tipo de pessoa que acreditava que "se não deu certo é porque ainda não terminou" – ela, aliás, adorava falar essa frase. Apesar de essa atitude me preocupar algumas vezes, pois eu sabia que em algum momento a Pri poderia quebrar a cara ao não realizar algum desejo, eu também a admirava por isso. Ela não tinha medo de arriscar, de correr atrás do que queria, de jogar todas as cartas na mesa. Com aquele charme e aquela lábia que ela tinha, na maioria das vezes nem era tão difícil, mas quando se encontrava diante de dificuldades, aí que estava o defeito dela... Às vezes não se importava de passar por cima do que fosse para se sair bem. Eu sabia que não era por maldade, a Priscila nunca faria mal a ninguém (aliás, a nenhum ser vivo) voluntariamente. Porém, ela era também distraída, não enxergava as consequências que seus atos poderiam ter.

E era exatamente por isso que eu sabia que ela não tinha *de fato* me trocado por uma viagem. Na época, ela provavelmente tinha mesmo achado que daria um jeito de escapar do trato feito com o pai, como pelo visto escapou. Se ela tinha dito a verdade – e eu realmente achava que, pelo menos naquele momento, ela não havia mentido –, tudo tinha sido uma coincidência. O acordo já estava desfeito quando o fator "bebê" apareceu na jogada. Mas ainda assim. Eu nunca teria arriscado o nosso namoro, nem por uma viagem de volta ao mundo! E era aquilo que eu queria que ela entendesse. Que o meu lado da balança pelo visto estava bem mais pesado. E aí eu voltava à questão que estava me atormentando... Eu devia mesmo ter programado aquela mudança? E, especialmente, eu devia mesmo ter planejado aquele pedido de casamento? As pessoas atualmente se casam apenas por casar, já pensando em se separar se não der certo. Eu não queria aquilo. Eu desejava o amor que meus pais tinham, a vida que eles tinham juntos. Mesmo unidos havia tantos anos, eles ainda namoravam, viajavam, curtiam a companhia um do outro... Mas eu via que aquilo era uma troca... Os dois cediam, se respeitavam, e, certamente, não arriscavam aquela segurança toda por uma aventura, como a Priscila havia feito.

Eu estava pensando nisso enquanto ia andando, e de repente vi no fim da rua uma garota alta saindo de uma das casas. Fiquei surpreso ao ver que ela levava um gato na coleira, como se fosse um cachorro. Quando viu que eu estava prestando atenção, ela falou: "Tira uma foto que dura mais tempo!", e deu uma piscadinha. Por isso, para ela não achar que eu a estava encarando, e sim surpreso com o gato-cachorro, disse: "Dá mesmo vontade de fotografar, eu nunca tinha visto alguém passear com um gato antes... E olha que eu entendo do assunto".

Ela abriu o maior sorriso e falou: "Ah, mas é porque você ainda não conhecia o Joe Shuster, meu gato é sensacional!" E, chegando mais perto, ela acrescentou meio sussurrando: "Na verdade, ele não sabe que é um gato. Ele pensa que é um husky siberiano. Quando eu o trouxe pra casa, nós tínhamos uma husky, que praticamente o adotou. Ele aprendeu todos os hábitos de cachorro com ela. Acredita que ele até pula no meu joelho? Quer ver? Vem cá, Joe!".

A menina bateu as mãos no joelho e, para minha grande surpresa, o gato realmente pulou. Não como um cachorro, mas ele apoiou na perna dela e se esticou todo, como se estivesse diante de um arranhador ou de um sofá convidativo.

"Que máximo!", falei rindo. "Vou falar pra minha namorada ensinar isso pros gatos dela... Mas não sei se vai funcionar. Eles também cresceram com a companhia de cachorros, mas são totalmente felinos!".

Ela então estreitou os olhos, me olhou de cima a baixo, colocou a mão na cintura e perguntou: "Você é o Rodrigo?".

Fiquei meio assustado por ela saber meu nome, eu não imaginaria como ela poderia me conhecer, mas, assim que confirmei, ela estendeu a mão e falou: "Muito prazer, você é totalmente famoso! Já perdi a conta de quantas vezes escutei seu nome. De cada cinco palavras que a Priscila fala, quatro são "Rodrigo!".

Então percebi quem aquela garota era. A desenhista que vivia chamando a Pri para sair... Eu a considerava a versão feminina do Alan. Eu só não esperava que ela fosse tão bonita, pela descrição que a Priscila havia feito ela era alguém comum. Mas aquela garota na minha frente parecia uma modelo. Ela era estilosa, tinha cabelos bem cacheados e a pele bronzeada. E aquilo me deixou ainda mais preocupado. Uma morena daquelas e uma "ruiva" linda como a Pri juntas na balada certamente era de parar o quarteirão.

"Meu nome é Anna Victória, mas pode me chamar de Anna Vic!", eu a cumprimentei, e ela então perguntou: "Cadê a Priscila? Ela me falou que você vinha passar o feriado de Semana Santa aqui. Aliás, tenho que dizer que nos últimos dias não foram quatro, mas entre cinco palavras que ela dizia, cinco eram o seu nome! Ela me mostrou sua foto, por isso te reconheci. Já te falaram que você parece com aquele carinha de *Vampire Diaries*? O irmão da Elena? Não, eu não curto seriados, mas a Priscila me viciou nessa porcaria, agora fico desesperada esperando o próximo episódio!".

Sim, a própria Priscila todo dia me falava que eu parecia com o tal do Jeremy (eu já tinha até decorado o nome do personagem!), por quem ela tinha adoração. Aquilo sempre me deixava em um conflito interior... Era errado ter ciúme de um cara de Hollywood que se parecia comigo?

"A Pri ficou em casa", respondi superficialmente. "Eu vim dar uma volta."

"Sozinho?", ela franziu as sobrancelhas.

Eu não queria entrar em detalhes, mas ela claramente já tinha sacado. Além do mais, a Priscila certamente contaria para ela depois.

"A gente teve uma discussão. Como não dá pra pegar o carro e ir pra minha casa, como eu faria em BH, resolvi andar um pouco, até a cabeça esfriar."

"Vou andar com você", ela disse, atravessando a rua e fazendo sinal para que eu e o gato a seguíssemos. Nós dois obedecemos.

"Rodrigo, não tenho a menor ideia do motivo da sua briga", ela disse assim que eu me aproximei. "Mas vou te falar uma coisa... Aquela menina é alucinada por você. Se tiver alguma dúvida de que ela te ama, por favor, pare neste minuto, porque não tem o que questionar! Quando ela fala de você, no lugar dos olhos eu vejo dois corações! E se o caso for de ciúme, olha, quando eu consigo tirá-la da frente daquela TV pra dar uma saída à noite comigo, os caras chovem em cima dela..."

Parei de andar e olhei feio pra ela. Que história era aquela? Ela riu e puxou a minha blusa, para que eu continuasse andando.

"Mas a Priscila não dá a mínima moral pra eles! Chega a ser grossa! Eu acho é bom, né... Sobra mais pra mim!" Fiquei um tempo visualizando a cena, a Pri realmente sabia ser bem malcriada quando queria... Mas ela então completou: "E tem também os seus *ensinamentos*..."

Como ela não explicou, perguntei quais ensinamentos eram aqueles. Ela só falou que ia deixar outra pessoa responder, e um segundo depois virou a esquina e fez sinal para que eu parasse. Em seguida, bateu a campainha de uma casa amarela. Uma menininha, que não parecia ter mais que sete anos, abriu a porta sorrindo, virou para trás e gritou que já estava saindo. Na mesma hora uma babá apareceu correndo.

"Oi, Lourdes", a Anna Victória cumprimentou. "Estou só dando uma volta com o Joe, telefonei pra Manu e perguntei se ela queria vir junto. Logo, logo eu a trago de volta."

A babá concordou, e então a Anna deixou que a garotinha segurasse a coleira do gato.

"Quem é você?", ela perguntou assim que começamos a andar.

Eu ri e respondi que meu nome era Rodrigo. A Anna Victória completou: "Adivinha de quem ele é namorado?". Ela ficou olhando para mim meio pensativa, e a Anna disse: "É de alguém que nós gostamos muito... Alguém que tem um moooonte de bichos!".

"Da Pri!", ela respondeu satisfeita, me olhando ainda com mais atenção.

"Muito prazer, Manu!", falei fazendo um afago na cabeça dela.

E então ela perguntou parecendo superinteressada: "É verdade que você pegou o seu cachorro na rua todo machucado e que cuidou dele até ele ficar lindo?".

Fiquei admirado por ela saber disso, mas respondi: "Sim, ele estava cheio de feridas, muito magro, o pelo todo embolado... Mas hoje em dia ele é bem bonito!". Eu peguei o meu celular e mostrei a foto da tela, que era exatamente uma dele com a Priscila.

Ela olhou e falou: "A Priscila me contou que você que a ensinou a cuidar de animais abandonados. E agora ela me ensinou também! Ela explicou que, se eu encontrar algum na rua, não é pra eu colocar a mão, senão ele pode me morder. Sabia que ela já foi mordida?". Eu concordei com a cabeça, lembrando daquele acontecimento de tantos anos atrás, quando a gente ainda nem namorava, mas que havia me deixado tão preocupado com ela... "Mas a Priscila disse que eu posso jogar alguma comida pra ele, dar água e avisar alguma ONG que cuida de animais. E sabia que ela convenceu a minha mãe a me dar um cachorrinho? Eu vou ganhar no meu aniversário! A Pri vai me ensinar a cuidar dele! E ela disse que eu tenho que adotar, e não comprar, pois tem muitos cachorrinhos na rua precisando de uma família!"

Fiquei feliz por ela ter aprendido direitinho e olhei para a Anna Victória, entendendo quais eram os ensinamentos de que ela tinha falado...

"A Pri me falou também que um dia vai casar com você!", a Manu falou depois de um tempo, como se estivesse achando a maior graça.

Fiquei surpreso com aquilo, dei um sorriso para ela e perguntei: "Ah, é? O que mais ela falou? Você vai ser convidada?".

Ela riu, adorando saber algo que eu não sabia, e respondeu: "Claro que sim, a Pri falou que eu vou usar um vestido bem bonito, igual aos que a minha mãe usa nas revistas. E ela contou também que o casamento vai ser ao ar livre... e que o Rabicó vai levar as alianças! Eu acho que vai ser muito legal!".

Fiquei um tempo visualizando a cena daquela cerimônia que pelo visto a minha namorada já tinha toda esquematizada na cabeça... E, mesmo sem ter participado do "planejamento", eu sabia que não poderia ter pensando em nada melhor.

"Calma lá, quem casa com 19 anos? Só as nossas bisavós, né?", a Anna Victória disse me despertando. "Dou o maior apoio, mas acho que vocês deveriam marcar a data para daqui a uma década!"

Eu ri, mas de repente percebi que eu não queria que demorasse *tanto* assim... Tinha uma hora que eu não a via e já estava com saudade... E foi por isso que em seguida eu falei: "Garotas, o papo está ótimo, mas tenho que voltar. Vou combinar com a Priscila de chamar vocês amanhã ou depois pra gente poder conversar mais, enquanto passeamos com a Duna e o Biscoito. Ou, quem sabe, com a Snow e o Floquinho...", completei olhando para o gato da Anna Vic.

As duas então se despediram de mim e eu fui andando para a casa da Pri, um pouco mais rápido dessa vez.

44

Lucas: Eu te amo desde a primeira vez que te vi. E esse anel, e essas palavras são simplesmente um modo de mostrar pro resto do mundo o que está em meu coração desde que te conheci.

(One Tree Hill)

"Desculpa, Pri!", minha mãe falou pela milésima vez. "Eu não tinha a menor ideia de que isso fosse um segredo! Tá vendo? Quando você era menor me contava tudo que acontecia na sua vida, tudo que pensava, tudo que sentia... De uns tempos pra cá você ficou cheia de segredinhos comigo! Se tivesse me avisado que tinha escondido isso do Rodrigo, claro que eu não teria feito aquele comentário!"

Enfiei a cara mais fundo no travesseiro, para abafar o choro. Eu sabia que ela não era culpada. Apenas uma pessoa tinha culpa naquela história: eu! O Rodrigo estava certo. Eu não tinha nada que ter feito aquele acordo com o meu pai, eu não pensei nas consequências, como sempre!

"Priscila, não adianta ficar se lamentando...", minha mãe falou mais uma vez. "Aproveita esse tempo que ele foi dar uma volta pra pensar em alguma coisa para se redimir! Sei lá, faça algo que possa provar que você realmente queria ficar do lado dele. O Rodrigo está chateado e com razão, afinal, está mudando a vida dele por você... e aí chega e descobre isso? Eu acho que teria pegado a minha mala e ido embora!"

"Não está ajudando!", gritei.

"Ficar deitada aí chorando e gritando comigo também não vai te ajudar em nada!", ela falou no mesmo tom que eu. Em seguida, pegou o Chico, que estava em cima da minha cama, e saiu com ele, me deixando sozinha.

Fiquei um tempo considerando o que ela havia dito. O que eu poderia fazer para me desculpar? Comecei a pensar nas coisas que o Rodrigo gostava: música, animais, futebol, seriados... e eu. Mas nada daquilo me trazia inspiração para alguma coisa que o fizesse me desculpar. Tinha que ser algo que o surpreendesse...

Então me lembrei que ele tinha dito que ia me contar sobre a mudança dele através de uma surpresa que tinha preparado... Será que eu ainda a receberia? E se ele realmente estivesse com raiva de mim a ponto de desistir de me surpreender? Eu ia ficar curiosa para o resto da vida?!

Uma ideia começou a se formar na minha cabeça... Uma ideia que eu sabia que era completamente errada, mas, agora que tinha aparecido, estava crescendo em uma velocidade surpreendente, a ponto de eu não conseguir me controlar. Eu precisava descobrir que surpresa era aquela. E tinha que ser o mais rápido possível, porque talvez eu não tivesse outra chance.

Levantei depressa e encontrei minha mãe vendo novela na sala.

"Mãe, vou fazer uma surpresinha pro Rodrigo. Quando ele chegar você me avisa?"

Ela ficou feliz de ver que eu tinha parado de chorar e estava tomando uma atitude, como ela havia sugerido, por isso falou que me avisaria sim. Eu ainda reforcei dizendo: "Não deixa o Rodrigo entrar em casa sem me avisar, não esquece!".

Ela concordou, e então fui depressa para o quarto de hóspedes.

Chegando lá, respirei fundo. Eu nunca tinha feito nada parecido. Revistado o celular do Rodrigo? Sim, algumas vezes. Conferido se alguma oferecida tinha escrito nas redes sociais dele? O tempo todo. Mas abrir a mala em busca de algo que eu nem sabia o que era, nem em pensamento.

Mas sempre tinha uma primeira vez. E, afinal, quem tinha a perder era só eu... Se no fim das contas ele resolvesse fazer a surpresa, eu é que ficaria sem graça, por já saber do que se tratava. E, caso ele desistisse, eu ficaria desejando que tivesse acontecido.

Abri o zíper devagar, para não fazer barulho. Se a minha mãe imaginasse o que eu estava fazendo, nem sei o que faria comigo...

As roupas dele estavam todas bem dobradas e superorganizadas. Blusas em uma pilha, calças em outra, sapatos em um compartimento separado... Fiquei pensando na minha própria mala quando eu viajava... Como eu sempre deixava para a última hora, acabava sem paciência para pensar no que ia precisar e acabava jogando tudo lá dentro, sem a menor organização. Com o bololô que ficava, eu precisava colocar tudo para fora até achar o que estivesse procurando... Talvez eu devesse aprender uma coisa ou duas com meu namorado...

Minha teoria era que ele provavelmente havia criado uma trilha sonora para o momento em que me contaria da mudança, por isso comecei a apalpar os lados para ver se encontrava algum CD ou *pen drive*... Fiquei tentando me lembrar de músicas com esse tema enquanto continuava a procurar. Levantei camisas, olhei dentro dos sapatos... De repente, encontrei um envelope debaixo da nécessaire. Eu o puxei e vi que estava agarrado em alguma coisa. Preocupada que pudesse rasgar, tirei da mala tudo que estava em volta e então eu vi que ele não estava agarrado, e sim grampeado em uma sacolinha de papel. Arregalei os olhos quando vi o emblema da sacola. Era de uma joalheria...

Meu coração disparou e minhas mãos ficaram geladas. Tentei ficar calma e comecei a dizer para mim mesma que devia ser um brinco, enquanto me abanava com o envelope. Em um ímpeto, resolvi abri-lo. Logo vi que era um poema.

Pedido

Neste mesmo dia
Seis anos no passado
Quando eu ainda nem era
Seu namorado

Eu te beijei e de repente
O mundo inteiro fez sentido
Naquele momento eu soube
Que estava totalmente perdido

Ainda me pergunto
Como você não foi pra prisão
Pois roubou meus pensamentos
E também meu coração

Você me fez querer
Andar sempre de mãos dadas
Transformou minha vida
No melhor conto de fadas

Por ter me ensinado
A amar e ser mais feliz
Prometo continuar a ser
Seu fiel aprendiz

Cada dia com você
É tão ensolarado
Tem sabor de chocolate
De pipoca com seriado

Por isso quero ser para sempre
Seu amor e seu amigo
Poderia me dar a honra
De se casar comigo?

Comecei a chorar enquanto lia, e então percebi que eu estava a ponto de molhar o envelope. Enxuguei o rosto depressa, e então peguei a sacola. Enfiei com cuidado a mão lá dentro e tirei uma caixinha, que fiquei olhando por uns segundos, criando coragem para abrir. Eu estava com medo de ter um piripaque e cair dura. Respirei fundo, pois eu estava me sentindo sem ar, e bem devagar puxei a tampa para cima, que, ao abrir, revelou um anel solitário de ouro branco, exatamente como eu sempre havia sonhado!

Com o queixo caído, passei o dedo sobre o diamante, pensando que o Rodrigo devia ter vendido a alma para conseguir comprar aquele anel... Sem conseguir resistir, o coloquei em meu dedo. Serviu direitinho... Estiquei o braço para admirá-lo na minha mão, me lamentando por ter deixado o celular no meu quarto. Eu precisava tirar uma foto. Como eu ia fazer para ficar sem olhar para ele, agora que já sabia que havia nascido para o meu dedo? Fiquei por mais um tempo decorando cada detalhe, e então o tirei com cuidado, o coloquei de volta na caixa, que guardei novamente dentro da sacola. Na sequência, dobrei o papel do poema exatamente como estava e devolvi tudo para debaixo da nécessaire. Em seguida coloquei meticulosamente cada peça de roupa exatamente como estava, fechei o zíper e recoloquei a mala no lugar.

Abri a porta ainda com o coração batendo forte e fui para o meu quarto, me sentindo meio tonta. Deitei na minha cama e fiquei pensando no que eu tinha acabado de ver, de descobrir. O Rodrigo ia me pedir em casamento! Quer dizer que era por isso que ele não tinha dito uma palavra sobre a mudança... Uma coisa estava ligada à outra. Ele queria mostrar que tinha a intenção de ficar comigo para sempre, onde quer que eu estivesse...

De repente coloquei a mão na boca ao lembrar que ele estava com raiva de mim, por um motivo muito justo por sinal... Enquanto ele estava planejando me prometer amor eterno, eu estava mirabolando planos para viajar para a Califórnia, inclusive colocando nosso namoro em risco! Minha mãe estava certa, se eu fosse ele também teria pegado a mala e ido embora. Aquela mala onde estava o *meu* anel com o pedido mais lindo de casamento que eu já tinha visto... Não, aquilo não podia acontecer! Eu tinha que fazer algo que o convencesse a me perdoar, algo que mostrasse para ele o tamanho do meu amor, que na verdade era tão grande que nem dava para medir...

E foi então que notei que, na lista das paixões do Rodrigo, eu havia me esquecido de uma... Poesias. Antes de começarmos a namorar oficialmente, eu tinha até usado o poema de um livro para convencê-lo de que eu realmente gostava dele, pois o Marcelo tinha feito com que o Rô pensasse o contrário. Mas dessa vez eu teria que me esforçar ainda mais... Eu nunca tinha tentado antes, mas agora precisaria escrever um poema para ele! E, para deixar tudo mais romântico, minha mãe teria que me ajudar.

Corri para a sala, onde ela ainda estava vendo TV, e expliquei o que eu tinha intenção de fazer. Ela me olhou meio resistente, mas acabou concordando. Dei um beijo nela e corri para colocar o meu plano em ação. Ele podia chegar a qualquer momento e, antes, eu tinha uma grande surpresa para preparar...

45

> Kat: Posso te pedir um favor?
> Patrick: Pode...
> Kat: Não parta o meu coração, ok?
>
> (10 Things I Hate About You)

1. Clocks – Coldplay
2. Iris – Goo Goo Dolls
3. Somewhere Only We Know – Keane
4. Sky – Joshua Radin

Quando cheguei de volta à casa da Priscila, achei estranho ver que todas as luzes estavam apagadas, até as da garagem. Era como se não tivesse ninguém lá... Toquei a campainha meio apreensivo, eu já havia passado por aquilo uns meses antes, o que tinha me rendido algumas horas na cadeia! Mas a Priscila sairia de casa sem me avisar? Ela teria me ligado, dessa vez meu celular estava com a bateria totalmente carregada... Eu tinha dito para ela que ia apenas dar uma volta e nem tinha ficado *tanto* tempo fora assim, um pouco mais de uma hora talvez...

Subitamente, o portão eletrônico começou a se abrir sozinho. Olhei para os lados meio assustado, mas logo saquei que provavelmente a Priscila o tinha aberto com o controle remoto, ao me ver lá de dentro. Assim que entrei, ele fechou atrás de mim. Fiquei um tempo parado, tentando enxergar, já que a única iluminação era a dos postes da rua. De repente uma luz acendeu perto da escada e, quando eu ia pisar no primeiro degrau, vi um papel com algo escrito de caneta cor-de-rosa. Peguei para ler e vi que era a letra da Pri.

Tudo começou com um olhar
No final da sala a me reparar
E então meu coração disparou
Quando aqueles olhos tristes encontrou.

Sorri ao ler aquele versinho... Virei a folha e vi que tinha uma instrução: "Suba as escadas e pare na varanda".

Então era uma *caça ao tesouro*... Subi rapidamente e, ao chegar à varanda, que também estava escura, encontrei mais um papel debaixo de uma luminária, a única que estava acesa.

Naquele dia, me apaixonei
Porque depois apenas em você pensei
E a cada vez que eu ficava só
O meu peito dava um nó...

O escrito atrás do papel dessa vez me mandou ir para a cozinha. Obedeci. A casa continuava escura, e eu fiquei imaginando onde ela tinha escondido os bichos, provavelmente em algum dos quartos... Chegando à cozinha, vi que o fogão estava aceso, iluminando um papel ao lado.

Demorou, mas consegui provar
Que só com você eu queria ficar
E aí minha vida encheu de magia
E também de compassos de bateria!

Virei a folha e vi que na sequência eu deveria ir para o quintal. Apaguei o fogão e segui para lá. Ao chegar, me deparei com uma mesinha. Em cima dela tinha uma vela que iluminava dois pequenos pratos. E, bem no centro, mais um papel.

E até hoje meu coração chora
Quando você vai embora
Por isso eu te peço, não vá mais
Porque eu te amo demais!

Balancei a cabeça sorrindo. Eu estava até meio emocionado, a Priscila nunca tinha feito nada parecido para mim. Eu era o romântico da nossa história... Vi que atrás da folha estava escrito apenas: "Olhe para trás".

Eu me virei e ela estava ali, toda linda, com um vestido vermelho que sabia que eu adorava, e segurando uma vasilha. Ela então se aproximou e falou: "Na verdade, o ideal para a luz das velas seria um jantar, mas como nós já comemos, eu trouxe a sobremesa...".

Ela me estendeu a vasilha, que eu vi que continha brigadeiro, de colher, do jeito que eu mais gostava. Peguei da mão dela e coloquei na mesa. Em seguida a puxei para mim, dizendo: "Amei a surpresa! Então quer dizer que a senhorita faz poesia e nunca me contou?".

Ela riu e falou: "Se você chama isso de poesia, acho que precisa rever os seus conceitos! Escrevi tão depressa, com medo de você chegar... Ainda bem que minha mãe me ajudou a fazer o brigadeiro, senão não teria dado tempo!".

"Ainda bem que deu", falei tirando o cabelo dela da testa, "porque eu só voltei por ter lembrado que não tinha comido a sobremesa..."

"Ah, é?", ela disse, me batendo de brincadeira. "Por falar nisso, posso saber por onde andou?"

"Fui passear aqui na rua, queria conhecer suas novas vizinhas, pra saber com quem você está andando... Mas sabe que gostei muito delas? São exatamente como você tinha descrito. A Manu é inteligente e fofa, e a Anna Vic é sabida e dá bons conselhos!"

"Você conheceu as duas?", ela perguntou admirada. "Quais conselhos a Anna deu, posso saber?"

"Não foram muitos... Mas ela disse exatamente o que eu precisava escutar."

Ela não questionou mais, e pouco depois falou: "Rô, desculpa".

Respirei fundo, a abracei mais forte e perguntei: "Promete que não vai mais mentir pra mim, mesmo que for por uma boa razão?". Ela assentiu e eu continuei: "E que também não vai me *ocultar* nada? Aliás, tem mais algum trato maluco ou alguma coisa que você tenha feito que deixou de me contar?".

Ela negou vigorosamente com a cabeça e falou: "Rodrigo, o que eu escrevi nesse poeminha tosco é verdade. Eu te amo demais, eu nunca te trocaria por viagem nenhuma, foi uma irresponsabilidade minha, eu realmente achei que conseguiria lidar com tudo, mas em nenhum momento eu pensei em ficar longe de você. Eu seria doida se pensasse isso... Eu não sei ser feliz longe de você!".

Eu então a beijei como havia tempos não beijava e de repente nosso primeiro beijo veio à minha cabeça. A data exata do "aniversário" dele seria no sábado, dali a dois dias. Fiquei me perguntando se não seria melhor aproveitar aquele clima, dar uma desculpa para pegar o anel na minha mala e já fazer o pedido, pois eu nunca havia tido tanta certeza de que deveria mesmo fazer aquilo. Eu queria ficar com a Priscila para sempre, por causa de todas as suas qualidades e mesmo com os seus (poucos) defeitos. Mas aquele era o momento da surpresa dela... Que ela havia preparado para mim e que havia tido o poder de varrer qualquer dúvida com que eu estivesse mais cedo. Era melhor esperar para fazer exatamente como eu tinha planejado.

Por isso a beijei mais uma vez e perguntei: "Ouvi dizer que tem brigadeiro... Será que está bom?".

Ela sorriu para mim e nós então nos sentamos para aproveitar a nossa sobremesa à luz de velas.

46

Jeremy: Sinto muito, mas não posso confiar em você.

(The Vampire Diaries)

A minha surpresa realmente conseguiu comover o Rodrigo, pois tudo voltou ao normal e ficou até melhor. Ele se tornou ainda mais carinhoso, e eu estava me sentindo ainda mais apaixonada. E também ansiosa... Apesar de já saber o que estava por vir, eu não parava de imaginar quando ele me entregaria o anel e a carta, pois por mais que eu tentasse, não conseguia lembrar o dia exato do nosso primeiro beijo, que – pelo que eu tinha lido no poema – era quando ele queria me surpreender.

No dia seguinte, caiu a maior chuva. Por esse motivo e pelo fato de ser feriado, ficamos em casa apenas namorando. Vimos séries, brincamos com os bichos, pesquisamos alguns apartamentos para ele na internet... O dia acabou passando depressa e, quando, na hora de dormir, ele me perguntou se eu gostaria de na manhã seguinte fazer um piquenique no Parque Ibirapuera, caso o tempo estivesse bom, entendi no mesmo instante o que ele queria fazer.

Eu ainda me lembrava com saudade do piquenique que havíamos feito lá em janeiro, quando ficamos horas conversando e nos visualizando no futuro, pensando em como seria dali a muitos anos, nos imaginando casados e levando nossos filhos naquele local... Exatamente por isso eu não poderia pensar em um lugar mais significativo para ele fazer o pedido.

Acho que rezei tanto para o dia amanhecer ensolarado que até consegui convencer São Pedro! O céu estava sem nenhuma nuvem, o clima estava muito agradável, e sem nenhum sinal de chuva. Dessa forma, assim que o Rodrigo levantou, perguntei se o piquenique estava de pé. Ele disse que sim, mas quando avistou minha mãe, a convidou para ir conosco, como que por educação... Subitamente fiquei meio tensa. Ele pretendia fazer aquela surpresa toda com a minha mãe do lado? Certamente cortaria metade do clima! Mas, para o meu grande alívio, ela recusou.

"Podem ir com o meu carro!", minha mãe acrescentou. "Vou ficar em casa, para dar uma assistência ao Chico."

Fiquei feliz por aquilo. Meu furão vinha melhorando rápido por causa dos remédios que a veterinária tinha receitado, mas ainda estava um pouco abatido.

Durante o caminho, tentei não parecer muito empolgada, para que ele não percebesse que eu sabia de alguma coisa, e acho que funcionou. Mas logo vi que ele estava meio assim também. Percebi que não parava de batucar no volante e, quando peguei em sua mão, senti que estava molhada de suor. Ele estava levando uma mochila e, só para deixá-lo em apuros, perguntei por que ele tinha trazido aquilo. Ele respondeu meio sem jeito que era porque estava levando um moletom, para o caso de esfriar, e eu nem questionei. Apenas sorri para mim mesma, sabendo perfeitamente o que tinha lá dentro...

Ao chegarmos, primeiro fomos dar uma volta de mãos dadas. Ao contrário da outra vez, o parque estava lotado. Fomos andando em direção ao local onde havíamos sentado, pois queríamos ficar exatamente à sombra daquela árvore que já chamávamos de "nossa". Porém, ao nos aproximarmos de lá, vimos que uma família tinha chegado antes... Fiquei meio decepcionada com aquilo, olhamos em volta e todas as outras árvores também já estavam tomadas. E comecei a pensar que um piquenique em plena semana de feriado não tinha sido uma ideia tão boa assim... Poxa, aquelas pessoas não podiam ter ido para a praia?!

Depois de darmos mais uma volta em vão e constatar que realmente aquela área do parque estava bem cheia, o Rodrigo falou: "Pri, acho que fazer um piquenique no meio dessa gente toda não vai ser tão bom quanto aquele que fizemos da outra vez, não vamos ficar muito à vontade..."

Entendi perfeitamente por que ele estava dizendo aquilo. Pelo que eu conhecia do meu namorado, ele nunca me pediria em casamento no meio de todas aquelas pessoas. Eu podia esquecer!

Concordei. Então ele falou: "Se ficarmos esperando, vamos perder o dia. Que tal fazer alguma outra coisa agora, e aí a gente volta aqui um pouco mais tarde? Sua mãe falou que não ia precisar do carro o dia inteiro".

Fiquei um pouco resistente... Eu não queria ter que esperar e muito menos sair dali, só precisava que aquela gente toda desaparecesse! Naquele instante daria tudo para ter uma varinha do Harry Potter e mandar logo um Avada Kedavra naquelas pessoas que estavam impedindo o meu momento perfeito de acontecer!

Porém, acabei aceitando a sugestão dele, já que, se eu insistisse para ficarmos, ele poderia desconfiar que eu sabia de alguma coisa. Mas nem sonhando eu iria para muito longe, eu queria ficar o mais perto possível! Por isso sugeri o Shopping Iguatemi, a gente poderia ir ao cinema ou dar uma olhada em alguns DVDs, mas no máximo em duas horas eu queria estar de volta.

Ele concordou e, por não pegarmos trânsito, em 20 minutos chegamos lá. Na hora de descer do carro, percebi que ele deixou a mochila no porta-malas e perguntei se ele não queria levar para não correr risco de roubarem o *moletom*... Ele riu e perguntou se eu andava assistindo a muitos noticiários, pois pelo visto estava meio impressionada com casos de assalto.

"Ninguém vai abrir o carro dentro de um shopping por causa de uma mochila velha, Pri..."

Eu tive que concordar, mas realmente sofri por deixar aquela "mochila velha" para trás.

Como o cinema também estava cheio, resolvemos só tomar um sorvete, afinal, estávamos ali apenas para passar o tempo.

Na fila, talvez por sentir que eu estava meio contrariada, o Rodrigo me abraçou por trás e falou que o lugar não tinha importância, que o que valia era o fato de estarmos passando o feriado juntos e que assim que ele se mudasse poderíamos ter novamente todos os dias para nos encontrar. Eu me virei, passei meus braços pelo pescoço dele e falei que mal podia esperar para aquilo acontecer.

Ele então me deu um longo beijo ali mesmo, na frente de todo mundo, mas, bem no meio, ouvi alguém dizer: "Priscila?".

Abri os olhos me separando do Rô e me deparei com uma garota me olhando... Ela tinha um rosto conhecido, mas demorei uns segundos para recordar de onde a conhecia. De repente me lembrei! Ela estava na mesma excursão da Disney que eu e as meninas! E no momento em que me lembrei do nome dela, todo o resto veio à minha cabeça... Era a *Karen*! Ela havia sido a responsável por aquele boato na excursão que fez com que a tia Rejane pensasse que eu estava...

"Quase não te reconheci", ela interrompeu meu pensamento. "Trocou de namorado?"

O Rodrigo, que estava fazendo carinho na minha mão, subitamente a enrijeceu. Comecei a tremer. Aquilo não podia estar acontecendo... Sentindo-me até meio zonza, já ia responder que nunca havia tido outro namorado, quando ela completou: "E também agora você está com todas essas roupas... Da última vez lembro que você estava seminua com o Patrick no quarto do hotel da Disney...".

O Rodrigo largou a minha mão e eu estava pronta para voar no pescoço daquela cobra, quando ela deu o golpe final: "Por falar em Patrick, eu o encontrei por coincidência depois e ele comentou que esteve com você aqui em São Paulo... Não imaginava que um namorinho de férias iria vingar. E estou vendo agora que realmente não vingou. Mas não fique triste, se quer minha opinião, esse seu namorado novo é bem mais gato...", ela então deu uma piscadinha para o Rodrigo e saiu andando depressa.

Eu estava me sentindo tão nauseada que minha vontade era correr para o banheiro, mas pelo visto eu não ia fazer aquilo tão cedo, pois o Rodrigo estava parado na minha frente, com os braços cruzados e com uma expressão no rosto que eu só tinha visto uma vez na vida: quando, no dia do nosso primeiro beijo, o Marcelo tinha aparecido e contado um monte de calúnias para ele... Porém, agora, as mentiras da Karen tinham um fundo de verdade.

"Rô, essa menina brigou comigo na excursão e deve ter raiva de mim até hoje...", falei meio desesperada. "Por favor, me escuta!"

Ele apenas balançou os ombros e falou: "Estou escutando".

Notei que, além dele, várias outras pessoas estavam de ouvido em pé, prestando atenção em cada detalhe daquela novelinha acontecendo na frente delas. Por isso pedi: "Podemos conversar em outro lugar?".

Sem responder, ele se virou e começou a andar pelo mesmo caminho que havíamos vindo. Percebi que ele estava voltando para o estacionamento.

Entramos no carro e, em vez de dar a partida, ele se virou para mim e falou: "Aqui está melhor pra você?".

Não consegui detectar se na voz dele tinha ironia ou só muita frieza, mas então fiz que sim e repeti o que eu já tinha falado na praça de alimentação, que a Karen tinha implicado comigo desde o primeiro dia da excursão e que certamente ainda não tinha superado, já que disse aquilo na frente dele, mesmo tantos anos depois...

"Ela só falou aquilo pra me atingir, Rodrigo! Por vingança! Ela viu que eu estava feliz com você e resolveu estragar!"

"Vingança? Como assim? O que você fez de tão grave pra ela querer se vingar anos depois?"

Aquela pergunta era difícil de responder sem tocar no nome do Patrick. Vendo que eu demorei a responder por estar pensando, ele falou: "Priscila, sem mentiras desta vez, por favor! Já percebi que tem algo de errado nessa história, algo que escondeu de mim, e se fez isso é porque teve algum motivo. Estou te dando a chance de explicar tudo agora, senão vou acreditar no que a sua amiga falou!".

"Ela não é minha amiga!", falei com cara de nojo. Ele continuou me olhando sem dizer nada, por isso, passei a contar, sem tantos detalhes, sobre a viagem. Expliquei que eu tinha ficado amiga do filho da dona da agência de turismo, exatamente por quem a Karen havia se apaixonado. E por isso ela começou a me ameaçar, dizendo que eu não podia me aproximar dele.

"Eu fiquei com muita raiva, porque não achava certo ela ficar ditando o que eu podia ou não fazer! Eu nem mesmo a conhecia", completei. "E como a Luísa, a Bruna e a Larissa também não gostaram dela, nós começamos a provocá-la. Passamos a ir com o Patrick nos brinquedos e tal..." Vi que ele se mexeu meio desconfortável, mas eu continuei a explicar: "E, por isso, no último dia, ela resolveu se vingar. Eu estava no meu quarto fazendo a mala, já de biquíni, porque eu ia passar a manhã na piscina, com todo mundo da excursão. Provavelmente não vai se lembrar, mas eu falei com você por vídeo nesse dia, e te contei que as meninas já tinham descido exatamente porque eu ainda ia conversar com você..."

"Hum."

Fiquei com vontade de perguntar o que aquele "hum" significava, mas resolvi continuar: "De alguma forma, a Karen descobriu que eu estava de biquíni, acho que as meninas comentaram, mas o fato é que ela disse pro Patrick que eu havia me machucado e precisava da ajuda dele. Ele foi ver o que tinha acontecido, e, quando entrou no meu quarto, a tia Rejane – a dona da agência – apareceu. A Karen tinha falado pra ela que a gente estava namorando lá sem roupa... O que era proibido. Quer dizer, qualquer tipo de namoro, não apenas sem roupa... Então nós ficamos bem encrencados."

Ele passou a mão pelo cabelo e balançou a cabeça, como se doesse me imaginar de biquíni em um quarto de hotel com outro cara.

"Mas a verdade foi descoberta, a tia Rejane até falou no microfone que tinha sido tudo parte de um boato, me elogiou na frente de todo mundo e inclusive repreendeu a Karen... Contou pra família dela o que ela fez e ainda sugeriu que eles a levassem a um psicólogo..."

"Ela falou que você encontrou esse cara depois em São Paulo", ele falou ainda sério.

Comecei a pensar depressa e subitamente me lembrei da desculpa que eu havia inventado para o próprio Patrick quando apareci do nada um ano depois da excursão. Aquilo ia ser útil novamente.

"Você lembra que uma época eu te falei que estava pensando em fazer intercâmbio? Na ocasião eu estava de férias aqui em São Paulo e aproveitei pra ir lá na agência de viagens perguntar se eles trabalhavam com isso também. E eu o encontrei por coincidência lá... Ele estava com uma namorada, bem bonita!"

Fiz questão de enfatizar a última parte, talvez com mais força do que o necessário, porque ele levantou uma sobrancelha falando: "Puxa, reparou até na namorada do sujeito...".

Vi que o Rô estava sendo irônico novamente. Ele abriu a janela, olhou para fora, respirou. E então tornou a se virar para mim.

"Priscila, eu não sou idiota. Sei que pra você ter me escondido isso durante todo esse tempo é porque teve algum motivo. Tenho certeza de que você adoraria ter contado essa história se não fosse nada demais..."

Eu ia contestar, mas ele fez sinal para eu esperar.

"Tenho uma pergunta pra te fazer e quero que você prometa que vai falar a verdade". No mesmo instante em que ele falou, percebi que estava com receio de ouvir a resposta. Mas eu duvidava que era maior que o meu medo do que ele ia perguntar.

"Pode fazer", falei meio trêmula.

"Você não teve *nada* com esse... Patrick? Nem mesmo um beijo?"

Em um segundo, tudo que aconteceu naquele dia voltou na minha memória. Me lembrei do olhar do Patrick, me devorando ao me ver cantar. De nós dois escapando pela cozinha e indo até o parquinho do hotel. Do calor do braço dele sobre os meus ombros, me protegendo do frio. De quando ele me elogiou e do momento em que o provoquei... E do beijo apaixonado que veio em seguida. Sim, eu podia esconder de todo mundo, mas não dava para mentir para mim mesma. Aquele tinha sido um beijo de novela. Naquele momento no parquinho tudo que eu queria era a boca dele na minha... Até que eu me lembrei do Rodrigo e interrompi.

Então eu olhei para ele ali na minha frente, esperando a resposta. E me lembrei de tudo que havíamos vivido durante todos aqueles anos. Por último, me lembrei também daquele anel dentro da mochila. Se algum dia nós realmente nos casássemos, eu passaria o resto da vida com aquela culpa? Até então eu estava apenas ocultando. Agora ele estava me perguntando diretamente. E subitamente me lembrei da noite anterior. Quando ele havia me feito prometer que nunca mais mentiria para ele...

Dentro da minha cabeça, eu ainda ouvi a voz da Samantha dizendo vários anos antes que era para eu guardar aquilo só para mim. Mas eu não podia mais fazer isso. Eu não conseguiria encarar o Rodrigo novamente se não dissesse a verdade.

Ele ainda estava me olhando fixamente, quando senti lágrimas escorrendo pelo meu rosto pelo que eu estava prestes a fazer. Pelo que eu havia feito. Pelo fato de não poder voltar no tempo e mudar tudo.

Apertei os olhos com força, o que só fez com que o choro aumentasse, e então falei: "Um beijo. A gente deu um beijo".

Ele ficou me olhando por uns três segundos, como se não tivesse me escutado direito, e a expressão dele, que até então estava dura, se transformou. Seus olhos, que normalmente já passavam uma melancolia, ficaram ainda mais tristes. Percebi que ele estava fazendo força para não chorar também, mas ainda assim algumas lágrimas começaram a escapar e ele as enxugou com força.

Ele então balançou a cabeça de um lado para o outro, virou para a frente e girou a chave para dar a partida.

"Rô, espera, por favor", falei segurando o braço dele. Ele fingiu que não ouviu e começou a manobrar o carro. "Aquilo não teve o menor significado pra mim, eu juro! Eu não te contei antes exatamente por causa disso, eu não queria te magoar!"

Ele saiu do shopping e vi que nuvens começavam a aparecer. Uma parte da minha mente me disse que, se nada daquilo tivesse acontecido, provavelmente ele teria feito o pedido na chuva... Mas agora aquilo não era mais importante, eu só não queria perdê-lo, nem precisava de anel, eu só queria que ele continuasse comigo...

"Você ficou estranha depois daquela viagem, Priscila", ele falou de repente. "Eu te perguntei várias vezes se tinha algo que você queria me contar e você mentiu. E ontem... Eu te perguntei mais uma vez. Eu pedi pra você não mentir pra mim, eu perguntei se tinha algo que você havia deixado de me dizer... Você respondeu que não, olhando nos meus olhos. Eu acreditei em você..." Ele parou de falar por uns segundos e então completou: "Eu nunca mais vou conseguir confiar em você de novo. Acabou."

Vi que mais lágrimas escorreram pelo canto dos olhos dele e dessa vez ele não fez nada para impedir.

Pouco depois chegamos à minha casa. Ele foi direto para o quarto de hóspedes e começou a colocar tudo na mala, por mais que eu pedisse para não fazer isso.

Minha mãe, ao ouvir meu choro, foi atrás e perguntou o que estava acontecendo. Ele fechou o zíper e apenas falou: "A Priscila te explica". Em seguida ele a abraçou e agradeceu pela hospitalidade, enquanto ela não parava de perguntar aonde ele ia e se podia levá-lo a algum lugar. Ele explicou que já tinha chamado um táxi e então passou pela porta, sem me dizer uma palavra.

Fui atrás dele, implorando para que ficasse, mas ele fez que não ouviu.

Assim que chegou à garagem, ele tirou a mochila do porta-malas, a colocou nas costas e fez um afago na Duna e no Biscoito, que haviam nos seguido, e nesse momento o táxi chegou.

"Rô, por favor, não faz isso..."

Como se não tivesse me ouvido, ele abriu o portão e foi embora.

Sem olhar para trás nem uma vez.

47

Quinn: Você não pode mudar seu passado, mas pode esquecer e começar seu futuro.

(Glee)

De: Lúcia <lucialrochette@mail.com.br>
Para: João Marcelo <marcelorochette@netnetnet.com.br>
Daniel <danielrochette@netnetnet.com.br>
Sara <sararochette@mail.com.br>
Enviada: 27 de abril, 19:21
Assunto: Rodrigo

Sara, João e Daniel,

Estou escrevendo para pedir que deem uma força para o Rodrigo. Aconteceu algo muito triste... Ele terminou com a Priscila e acho que é pra valer. Agora há pouco eu estava na cozinha e de repente ouvi um barulho na porta da sala. Achei estranho, pois o pai de vocês estava no banho e o Daniel, que tem show hoje à noite, tinha acabado de sair pra passar o som. Por isso fui correndo conferir, e assustei ao ver que era o Rodrigo! Ele só voltaria de viagem amanhã à noite. Eu perguntei o que tinha acontecido, mas, em vez de responder, ele apenas veio em minha direção e me abraçou...

Então, sem que ele dissesse nada, eu soube o que tinha se passado.

Fiquei um tempo acariciando as costas e o cabelo dele, como eu fazia quando vocês se machucavam na infância, dizendo que tudo ia ficar bem. Mas infelizmente o Rodrigo não é mais um menininho e sabe perfeitamente que, depois que a gente cresce, nunca é tão fácil assim.

Eu senti que o coração dele estava batendo forte, fiz com que ele fosse pro quarto, misturei açúcar em um copo d'água, mas ele não quis beber. Só balançou a cabeça de um lado pro outro, como se não pudesse aceitar alguma coisa, e tudo que disse foi: "Eu não sei viver sem ela, mãe...". Eu então o abracei mais uma vez, até que ele pareceu melhorar um pouco e foi para o estúdio, onde está tocando bateria já há uns 50 minutos. Parece que está querendo descontar alguma coisa batendo naqueles pratos, o barulho está bem alto por aqui...

Como eu sabia que ele não ia esclarecer nada, liguei para a Lívia, a mãe da Priscila, pra ver se ela sabia de alguma coisa. Ela me falou que a Priscila está do mesmo jeito, chorando desde a hora em que o Rodrigo foi embora, sem comer, sem falar, apenas se lamentando. Mas pelo menos ela tinha uma informação a mais. Parece que a culpa na briga foi da própria Priscila, que ocultou alguma coisa e o Rodrigo acabou descobrindo. Ela não quis entrar em detalhes... Mas pelo jeito que ela falou, infelizmente acho que foi uma traição.

Bem, a causa não importa. Estou escrevendo para pedir que deem uma força para o irmão de vocês. Sim, Sara, agora eu acho que você pode tentar convencê-lo a viajar. Seu pai já falou que paga a passagem. Ele está bem chateado, pois o Rodrigo tinha feito planos para se mudar pra São Paulo, já tinha transferido a faculdade, largado o estágio e tudo... Seu pai disse que se ele continuar aqui pode sentir como se tivesse falhado ou até regredido. A gente acha que uma viagem nesse momento pode ampliar os horizontes dele, o Rodrigo é muito sensível e tenho medo de que ele possa até entrar em depressão se continuar nessa tristeza toda.

Eu já tinha visto o Rô assim apenas uma vez na vida... No dia em que a Priscila foi atropelada. Bem, agora parece que o atropelado foi ele.

Beijinhos,

Mamãe

De: Sara <sararochette@mail.com.br>
Para: João Marcelo <marcelorochette@netnetnet.com.br>
   Lúcia <lucialrochette@mail.com.br>
   Daniel <danielrochette@netnetnet.com.br>
Enviada: 27 de abril, 19:31
Assunto: Re: Rodrigo

Viu???? Ninguém me escuta... Eu falei que isso não ia dar certo! O Rodrigo estava se anulando muito por causa da Priscila. E agora o que sobrou? Nada! Ainda bem que eu não estou aí pra ver isso. Provavelmente pegaria um voo pra São Paulo só pra bater nessa menina! Ninguém maltrata o meu irmãozinho e sai impune!

Vou convidá-lo para vir pra cá mais uma vez, mas ele é muito teimoso, provavelmente vai querer ficar aí nutrindo as lembranças desse namoro e esperando a Priscila vir bater na porta e implorar o perdão dele! Alguém tem alguma dúvida de que ela vai fazer isso? Não deixem que ela entre! Porque, se ele a vir, pode não resistir e aceitar as desculpas esfarrapadas dela!

Espero que vocês consigam consolá-lo por agora. Quando ele chegar aqui, eu assumo o controle.

Beijos,

Sara

De: João Marcelo <marcelorochette@netnetnet.com.br>
Para: Sara <sararochette@mail.com.br>
Lúcia <lucialrochette@mail.com.br>
Daniel <danielrochette@netnetnet.com.br>
Enviada: 27 de abril, 19:44
Assunto: Re: Re: Rodrigo

Só digo uma coisa: Hahahahahaha! Bem feito pra ele! Quem mandou não me escutar? Eu avisei seis anos atrás que isso não ia dar certo! Que ela não o merecia! Ele me deu atenção?? Não! Tem mais é que levar ferro mesmo, pra aprender a ficar esperto! E outra, é bom pra ele ver que não dá pra tratar mulher do jeito que ele trata... Ele praticamente pediu pra levar um chute na bunda! Isto é uma regra: quem não faz, toma! Simples assim. Se ele tivesse traído a Priscila, ela que estaria lá agora deprimida, e não o contrário.

Tomara mesmo que ele venha pra cá, vou fazer uma lavagem cerebral pra ele ficar esperto! Tá na hora de crescer e virar homem!

Marcelo

De: Leonardo <soueuoleo@gmail.com>
Para: Rodrigo <rrrrrodrigooooo@gmail.com>
Enviada: 27 de abril, 20:26
Assunto: E aí?

Rodrigo, sua mãe me ligou, pediu pra eu te dar uma força, ela me contou o que aconteceu... Mas você não atende o telefone. Provavelmente não quer falar com ninguém nesse momento, eu já estive no seu lugar, sei como é... Você continua sendo o meu melhor amigo e, apesar da distância, gostaria de estar por perto para tentar te tirar dessa fossa, como eu e o Alan fizemos daquela outra vez que você e a Priscila terminaram... Lembro que aquele término de vocês só durou 24 horas e tudo que sobrou foram lembranças divertidas de uma noite de bebedeira. Mas, pelo que sua mãe falou, acho que desta vez é mais sério. Por isso, vou te dar alguns conselhos... Pode ler e ignorar se achar que não precisa. Mas eu gostaria que alguém tivesse me dito essas coisas quando eu passei pela mesma situação.

1 - A primeira semana é a pior. A gente acha que nunca mais vai ser o mesmo, que acabou a vida, que nada mais faz sentido. Mas não é bem assim... Depois de alguns dias a gente começa a enxergar novamente, e a cada manhã acorda um pouquinho melhor. Quer dizer, alguns dias as recaídas acontecem e acordamos péssimos, aliás, não dá nem vontade de acordar. Mas uma hora a gente percebe que aquela menina não ocupa mais 100% da nossa mente. Passa pra 90%. Depois pra 80%, 70%. E quando chega a 50%, começamos a ver que podemos preencher a nossa vida com outras coisas. Eu preenchi rapidamente com outras garotas. Não adiantou muito, e aí vem o próximo tópico.

2 - Você vai compará-la com todas as outras mulheres. É inevitável. E sinto te dizer, mas todas as outras vão perder. Quando a gente gosta, quer dizer, quando a gente AMA uma pessoa, nenhuma outra é páreo para ela... E de alguma forma estranha, apagamos os maus momentos da memória e só nos lembramos dos dias perfeitos, dos melhores momentos, de tudo que era bom no namoro. Por isso, não seja injusto com as outras meninas. Deixe para conhecê-las depois que já estiver "curado", em vez de procurá-las como cura. É importante dizer que eu estou escrevendo isso pra você, mas naquele estilo: "faça o que eu digo, não faça o que eu faço". Confesso que até

hoje tenho tentado me curar dessa maneira... Mas você sempre teve mais autocontrole do que eu.

3 – Mude de ambiente. A melhor coisa que eu fiz quando terminei com a Fani foi me mudar de cidade. Eu não posso nem imaginar como teria sido se tivesse continuado em BH, passando por todos os lugares que me lembravam dela, correndo o risco de encontrá-la em alguma esquina... Ter vindo pro Rio fez com que tudo à minha volta fosse novidade, e isso me distraiu. Por isso, se tiver a chance, mude de BH (só não vale ir pra SP!). Escolha um lugar para recomeçar. Você vai ver como vai ser bem mais fácil...

Meu amigo, a última coisa que tenho que te falar é que dói mesmo. Mas não vale a pena "morrer de amor". Use essa dor para as suas poesias e músicas, mas não deixe isso te consumir. A felicidade continua no mundo. O amor também. Eu continuo procurando... Espero um dia encontrar. E que você o encontre também.

Sei que no futuro vamos rir muito disso tudo. Mas até lá, conte comigo para o que precisar!

Leo

48

*Rachel: Sei que você está solitária.
Mas não está sozinha.*

(Glee)

Meninas, aqui é a Lívia, a mãe da Priscila. A amiga de vocês está precisando muito de ajuda. Ela e o Rodrigo terminaram e ela está inconsolável. Já tentei de tudo. Caso saibam de algo que possa animá-la, tentem por favor. Estou preocupada com a minha filha e muito triste por não poder tirar essa dor dela. Obrigada e feliz Páscoa.

Pri, amiga!!! Atende o telefone! Quero falar com você! Fiquei sabendo o que aconteceu e estou morrendo de tristeza! Se meu pai não tivesse proibido tipo TUDO por eu não ter passado no vestibular, certamente eu pegaria um avião agora e voaria praí pra gente ir ao shopping fazer umas comprinhas e paquerar (quer dizer, você ia paquerar, eu não posso por causa do Alberto. Ai, desculpa, não queria ostentar meu namoro agora que você terminou!). Me liga a qualquer hora do dia ou da noite, estou aqui para o que você precisar! Nat

Pri, queria estar aí em SP pra não deixar você ficar triste nesse momento... Tem alguma coisa que eu possa fazer? Quer que eu te mande o Ian Somerhalder por Sedex? Beijos da prima que quer te ver sempre feliz! Marina

Pri, sua mãe me contou o que aconteceu. Por que você não me falou que beijou o Patrick? Eu nunca te julgaria por isso... Bom, passei na sua casa pra dar um abraço, mas você estava dormindo. Não pude esperar você acordar porque minha mãe estava esperando, estamos indo pro almoço de Páscoa na casa da minha avó. Por falar nisso, deixei um ovinho pra você. Espero que adoce um pouco a sua vida... Beijinhos, Larissa

Priscila, vamos parar de frescura e atender ao telefone? Vai ficar chorando por causa de homem? Tá, sei que não era um homem qualquer, era o Rodrigo, mas mesmo assim. Mas não pense que estou tentando te ligar pra te consolar. Estou ligando pra te dar uma bronca! Você ficou com o Patrick na excursão da Disney e não me contou em todos esses anos?! Obrigada pela confiança! Bruna

Oi, Priscila, aqui é a Pietra. A Bruna me contou que seu namorado terminou com você. Eu estava indo pra balada com o irmão dela, e de repente ela começou a xingar no telefone. Como ficamos curiosos, ela explicou que anos atrás você jurou que não tinha ficado com um cara, mas que era mentira.. Bem, só espero que esteja tudo legal com você. Acho que o problema agora não é bem esse cara que você beijou, e sim o que vai deixar de beijar... Não conheci seu namorado, mas sei que você gostava de verdade dele. Se quiser dar uma saída pra conhecer pessoas novas, conte comigo!

Priscila, passei na sua casa pra gente dar uma volta com seus cachorros e o meu gato, mas sua mãe falou que você não quer sair do quarto. Meu bem, nossa vida é uma tela de pintura. Se você pintar uma paisagem com nuvens, só vai encontrar chuva e raios no caminho. Mas se der uma chance para o sol, tudo vai ficar mais claro e feliz! Me liga quando estiver a fim de conversar, tá? Vou respeitar seu espaço. Beijocas! Anna Victória

Priprica, sua mãe me ligou contando o que aconteceu. Ela falou que você não quer receber telefonemas, mas espero que leia mensagens. Vou te dar uma ordem: vai na geladeira, pega a coisa mais doce que você encontrar e come tudo, sem culpa. Depois tira o dia para ver uns seriados de ação (nada de romance!) e à noite dê uma saidinha com suas amigas! Aposto que você vai se sentir muito melhor! Daqui a uns dias a gente volta e vou direto para aí cuidar da minha cunhadinha! Seu sobrinho está pedindo pra você não ficar triste, ele quer que você seja sempre feliz! ♥ Mil beijos! Sam e bebê

Prica, quase peguei o primeiro voo quando sua mãe me contou como você está. Não gosto de te imaginar triste, isso não combina com você... Tem algum seriado que você ainda não tem e que pode devolver o seu sorriso lindo? É só falar o nome que eu levo de presente pra você. Te vejo em dois dias. Beijão! Papai

49

> <u>Cassie</u>: Eu vou te amar pra sempre.
> Esse é o problema.
>
> (Skins)

Rô, eu preciso falar com você de novo, não faz isso... Me atendeeeeeeeeeeeeeeeeeeeeeeeeee! Priscila

Rô, eu estou arrasada, eu daria tudo pra voltar no tempo, mas eu não posso... Fala comigo, por favor, por favor, por favor!! Priscila

De: Priscila <pripriscilapri@aol.com>
Para: Rodrigo <rrrrrodrigooooo@gmail.com>
Enviada: 27 de abril, 21:01
Assunto: Por favor

Rodrigo, por favor, atende o telefone? Quero te explicar de novo o que aconteceu, não foi nada de mais... Por favor!

Priscila

De: Priscila <pripriscilapri@aol.com>
Para: Rodrigo <rrrrrodrigooooo@gmail.com>
Enviada: 28 de abril, 06:26
Assunto: Me perdoa...

Rô, por favor, o que eu posso fazer pra você me perdoar??? Qualquer coisa que você quiser!

Priscila

De: Priscila <pripriscilapri@aol.com>
Para: Rodrigo <rrrrrodrigooooo@gmail.com>
Enviada: 29 de abril, 02:45
Assunto: Te amo

Te amo, te amo, te amo, te amo, te amo, te amo,
te amo, te amo, te amo, te amo, te amo, te amo,
te amo, te amo, te amo, te amo, te amo, te amo,
te amo, te amo, te amo, te amo, te amo, te amo,
te amo, te amo, te amo, te amo, te amo, te amo,
te amo, te amo, te amo, te amo, te amo, te amo,
te amo, te amo, te amo, te amo, te amo, te amo,
te amo, te amo, te amo, te amo, te amo, te amo,
te amo, te amo, te amo, te amo, te amo, te amo,
te amo, te amo, te amo, te amo, te amo, te amo,
te amo, te amo, te amo, te amo, te amo, te amo,
te amo!!!!

ACREDITE EM MIM!!!!!

Priscila

São Paulo, 30 de abril

Rodrigo, só quero te explicar mais uma vez que nada daquilo teve a menor importância. Eu já te falei, mas vou repetir... Eu só não te contei pra não te magoar. E porque eu fiquei com medo de te perder... Como está acontecendo agora. Por favor, atenda ao telefone ou responda a um dos meus e-mails, mensagens, cartas...

Eu não vou parar enquanto você não me der um sinal qualquer...

Te amo, sempre vou te amar!

Priscila

Priscila, a quantidade de vezes que você escrever não vai mudar minha opinião. Entenda que não quero falar com você neste momento. Você está triste? Então imagina como EU estou. Por favor, pare de me procurar, isso não vai mudar nada! Aliás, uma coisa vai mudar sim, o número do meu celular e o meu e-mail, se você continuar a insistir. Quando eu estiver pronto para falar com você, eu mesmo te procuro. Rodrigo

50

Haley: Alguém uma vez disse que a morte não é a maior perda na vida. A grande perda é o que morre em nós enquanto vivemos.

(One Tree Hill)

Eu percebi que estava trocando o dia pela noite quando me dei conta de que estava vendo mais meus gatos do que meus pais. Assim como o Floquinho e a Snow, adquiri hábitos noturnos, a penumbra me confortava, era condizente com a escuridão que eu estava sentindo. Comecei a atravessar as madrugadas assistindo a seriados e mais seriados para esquecer a minha própria vida, e passei a ir para a cama apenas quando via os primeiros raios do sol.

Meu pai chegou de viagem e todos os dias trazia panfletos de abrigos de animais que precisavam de voluntários, em uma tentativa de me distrair com algo que eu costumava gostar de fazer, mas aquilo apenas me lembraria do Rodrigo e me entristeceria ainda mais. Na verdade, até os meus próprios bichos me lembravam dele, perdi a conta de quantas vezes agradeci mentalmente o fato de estar morando em uma casa com quintal, para não ter que passear com meus cachorros na rua, e passei a ver os meus coelhos e o Chico apenas uma vez por dia, o suficiente para não deixá-los morrer de fome... Pelo menos eu sabia que o fato de ter perdido o apetite não significava que o resto do mundo também estivesse assim.

Uma academia nova foi inaugurada a um quarteirão da minha casa e minha mãe logo me matriculou, alegando que eu adorava esportes, que aquilo poderia elevar os meus níveis de endorfina e, consequentemente, o meu humor. Mas eu nem sequer fui ver onde era.

A Samantha me ligava todos os dias. Ela e o meu irmão estavam em Paraty, visitando a minha avó, e insistiram várias vezes para eu ir para lá passar um fim de semana com eles. Os dois iam ficar por uns dias, já que em poucas semanas o Arthur começaria a dar aulas em uma faculdade e demoraria para poder tirar férias novamente. Mas a última coisa que eu queria fazer era ir à praia naquele momento.

Eu não estava indo nem à faculdade, por mais que meus pais insistissem e até me ameaçassem. A cada vez eu respondia que nunca mais ia conseguir levantar daquela cama e que, se eles me obrigassem, eu morreria! Eles então perguntaram se eu queria que me levassem a um médico, mas a simples ideia de ter que sair de casa, de ter que viver, me causava uma preguiça gigantesca e, por isso, eu preferia continuar no meu quarto escuro, com a cabeça e o corpo cobertos, com os olhos fechados e torcendo para adormecer logo, para, pelo menos durante o sono, esquecer aquela dor.

Depois de vários dias tentando me tirar de casa em vão, eles se cansaram e apenas falaram que eu podia contar com eles quando resolvesse sair daquele poço sem fundo onde eu tinha me enfiado, mas que aquilo dependia só de mim. Eu sabia que eles estavam certos, eu era a responsável por aquela depressão toda em que me encontrava e só me reergueria quando fizesse um esforço para isso. Mas eu simplesmente não via sentido naquilo. Eu não via sentido em mais nada. Sem o Rodrigo a minha vida não tinha razão de ser.

Passei duas semanas naquela semivida, até que um dia a Bruna deu uma "passadinha" na minha casa, como se fosse totalmente coincidência o fato de ela estar circulando pelo meu bairro em plena sexta-feira à tarde, mesmo morando a quase uma hora de distância e não tendo nenhuma razão para estar ali. Fingi que acreditei, que não sabia que meus pais provavelmente haviam ligado implorando para que ela tentasse me animar, e a recebi com um sorriso forçado. Ela nem tentou disfarçar a expressão de nojo ao me ver de pijama e cabelo desgrenhado no meio da tarde. Já entrou no meu quarto abrindo as janelas e sacudindo os lençóis.

"Ei, ainda vou me deitar aí!", falei, quando ela começou a tirar a roupa de cama e a jogou no cesto de roupa suja.

Ela fingiu que não ouviu e passou a catar as roupas que eu tinha largado no chão, a colocar nas caixas alguns DVDs que eu havia deixado espalhados, a espanar com a mão os pelos dos meus gatos que estavam sobre os móveis...

"Bruna, dá pra parar?", falei segurando o braço dela. "Minha mãe te pagou pra fazer faxina no meu quarto? Que saco isso! Quero tudo do jeito que eu deixei, mais tarde eu arrumo!"

"Mais tarde quando, Priscila?", ela perguntou se soltando da minha mão. "Já tem mais de 10 dias que o Rodrigo brigou com você e desde então você está parecendo uma morta-viva! Eu te chamei pra ir pro sítio comigo e você não quis, sua mãe disse que seu irmão também te convidou pra ir pra praia, mas você não só recusou, como resolveu fazer deste quarto escuro a sua moradia fixa! Além disso, só de te olhar estou vendo que emagreceu, sinal de que não deve estar comendo nada! Por quanto tempo mais pretende ficar assim?"

Não respondi, apenas me sentei na cama e fiquei olhando para baixo. Minha vontade era de realmente ficar pelo resto da vida naquela caverna que o meu quarto tinha se tornado.

"Olha só, você está até sem atitude! Cadê a minha amiga Priscila??? Se fosse antes, você simplesmente gritaria comigo e me mandaria cuidar da minha vida!"

Aquilo me pegou. Eu estava mesmo com vontade de expulsá-la dali, mas só de pensar no esforço que teria que fazer para brigar com ela, já me senti exausta.

"Pri...", ela se sentou ao meu lado, "está todo mundo preocupado com você. Sei que esse término foi traumático, que você não estava preparada, que pensava que o Rodrigo ia fazer parte da sua vida pra sempre... Mas você não nasceu grudada nele. Aliás, foi por ser quem você era antes de conhecê-lo que ele gostou do seu jeito e das suas opiniões..."

Ela estava tentando ajudar, mas aquilo só estava fazendo com que eu me lembrasse de quando conheci o Rodrigo, mais de seis anos antes. Desejei com todas as minhas forças voltar no tempo e fazer tudo diferente. Eu teria contado para ele o que tinha acontecido na Disney. Não, na verdade, eu teria cancelado a viagem inteira! Eu teria dado mais valor ao nosso amor, para não correr o risco de ficar sem ele. De ficar como eu estava naquele momento. Murcha. Oca. Sem ele só me restava o vazio.

"Eu queria tanto o Rodrigo de volta...", falei baixinho, sentindo lágrimas no meu rosto. Ela me abraçou, passou a mão pelo meu cabelo e só falou: "Ô, Pri...".

Ficamos assim um tempo e então ela disse: "Olha, sei que a proporção é diferente, e que ficar sem um amor é mais complicado do que ficar sem uma amizade, mas, quando você se mudou pra BH, eu custei a me conformar. Sei que por fora eu pareço muito forte e durona, mas foi muito difícil pra mim, eu passei meses chateada... Nós éramos um quarteto, mas eu sempre fui bem mais próxima de você do que da Larissa e da Luísa. Suas opiniões combinavam com as minhas, seu estilo de música era parecido com o meu, seu bom humor vinha ao encontro da minha ironia natural. E de repente você foi pra longe... Eu sabia que poderia te ver ocasionalmente, mas tive que aprender a viver sem a minha melhor amiga no dia a dia. Foi difícil, no começo eu pensava em você o tempo todo, no colégio, no condomínio, na aula de vôlei... Mas aos poucos aquela falta toda foi passando. A amizade não diminuiu de tamanho, mas eu me acostumei com a distância. Conheci mais pessoas, fiz outras amigas, vi que eu podia viver sem você do lado. Mas isso não quer dizer que te esqueci. Eu sabia que você continuaria a ser pra sempre mais que uma amiga de infância, você sabe que é a minha irmã de consideração! Mas aquilo de certa forma foi bom porque me fez ver que eu posso me adaptar a qualquer circunstância, a qualquer perda, a qualquer separação... Essa é a graça de viver. A gente consegue se adaptar a tudo na vida. Cai e levanta, aprende com o tombo, caminha novamente, cai outra vez... Mas a cada uma dessas quedas, a gente fica mais madura, mais sábia, mais forte. E olha só... Já ouviu aquela frase que diz que o mundo dá voltas? É clichê, mas é verdade. Eu nem imaginaria que você ia voltar pra São Paulo algum dia! Se soubesse que era apenas uma fase em BH, nem teria ficado tão triste com a sua mudança... Quem sabe do futuro, Pri? Quem pode dizer se lá na frente você e o Rodrigo não vão se reencontrar? Neste momento ele não quer te ver, mas tenha paciência... A confiança que ele tinha em você foi comprometida, mas acho que ocasionalmente ele pode superar isso..."

Fiquei olhando para ela, sentindo cada uma das palavras rodando na minha cabeça. Eu sabia que ela tinha razão, mas eu duvidada que algum dia o Rodrigo me perdoasse.

"Você e a Larissa ficaram chateadas por eu não ter contado sobre o Patrick", falei depois de um tempo. "Vocês agiram como se tivessem sido passadas pra trás. E isso foi só por eu não ter contado tudo que aconteceu *anos* atrás. Imagina o que o Rodrigo, que realmente foi traído, está sentindo? Você me perdoaria, se fosse ele?".

Ela suspirou, pensou um tempo e então falou: "Imediatamente não. Eu demoraria um tempo pra digerir a raiva e o sentimento de ter sido enganada. E eu também faria questão de te castigar um pouco. Mas o namoro de vocês durou muito tempo, Pri... Acho que, se eu fosse o Rodrigo, não deixaria que um acontecimento de uma noite, que se passou tanto tempo atrás, afetasse todo o resto. Vocês têm uma história bem longa juntos...".

Era parecido com o que a Samantha tinha me falado, mas quanto tempo ele demoraria para perceber aquilo? Será que ele não podia me castigar um pouco mais de perto? Eu sentia tanta falta dele...

"Pri, na verdade eu vim aqui pra te fazer um convite", a Bruna falou, chamando a minha atenção. "Domingo é o aniversário da Larissa, caso você não esteja se lembrando..."

Era verdade! Eu tinha me esquecido completamente. Aliás, na realidade eu não tinha nem ideia de em que dia estávamos.

"Por isso", ela continuou, "a mãe dela vai fazer uma festinha. É meio surpresa. Vai ser só um almoço, mas ela quer muito que você vá. E sabe quem deve aparecer? A Luísa. Não seria legal encontrar com ela depois de tanto tempo?"

Eu estava morrendo de saudade da Luísa, mas não tinha certeza se encontrar com ela naquele momento seria uma boa ideia. Mesmo depois de tantos anos, eu achava que ela ainda me culpava pelo término com o meu irmão, e com certeza agora também me acusaria de traidora por ter ocultado dela o beijo no Patrick. Certamente aquela "nova" informação já tinha chegado até ela...

"Ela está namorando e muito feliz, Pri, já superou o seu irmão há milênios!", a Bruna falou prevendo meus pensamentos.

"Inclusive, outro dia, encontrei com ela lá na rua, e ela me falou que está louca pra te ver, que já tem anos que vocês não se encontram... Viu como o tempo cura qualquer mágoa?"

Fiquei pensando naquilo, mas, como não respondi nada, a Bruna se levantou e disse: "E, olha só, estou indo ao shopping agora comprar um presente pra ela. Quer ir junto? Por favor, não deite de novo! Senão vou ser obrigada a queimar seu colchão!".

Olhei para a minha cama, agora sem roupa de cama nenhuma, e pela janela vi o bonito dia de outono que estava fazendo. E foi exatamente aquele clima que subitamente me fez lembrar que já tinha quase um ano que meus pais haviam anunciado que iam reatar... E as palavras deles voltaram à minha mente.

"Bruna, quando meus pais me contaram que iam voltar a ficar juntos, disseram coisas como: *tivemos que passar por essa fase separados para encontrar um caminho de volta*. E também: *o tempo nos mostrou que nada é tão grande e tão forte quanto o amor que ainda sentimos um pelo outro*. Na época eu achei que eles tinham tirado essas frases de algum romance de banca. Mas agora... Você acha que isso pode acontecer comigo e com o Rodrigo também? Que algum dia a gente pode se reencontrar e então tudo voltar a ser como era?"

Ela se sentou novamente, pegou a minha mão e falou: "Não. Eu não acho que vai voltar a ser tudo como era antes. Vocês dois vão mudar dia após dia. E vão amadurecer, ter outras experiências... Mas, exatamente por isso, acho que tudo pode ficar ainda melhor. Como aconteceu com seus pais, acho que se vocês voltarem daqui a um tempo, vai ser porque o amor é realmente muito forte, a ponto de superar esse término, a ponto de sobreviver ao tempo e à distância. E eu sinceramente acho que é. O Rodrigo foi o seu primeiro amor de verdade...".

"O Rodrigo foi o meu único amor de verdade!", corrigi. "Ele é o meu único amor..."

Ela me abraçou e disse: "Eu sei. E você também é tudo isso pra ele. E é por esse motivo que eu acho que ele precisa desse tempo sozinho... Quando perceber que o que aconteceu lá na Disney ficou lá mesmo, no passado, e que não tem a menor importância no presente, talvez ele entenda que o que vale mesmo é toda a história que tiveram juntos e a que ainda tem pra viver. E se eu fosse você eu estaria preparada para quando ele te procurar. Você não vai querer que ele te encontre nesse estado...".

Ela me levou até o espelho e fez com que eu me olhasse. Eu realmente estava horrível. Pálida, com os cabelos embaraçados, com um pijama puído, com olheiras gigantes...

"Estou parecendo uma bruxa...", falei rindo, mas com vontade de chorar de pena de mim mesma.

"Não", ela começou a fazer uma trança no meu cabelo. "Está só parecendo alguém que já sofreu o suficiente... Acho que basta, né?"

A Bruna me deixou na frente do espelho e foi pegar a bolsa dela, que tinha deixado ao lado da minha cama. Eu apenas continuei olhando a minha imagem e pensando em como minha vida tinha mudado em pouco tempo. Em como *eu* havia mudado. E não podia dizer que estava gostando daquelas mudanças. Minha vontade era de voltar, apagar tudo e começar de novo.

Aquele último pensamento me fez lembrar de quando o Rodrigo me fazia jogar Playstation com ele. Se eu perdia muitas vidas, invariavelmente ficava irritada e desligava o jogo, pra recomeçar do início. O Rô sempre dizia que eu estava trapaceando, mas eu só respondia que aquilo não era trapaça, era apenas economizar tempo, já que estava na cara que aquele jogo não ia dar em nada e que, por isso, quanto antes eu recomeçasse, mais cedo poderia tentar fazer com que um novo jogo desse certo.

Era isso... Eu não precisava ficar esperando, se já sabia que ia perder! Eu tinha que começar outra vez, para ter chance de ganhar. E eu tinha que fazer isso o mais rápido possível!

"Eu vou até BH conversar com o Rodrigo", falei me virando para a Bruna. "Chega, cansei. Eu mereço uma nova chance, ele vai ter que me ouvir de novo, vou pedir desculpas mais mil vezes, vou suplicar, vou beijar os pés dele, vou me humilhar o quanto precisar! E se ele aceitar, só volto aqui pra buscar minhas coisas, vou me mudar pra lá de novo."

"Você vai o quê?!", ela franziu a testa como se tivesse entendido errado as minhas palavras.

"Exatamente isso que você ouviu", respondi, já indo em direção ao banheiro. Eu precisava tomar um banho correndo e ir para a rodoviária, pois os meus pais não concordariam com aquilo de forma alguma e o dinheiro que eu tinha nunca daria para uma passagem de avião. Eu entraria no primeiro ônibus para Belo Horizonte que encontrasse.

"Priscila, você enlouqueceu? Você só vai piorar as coisas! O Rodrigo não falou que não quer conversar com você agora, e que, quando estivesse preparado, ele mesmo ia te procurar? Respeita o tempo do garoto! Se ele ainda não apareceu, é porque ainda está muito magoado! Além disso, que espécie de namoro vocês vão ter daqui pra frente se você se rastejar aos pés dele, como está planejando? Quer que ele fique com você por *pena*?"

"Não importa a razão", falei tendo cada vez mais certeza de que estava fazendo a coisa certa. "Quero que ele fique comigo. Só isso. O motivo não tem importância. Aos poucos ele vai acabar se lembrando de como era bom estarmos juntos e a raiva vai passar..."

"Priscila, ele sabe perfeitamente o quanto era bom, mas eu tenho certeza de que você vai quebrar a cara se fizer isso neste momento. Aliás, não só a cara, seu coração vai se partir ainda mais e você vai voltar em pedaços pra cá!"

Lancei um olhar triste pra ela e, antes de fechar a porta do banheiro, falei: "Já estou em pedaços. Estou estraçalhada. Pior não tem como ficar. O que vou tentar fazer é passar uma cola, remendar pelo menos uma pequena parte de mim... Eu estava deixando o tempo resolver o problema, mas a nossa conversa me fez perceber que eu não sou assim. Nunca deixei minha vida na mão de outras pessoas e não vai ser agora. Pode dar errado, eu sei. Mas pelo menos eu vou tentar".

Ela balançou a cabeça de um lado para o outro, se virou e saiu. Então entrei no chuveiro e deixei a água lavar toda a apatia que tinha me dominado por dias. Estava na hora de me resgatar.

51

Jeremy: Eu vou sentir falta dela, mas acho que é melhor assim.

(The Vampire Diaries)

1. The Reason – Hoobastank
2. High and Dry – Radiohead
3. Bedshaped – Keane
4. Everybody Hurts – R.E.M.

Conheci a Priscila quando eu tinha acabado de fazer 14 anos. Foi só olhar para aquela menininha com cara de sapeca, e cabelos de uma cor que eu nunca tinha visto antes, que eu percebi que minha vida nunca mais seria a mesma. Algumas pessoas podem chamar isso de amor à primeira vista. Outros podem dizer que era apenas uma carência que eu devia estar sentindo no dia. Eu prefiro chamar de destino. Predestinação. Acaso. Acredito que algumas pessoas têm que entrar em nossas vidas para nos ensinar, nos levar por algum caminho pelo qual não andaríamos sozinhos, para tornar nossa história mais colorida...

Durante quase seis anos, compartilhei cada minuto da minha vida com ela. Quando não estávamos juntos fisicamente, a Priscila estava nos meus pensamentos. E de repente ela se foi...

Nos primeiros dias depois que voltei de São Paulo, senti como se alguém tivesse morrido. Como se alguém que eu amava mais do que a minha própria vida tivesse partido, para nunca mais voltar... Sei que a Priscila não morreu, que, neste momento, está andando em algum lugar, encantando pessoas, sorrindo, chorando, se surpreendendo, vivendo. Mas, para mim, essa não é mais a "minha" Priscila. Saber que tudo que eu pensava, tudo em que eu acreditava, por tantos anos, nada mais era do que uma mentira, me fez pensar que talvez eu também fosse uma farsa... Se toda a minha vida girava em torno de uma pessoa que não era quem eu pensava, então a minha história inteira vinha sendo escrita de modo errado.

Passei dias e dias trancado no quarto, tendo como companhia apenas um caderno e um violão, compondo músicas e mais músicas como uma espécie de catarse, como se eu precisasse despejar aquele sofrimento todo em algum lugar, para que ele não me intoxicasse, para que eu não fosse inundado pelas minhas próprias lágrimas.

A imagem da Priscila permanecia me rondando por todos os lados. Em fotos, músicas, presentes... O fato de ela não parar de me mandar mensagens também não ajudou. Ironicamente, saber que ela estava sofrendo não diminuiu em nada a minha própria tristeza. Comecei a sentir como se eu fosse duas pessoas, com dois sentimentos distintos. Ora eu a odiava, ora eu a amava. Ora queria que ela sumisse do mundo. Ora queria que ela entrasse por aquela porta e me dissesse que tudo não passava de um pesadelo...

Muita gente foi legal comigo. Eu, que sempre me considerei uma pessoa de poucos amigos, descobri que tinha mais do que eu imaginava. Sempre achei que aqueles que se aproximavam dos outros em fases trágicas ou de muito sofrimento fossem como "urubus", que se nutriam com a deterioração alheia, para que aquilo colocasse suas próprias vidas em perspectiva. No começo, muitas pessoas me lançavam olhares de pena, e eu podia praticamente ler o pensamento delas. "Olha como ele está infeliz, pobre garoto." Ou "ele perdeu seis anos com alguém que o enganava, tadinho...". E eu tinha vontade de mandá-las cuidar da própria vida e sumir da minha frente. Mas, aos poucos, comecei a perceber que não era fingimento. Não era para que se sentissem melhor com seus próprios problemas. Porque, em vez de se cansarem, elas ficavam mais e mais insistentes. Queriam me tirar de casa, me animar, me encher de distrações para que eu pudesse esquecer.

Entendi que elas estavam verdadeiramente preocupadas. E por isso comecei a ouvi-las.

O conselho geral que eu ouvi, dos meus pais, irmãos e amigos, foi que eu deveria me afastar de tudo que me lembrasse da Priscila. Eu sabia que eles estavam certos. Ali naquele quarto cheio de lembranças, naquela cidade cheia de recordações, eu nunca conseguiria tirá-la do pensamento. Mas esse era o problema. Em alguma parte masoquista de mim, que pelo visto era bem grande, eu não queria esquecê-la...

Porém, em uma noite em claro, depois de repassar mais uma vez a cena dela nos braços de alguém para quem eu já tinha encarregado de criar um rosto e um corpo, eu me cansei. Percebi que, se continuasse daquele jeito, eu ia enlouquecer. Então, em um súbito acesso de raiva, rasguei o caderno inteiro onde havia passado dias fazendo poemas e compondo canções. Peguei todos os presentes que ela havia me dado durante anos e todas as fotos que tiramos juntos, fui para a cobertura e coloquei tudo dentro da piscina, que estava vazia, e botei fogo, como se fosse uma espécie de ritual ou magia. Quando eu estava prestes a jogar lá embaixo aquele maldito anel em que havia gastado todo o meu dinheiro, minha mãe apareceu assustada, por ter acordado com o cheiro de fumaça e ter pensado que talvez eu tivesse ateado fogo ao meu corpo inteiro ou algo assim... Então eu o enfiei rapidamente no bolso e expliquei para ela que estava apenas incinerando tudo que me fazia sofrer. Ela concordou com a cabeça e no mesmo instante começou a me ajudar com a fogueira.

Em certo momento, ao ver o rosto da Pri em uma foto, metade queimada e metade ainda mostrando aquele sorriso que por tanto tempo foi a razão do meu, eu comecei a chorar. Por mais que eu tentasse impedir, as lágrimas insistiam em cair, por isso me sentei no chão e deixei que elas lavassem toda aquela mágoa, toda a amargura. Então a minha mãe veio e me abraçou, e eu deixei que ela me consolasse exatamente como fazia quando eu era criança e ralava o joelho em alguma brincadeira... Mas agora era o meu coração que estava esfolado. E, infelizmente, o abraço dela não fez aquela dor passar.

Na manhã seguinte, a primeira coisa que fiz ao levantar foi olhar passagens. Eu precisava sair daquele lugar, começar de novo, esquecer os últimos anos para poder viver os que estavam por vir.

Ainda no café da manhã, contei para os meus pais o que eu tinha intenção de fazer. Eles aprovaram e, antes que eu pudesse pensar duas vezes, avisaram que a minha nova vida tinha dia marcado para começar.

A partir de então, o tempo começou a passar depressa. Os preparativos eram muitos e eles acabaram ocupando (parte da) minha mente. Tranquei a faculdade, liguei para o José Carlos me desculpando e dizendo que não ia poder mais assumir aquele cargo na empresa dele (ele disse que o Leo já havia contado o que tinha acontecido e que por essa razão já estava esperando o meu telefonema), cancelei todos os alunos...

Mas ainda faltava uma coisa.

Em inglês, existe a palavra *closure*, que no sentido literal, seria algo como "fechamento", mas na verdade é muito mais do que isso. É aquele último ponto final. É o que você precisa para começar um novo parágrafo, um novo caminho, um novo rumo. E eu sabia que não era apenas eu que precisava daquilo. *Ela* precisava também. E com todas aquelas mensagens que eu vinha recebendo, nenhum de nós dois ia conseguir.

Por isso, um dia antes da minha viagem, resolvi que só tinha uma forma de fazer isso. Peguei um papel. E escrevi.

52

Cassie: Sabe o que é o pior em ter
o coração partido? Não se lembrar
de como você se sentia antes.

(Skins)

O ônibus chegou a Belo Horizonte às 2h da manhã. Como eu não queria que, além do Rodrigo, a família inteira dele também me odiasse, liguei para a única pessoa que eu sabia que me entenderia e que com certeza teria feito o mesmo que eu... a Natália.

"Nat, desculpa se te acordei, mas preciso de ajuda...", falei sem graça, pois percebi que ela estava com a maior voz de sono. "Vim de ônibus pra BH só pra bater na porta do Rodrigo e pedir pra ele me perdoar. Mas acho que está meio tarde (ou cedo) pra isso... Posso dormir na sua casa?"

Ela imediatamente respondeu: "É óbvio que pode! Estou te esperando com um pote de Nutella, pois isso sempre me deixa melhor quando eu brigo com o Alberto! Vem logo!"

E eu fui. Chegando lá, ela me recebeu com o maior abraço, me emprestou uma camisola (pois na pressa eu havia esquecido) e então me fez contar com detalhes tudo que tinha acontecido... Aquilo acabou levando a outros assuntos e nós fomos dormir às 5h da manhã. Como resultado, acordamos ao meio-dia, com o pai dela gritando que mais uma vez ela tinha faltado ao cursinho no sábado e que assim ela nunca passaria no vestibular! Assustada com os gritos e a hora, tomei um banho voando e me despedi da Nat, prometendo que daria notícias.

Quando cheguei lá, disse para o porteiro que queria falar com o Rodrigo. Porém, ele apenas balançou a cabeça dizendo que não tinha como fazer isso.

Então além de não responder meus e-mails, de não atender meus telefonemas, de me bloquear das redes sociais, o Rodrigo também tinha me proibido de entrar no prédio dele?

Comecei a discutir com o porteiro, dizendo que fazia parte do trabalho dele chamar os moradores quando os visitantes pediam, mas bem nesse momento um cachorro pulou em mim. Me virei para trás depressa e fiquei surpresa ao ver que era a Estopa, a cachorrinha do Rodrigo. Um segundo depois o Bombril também apareceu e os dois começaram a fazer a maior festa, pulando e me lambendo, como se estivessem muito felizes por me ver. Eu sentia o mesmo...

Eu ainda estava abraçando os dois quando vi o Daniel e a Daniela se aproximando. Fui depressa em direção a eles e, antes mesmo de cumprimentá-los, pedi: "Daniel, por favor, me deixa entrar, eu preciso ver o Rodrigo! Eu vim de São Paulo pra cá de ônibus, viajei de madrugada só pra falar com ele, mas o porteiro falou que não pode chamá-lo!".

"Calma, Pri", a Daniela me abraçou antes que eu tivesse um ataque. "O porteiro tem razão... Não dá pra chamar o Rodrigo, ele não está aí..."

Ah, então era isso. Eu nem mesmo tinha dado chance para o porteiro explicar direito e já tinha saído gritando na orelha do pobre coitado.

"Ele foi pra ONG?", perguntei catalogando mentalmente os locais onde ele costumava ir aos sábados. Antes que eles respondessem, percebi que tinha algo estranho. Por que o Daniel e a Daniela estavam com os cachorros em vez do Rodrigo?! Ele fazia questão de passear com eles todos os dias... E só pelo olhar que um lançou para o outro, vi que não ia gostar da resposta...

"O Rodrigo viajou, Pri", a Dani falou, parecendo sem graça de ter que me dar aquela informação.

"Ele foi pra São Paulo?", perguntei sentindo meu coração disparar. Eu ainda tinha esperança de que ele tivesse resolvido me perdoar.

"Não...", o Daniel franziu as sobrancelhas, como se estivesse achando absurda aquela suposição e, ao mesmo tempo, com pena de mim por pensar aquilo. Mas ele também parecia estar com um pouco de raiva, talvez por já saber o motivo do nosso término, porque no segundo seguinte completou: "Ele foi pro Canadá. Com passagem só de ida."

A Dani, ao ver minha cara de susto, explicou: "Acabamos de nos despedir, os pais dele foram levá-lo ao aeroporto. Os cachorros ficaram meio tristinhos, acho que sentiram que ele estava indo pra longe... Então, como eu e o Dani prometemos para o Rodrigo que tomaríamos conta dos dois, os levamos para dar uma volta."

Eu nem escutei o final da explicação. Congelei no momento em que ouvi a palavra "Canadá".

Durante todo o tempo em que namorei o Rodrigo, sabia que tanto a Sara quanto o Marcelo insistiam para que ele também fosse estudar lá. Mas ele sempre me dizia que nunca ia fazer aquilo, simplesmente porque o Brasil possuía algo que não tinha em nenhum lugar do mundo... *Eu*.

"Ele foi pro Canadá?", perguntei tentando processar aquele pensamento, com mil dúvidas se formando na minha cabeça. "Por quê? Quando ele volta? E a faculdade?"

O Daniel começou a responder que ele tinha trancado e que realmente não havia marcado data pra voltar. Subitamente comecei a me sentir muito cansada. Talvez por ter viajado por oito horas, dormido mal e, nesse período, não ter comido nada além de algumas colheres de Nutella, de repente vi tudo rodar.

"Priscila, você está passando mal?", o Daniel perguntou depressa, me escorando, ao perceber que eu estava prestes a cair. "Vou te levar lá pra cima!"

"Não precisa...", falei tentando me afastar dele, mas, no momento em que fiz isso, outra onda de tontura me atingiu. A Dani então fez com que eu me sentasse nas escadas na frente do prédio, enquanto o Daniel disse que ia subir com os cachorros e pegar um copo d'água pra mim.

"Não precisa mesmo, eu vou chamar um táxi", falei meio desorientada. Eu necessitava sair dali, antes que começasse a chorar no meio da rua. "Tenho que voltar pra São Paulo..."

A Daniela rapidamente pediu para o porteiro algo para me abanar, e ele então disse: "Use esta carta, inclusive acho que é pra ela... Hoje cedo o Rodrigo veio aqui e perguntou se eu poderia colocar pra ele no correio, pois não queria dar trabalho para os pais. Deixou o dinheiro e tudo... Tá escrito 'Priscila' no envelope e o endereço é de São Paulo."

"Carta?", me levantei depressa, só faltando arrancar o papel da mão dele.

Assim que li o endereço, vi que era mesmo para mim. Abri em um segundo, mas, assim que comecei a ler, senti minhas pernas bambearem novamente.

Belo Horizonte, 10 de maio

Priscila,

Durante os últimos meses trocamos muitas cartas. Pois bem, esta é a última que te escrevo.

Prometi que falaria com você quando eu estivesse pronto, mas duvido que esse dia chegue tão cedo. Neste momento, eu não quero falar, não quero te ver e nem mesmo quero lembrar que você existe.

Porém, tem uma última coisa que eu quero que você saiba. Depois de pensar muito, cheguei à conclusão de que eu não estava sendo justo com você. Por muitos anos escondi um fato, deixei que você acreditasse em uma coisa que na verdade não aconteceu... E deixei de te contar algo que aconteceu.

Aquela noite no meu sítio, depois da reforma, sob a luz da lua... Sabe do que eu estou falando? Sei que sabe. Mas o que você não imagina é que aquela noite não foi a primeira. Pelo menos não pra mim... Pra você eu já não sei. Mas eu escondi algo, porque não queria te ver sofrer. Só que agora não faz mais diferença.

Vou direto ao assunto: eu dormi com a Nicole, anos atrás, em Morro de São Paulo. Lembra daquela noite em que ela me atraiu para o quarto dela? Eu até pensei em sair de lá, mas acabei não resistindo... Eu ia guardar isso só pra mim pelo resto da vida, pois passei anos pensando que eu era o vilão da história e queria que você continuasse a pensar em mim como o herói da série da sua vida... Bem, como pode ver, os heróis também têm suas fraquezas.

Estou indo amanhã para o Canadá. Como disse, não quero ter notícias suas. Pretendo começar uma vida nova em algum lugar em que eu não tenha que me lembrar de você.

Rodrigo

53

> *Puck: Escute, se você precisar de qualquer ajuda, eu estou aqui pra você. Sempre.*
>
> (Glee)

Priscila, onde você está??????????? A Bruna me ligou avisando que você estava com uma ideia maluca de ir pra Belo Horizonte e quando cheguei em casa você não estava mais aqui! Já liguei pra sua avó e pra Marina e ninguém sabe de você! Estou preocupada! Mamãe

Priscila, se você não atender esse telefone em 15 minutos vamos chamar a polícia! Sabemos que você deve ter ido falar com o Rodrigo, mas os telefones dele também não atendem. Dê notícias! Seu pai

Lívia, aqui é a Daniela, amiga da Priscila. Não se preocupe, ela está na minha casa, mas descobriu umas coisas sobre o Rodrigo e está muito abalada. Vou tirar uma foto de uma carta que ele deixou pra ela, assim você vai entender melhor... Além disso, ele se mudou hoje pro Canadá. Como ela não quis entrar na casa do Rodrigo de jeito nenhum, eu a trouxe pra cá, mas já vou levá-la à rodoviária, pra ela pegar um ônibus de volta pra SP... Só estou avisando para que você não fique preocupada e também para pedir pra vocês darem muito carinho quando ela chegar aí... Estou com pena da Pri, nunca vi ela desse jeito. Beijos, Daniela

De: Lívia <livulcano@netnetnet.com.br>
Para: Samantha <sambasam@email.com>
Enviada: 11 de maio, 18:26
Assunto: Socorro!
Anexo: Carta.jpg

Samantha, desculpa interromper seus dias de descanso, espero que esteja tudo bem com você, o Arthur e o bebê. Tentei ligar, mas o celular de vocês dois não atende, devem estar na praia ainda, mas tenho esperança de que acessem o e-mail em algum momento.

Preciso da sua ajuda, pois só você consegue animar a Priscila, não sei que dom é esse seu. A situação ficou ainda pior. Como se não bastasse o término, ele se mudou para o Canadá, mas antes resolveu confessar que a traiu anos atrás (olha a carta em anexo)... Imagina o estado da minha filha.

Ela ia voltar de ônibus, mas fiz com que uma amiga dela a colocasse dentro do primeiro avião pra SP, ela deve estar chegando a qualquer momento. Se você puder ligar pra ela mais tarde, vai ajudar muito.

Obrigada,

Lívia

54

Juliet: Acabou, não é?

Sawyer: O que acabou?

Juliet: Nós. Isso. Nossa vida.

(Lost)

Eu só me lembro de chegar em casa e encontrar a minha mãe sentada na sala, me esperando. O caminho até o aeroporto de BH, o avião de lá para São Paulo e o percurso até a minha casa, eu simplesmente apaguei da memória. No lugar, apenas um borrão, como um daqueles sonhos estranhos em que a gente subitamente aparece em outro lugar, sem saber direito como aquilo aconteceu. Não me surpreendo, naquele momento eu estava mesmo vivendo um pesadelo.

Minha mãe, assim que me viu, veio correndo e me abraçou. Eu me senti novamente com 13 anos, quando o Marcelo tinha dilacerado o meu coração, e ela havia feito de tudo para restaurá-lo. Porém, naquela época era apenas uma paixonite, uma ilusão que a minha mente sonhadora criou. Agora aquela dor era real.

"Ele me traiu, mãe...", falei baixinho, enquanto ela passava a mão pelo meu cabelo para me confortar. "Ele me enganou por *anos*. Eu estava arrasada por tê-lo magoado por causa de um simples beijo. Mas o que ele fez comigo foi muito pior! Além de ter traído e mentido, ele me fez acreditar que a minha primeira vez tivesse sido *nossa*! Só de pensar nele com aquela mulher eu tenho vontade de..."

Tive que correr para o banheiro antes de terminar a frase. Talvez pelas noites maldormidas, pelas viagens e por toda a dor que eu estava sentindo por dentro, aquela imagem do

Rodrigo com a Nicole foi a gota d'água. Eu tinha que colocar tudo para fora.

"Pri, você está passando mal?", minha mãe me seguiu e se apressou em fazer um rabo de cavalo no meu cabelo, para que ele não sujasse. Porém eu não tinha comido nada o dia inteiro, portanto não havia nada para vomitar. Era apenas a sensação de náusea que aquele pensamento do Rodrigo com outra pessoa me causava.

Será que aquela tinha sido a única vez? Será que ele havia ficado com ela outras vezes durante o nosso namoro? Será que tinha me traído também com outras, durante os (quase) seis anos que ficamos juntos?

"Eu quero morrer, mãe...", falei desejando me enfiar dentro daquele vaso sanitário e que ela apertasse o botão da descarga. "Pelo menos essa coisa horrível que eu estou sentindo passaria."

"Não fala isso, Priscila!", ela me deu uma sacudida. "Olha, chega. Isso já foi longe demais! Eu estava com pena de você, por pensar que a culpa do término tivesse sido somente sua e que você teria que conviver com isso pelo resto da vida. Mas agora descobrimos que o erro foi dos dois! A confiança dos dois lados foi quebrada e só isso já inviabiliza esse relacionamento de continuar. Seria um inferno se vocês voltassem, um ia ficar desconfiando do outro o tempo todo..."

Levantei meio cambaleante e fui em direção à pia.

"Você tem apenas 19 anos, minha filha", minha mãe continuou a falar enquanto eu tentava, em vão, enxugar o meu rosto, pois as lágrimas não paravam de cair. "A sua vida está só começando, cheia de possibilidades, você pode ser e fazer o que quiser! Está querendo morrer por causa de um cara que, pelo que parece, nunca te mereceu? Para com isso! Essa não é a Pri que eu conheço! Olha, você vai tomar um banho agora, enquanto eu termino de fazer um jantar delicioso pra você, e em seguida você vai dormir. Já viu como criança fica quando está com sono? Fazendo birra e chorando à toa? Pois é, você está se portando assim. Por isso, acho que você precisa dormir umas boas horas! Aposto que vai acordar se sentindo bem melhor...

Ela estava brava de verdade, como eu não a via havia muitos anos. Dessa forma, achei melhor obedecer, porque, na verdade, dormir era mesmo tudo que eu queria naquele momento. Eu nunca deveria ter saído da minha cama e inventado aquela viagem. Pelo menos nos meus sonhos a minha vida continuava cor-de-rosa... Em vez da escuridão que eu via para qualquer lado que olhasse agora.

55

Kurt: Não vou mentir para você, não vai ser fácil... E em alguns dias será uma droga viver! Mas você vai conseguir superar isso. Porque eu irei te ajudar. E todos os que te amam também.

(Glee)

"Pri, acorda..."

Despertei assustada ao ouvir alguém me chamar, sem saber se era um sonho ou realidade. Ao abrir os olhos, vi que era a segunda opção, pois dei de cara com a Samantha, sentada na minha cama e sorrindo pra mim.

"Sam?", falei me sentando. Peguei o meu celular no criado-mudo e vi que eram onze da manhã. Depois de ter ficado a noite inteira repassando mentalmente cada palavra daquela carta, o sono me venceu ao nascer do dia. "Você não estava em Paraty com o meu irmão?"

"Estava sim. Mas ontem à noite conversamos com sua mãe e ela nos contou as suas últimas peripécias... Ela falou que você foi pra BH sem avisar ninguém! E também contou tudo que aconteceu por lá... Por isso pedi pro seu irmão pra gente voltar antes. Acabamos de chegar."

"Não precisava voltar por minha causa, Sam!", falei me deitando de novo, desejando que ela não tivesse feito aquilo e que eu pudesse ter continuado a dormir.

"Claro que precisava!", ela disse me puxando, fazendo com que eu me sentasse novamente. "Mas vou te contar um segredinho... Eu já estava louca pra vir embora, ainda bem que você me deu um motivo! Estava completamente enjoada com cheiro de mar, acredita? Sempre achei que isso de enjoo fosse frescura das grávidas, mas sabe que não é? Fico enjoada com um monte de coisas! Sabores, cheiros e até pessoas!"

Sorri, mas logo me lembrei que eu não tinha motivos para isso, então dei um suspiro.

"Olha", a Sam falou depressa, ao perceber minha mudança de humor, "tenho mais um segredo pra te contar. Mas só faço isso depois que você tomar um banho e colocar uma roupa bem bonitinha pra ir no aniversário da Larissa, que eu sei que é hoje."

Eu nem estava me lembrando do aniversário da Lalá... Mas, mesmo que estivesse, não tinha a menor condição de ir. Eu não ia sair daquela cama tão cedo. Eu poderia cumprimentar a Larissa por telefone e dar parabéns pessoalmente em outro dia.

"Anda, Pri!", a Samantha arrancou o edredom. "Ela é uma das suas melhores amigas, pega mal não ir! Além disso, meu segredo é tão legal! E eu só vou contar hoje. Se não quiser saber, vai perder a chance, já era."

Por mais curiosa que estivesse, eu realmente achava que nada que ela tivesse para me contar compensaria sair da cama. E talvez por perceber que mirar no meu ponto fraco não tinha dado resultado, ela resolveu partir para um golpe ainda mais baixo.

"Vou fazer cosquinha até você levantar!", ela falou e já começou a atacar o meu pé e a minha barriga.

Aí não, né? Levantei revoltada e fui depressa para longe dela. Ela sorriu e falou: "Ótimo! Agora que levantou, já pro chuveiro!".

Revirei os olhos e resolvi entrar logo naquele banho, pois sabia que aquela doida não ia me deixar em paz se eu não fizesse isso.

Enquanto me ensaboava, me lembrei do toque do Rodrigo. Das inúmeras vezes em que ele percorreu com as mãos cada centímetro da minha pele e das sensações que aquilo me provocava. De repente, me lembrei que aquelas mãos também tinham tocado outra pessoa da mesma forma. E então nova maré de lágrimas me atingiu. Os últimos anos da minha vida tinham sido apenas uma ilusão... Deixei a água escorrer pelo meu rosto por vários minutos, torcendo para que levasse também toda a mágoa. Mas infelizmente isso não aconteceu.

Quando finalmente consegui controlar um pouco o choro, saí do banho e encontrei o meu quarto com as janelas abertas, a cama feita, uma roupa em cima dela prontinha para eu vestir e uma Samantha sorridente apontando para tudo aquilo, como se tivesse acabado de criar uma obra de arte.

"Muito bem, Pripri!", ela falou, fingindo não perceber os meus olhos ainda mais inchados. "Agora seca o cabelo e coloca essa roupinha linda que eu separei pra você!"

"Não vou usar vestido neste frio, Sam!", falei já procurando no armário alguma coisa mais sombria. Aquele vestidinho colorido não estava combinando com o meu astral.

"Ah, vai sim!", ela disse me puxando. "Você coloca uma jaqueta jeans por cima, uma botinha... Quero que você vá bem linda na festa!"

Nem me dei ao trabalho de dizer que não era uma festa, e sim um almoço, e resolvi me enfiar naquela roupa de uma vez, pois sabia que ela não ia dar sossego. Na verdade aquilo era só fingimento, assim que ela fosse embora eu ia voltar para a minha cama...

"Pronto", falei assim que terminei de fazer tudo que ela tinha mandado. Fiz até escova no cabelo, para o teatrinho ficar mais convincente.

"Pronto nada, cadê a maquiagem pra esconder essas olheiras?", ela falou e já foi em direção ao meu banheiro. Bufei e fui atrás dela. Aquilo estava indo longe demais.

Assim que terminou de encher a minha cara de pó facial, blush, rímel e batom, a Sam pareceu satisfeita. Ela então sorriu para o meu reflexo no espelho e perguntou: "Que tal?".

Se fosse em outra ocasião, eu teria até aplaudido. Ela realmente tinha conseguido camuflar o suficiente para os desavisados que passassem pelo meu caminho nem imaginarem o quanto eu estava arrasada por dentro. Porém, naquele instante, nada tinha o poder de me empolgar.

"Ficou OK. O Arthur está aí também? Ele já deve estar querendo ir embora, né? Então é melhor você se apressar."

"Credo, Priscila, que falta de emoção!", ela voltou para o meu quarto, fazendo sinal para que eu a seguisse. "Não, o Arthur não veio, ele apenas me deixou aqui e foi fazer supermercado, pois no nosso apartamento não tinha berinjela, e eu estou com desejo de comer. Combinei com ele que ia pedir pra você me deixar lá, quando estivesse indo pra casa da Larissa. Sua mãe me falou que te empresta o carro."

Oh, céus! Cada vez ficava mais difícil conseguir escapar. Mas tudo bem, eu a deixaria e voltaria para casa em tempo recorde.

"E o tal segredo *espetacular*?", perguntei, lembrando que ela tinha algo para me contar.

"Senti uma ironia aí, hein, Priscila?", ela falou com o dedo na frente do meu rosto. "Se não quer saber, tudo bem. Podemos ir."

Depois de ter me arrumado toda, eu pelo menos merecia saber o que ela tinha para contar. Por isso disse: "Haha, boa tentativa. Pode falar logo, senão eu vou me enfiar debaixo do edredom de novo."

"Não vai mesmo, mandei sua mãe trancar aquele negócio no armário dela! Se quiser dormir, vai ter que passar frio e se cobrir só com o lençol."

"Anda, Sam...", pedi me sentando na cama, totalmente desanimada daquele joguinho.

Ela respirou fundo e falou: "Ok, você venceu". Em seguida ela foi até a porta e a trancou, o que me fez perceber que devia ser uma informação realmente secreta – e isso atiçou pelo menos um pouquinho da minha curiosidade –, e ela veio se sentar perto de mim.

"Pri, na verdade, tem outra coisa que eu quero te contar antes do meu segredo. Preciso te falar uma suposição minha. É algo que pensei no segundo em que eu li a carta do Rodrigo que sua mãe me mandou. Na verdade, o mais sensato era deixar pra lá, e permitir que você continuasse acreditando em tudo que ele escreveu, mas eu não aguento te ver sendo enganada..."

Opa! Se, em vez de tentar me atrair com segredinhos, ela tivesse falado que queria me contar alguma coisa sobre o Rodrigo, teria me convencido a entrar naquele banho bem mais depressa.

"Minha mãe não tinha nada que ter te mandado!", falei só para manter a aparência de revoltada, já que eu estava desesperada para entender logo aonde ela queria chegar.

"Ela só me enviou porque estava muito preocupada com você e achou que eu podia ajudar..."

Fiquei calada e só fiz sinal para ela prosseguir.

"Bom, o fato é que eu achei muito mal contada essa história que o Rodrigo escreveu na tal carta! Olha, eu me recordo perfeitamente de tudo que você me contou a respeito da viagem dele pra Morro de São Paulo. Quando você foi atropelada, lembra que eu fui pra BH só pra te ver, e você ficou horas me atualizando, me contando cada detalhe que tinha culminado naquele acidente?"

Claro que eu me lembrava. Eu achava que aquela fase tinha sido a mais complicada do meu namoro. Se ao menos eu imaginasse...

"Pois então", ela falou quando eu disse que me lembrava. "Você me falou que foi aquele seu amigo fofinho que te contou o caso do Rodrigo com a garota da praia. Como é mesmo o nome daquele menino? O que namorava a sua amiga de Los Angeles..."

"Leo", respondi sentindo um aperto no coração. Desde o rompimento dele com a Fani, a gente tinha se afastado bastante, pois eu não tinha concordado nem um pouco com o jeito como ele terminou com ela, e também porque ele havia se mudado para o Rio de Janeiro. Mas eu pensava que aquilo seria provisório... O Leo foi o meu primeiro amigo em BH. E acho que, se não fosse por ele, eu nem teria namorado o Rodrigo. Foi ele que nos apresentou e também que deu um empurrãozinho para que começássemos a namorar. Eu ainda não tinha pensado que provavelmente agora ele ia se afastar de verdade. Que todos os amigos do Rodrigo iam fazer isso.

"Ah, é! O Leo! Você me disse que foi o Leo que te contou que a tal mulher atraiu o Rodrigo para a pousada e que deu em cima dele. E que, como ele fugiu, ela falou no meio do bar que ele era gay. Foi isso, né?"

Eu assenti, tentando entender a lógica dela. Sim, essa era a história que eu pensava ter acontecido. E era exatamente por causa disso que eu estava arrasada, porque, por mais de três anos, eu havia acreditado nela, enxergando o Rodrigo como um namorado perfeito, que tinha se guardado para que pudéssemos ter a nossa primeira vez juntos, como havíamos combinado desde o princípio do namoro...

"Pri, você tem irmão e amigos homens, além de ter namorado por tanto tempo... Você sabe bem como funcionam os garotos... Eles gostam de contar vantagem uns pros outros! Aumentam as histórias para dar um colorido a mais, para os amigos ficarem achando que eles são o máximo... Você realmente acha que o Rodrigo inventaria uma história inversa para o melhor amigo dele? Tipo, se ele tivesse mesmo ficado com a tal Nicole. Sim, eu me lembro até do nome dela, não precisa me olhar com essa cara. Você falou tanto esse nome na época que eu até decorei! Mas você acha que se o Rodrigo tivesse tido um caso com essa garota naquela praia – ainda que fosse só por uma noite, ainda que fosse apenas um beijo –, ele teria dito pro Leo que saiu correndo da pousada? Fala sério, né, Pri? Qual seria a razão disso? Se fosse o contrário eu até entenderia. Faria muito mais sentido se ele tivesse inventado que tinha passado a noite com ela. Mas não. Ele contou pro amigo que fugiu da maior gostosa! Por que ele faria isso? Caramba, certamente sabia que o Leo ia zoar muito da cara dele! E deve mesmo ter zoado por muito tempo..."

Mil pensamentos começaram a rodar na minha cabeça. A lógica dela estava totalmente correta, mas por que então o Rodrigo havia escrito aquilo? Será que na época ele tinha mentido para o Leo, prevendo que ele me contaria? Mas me lembro de que o Rô chegou até a brigar com o Leo por ele ter revelado aquela história pra mim...

"Pensa bem, Pri. Se isso fosse mesmo verdade, se o Rodrigo tivesse te traído com a Nicole, você não acha que ele jogaria isso na sua cara no momento exato em que ficou sabendo do Patrick? Se fosse pra valer, ele não levaria tantos dias pra revelar isso... Tão traído como ele provavelmente se sentiu, ele teria tirado essa carta da manga na hora, apenas para ter a sensação de vingança. Por que razão ele demoraria duas semanas pra te contar esse fato, ainda mais através de uma carta? Isso foi muito bem pensado. Ele deve ter ficado tão magoado que inventou isso para não se sentir por baixo, para descontar, para fazer você pagar na mesma moeda. Se fosse verdade, ele teria te dito isso frente a frente. Mas não... Ele resolveu escrever, pra não ter que te encarar."

Ela tinha razão. Aquilo tinha grande probabilidade de ter acontecido. Mas, surpreendentemente, o conhecimento disso não fez com que eu me sentisse melhor. Ao contrário. Eu estava me sentindo novamente culpada. A raiva que eu vinha nutrindo pelo Rodrigo desde a tarde anterior estava rapidamente se dissolvendo e dando lugar novamente ao remorso e à tristeza. Mas agora eu estava também arrasada porque naquele momento ele já devia estar chegando ao Canadá! Se eu tivesse tido aquele raciocínio de primeira, em vez de a Sam ter precisado praticamente desenhar para que eu enxergasse, eu poderia ter corrido atrás dele no aeroporto. Mas agora era tarde demais...

"Pri, mas tem uma coisa importante. Eu fiquei totalmente em choque quando li a carta, porque uma traição dessas não parece algo que o Rodrigo faria. Porém, além de a gente não ter certeza se isso não aconteceu mesmo, certamente é o que ele quer que você pense. Ele sabia das consequências quando te escreveu aquilo. Ele quis te magoar sim, te castigar, se vingar... A história pode ser inventada, mas a dor que ele quis te causar é *real*. E ele sabia que isso faria você ficar decepcionada, triste e com muita raiva. O Rodrigo não se preocupou nem um pouco em manter o amor que você sentia por ele. Sinal de que realmente não está se importando, de que a decepção dele foi tão grande a ponto de não deixar espaço para o perdão. Pelo menos neste momento. Quem sabe no futuro, quando essa tristeza que ele deve estar sentindo diminuir, ele não mude de ideia?"

Eu não queria que ele ficasse triste... Tudo que eu mais desejava era poder consolá-lo, mesmo sendo o motivo da mágoa dele. Mas agora era tarde. Ele já devia estar cercado de lindas garotas canadenses, e eu tinha certeza de que elas fariam de tudo para curar o coração dele!

Aquele pensamento me deixou ainda mais aflita, por isso voltei a prestar atenção nas palavras da Sam, na esperança de que ela dissesse alguma coisa para amenizar a minha angústia.

"Mas agora, Pri, é importante você acreditar no que ele escreveu no final da carta. Ele não quer te ver, não quer ouvir falar de você e quer se distanciar o máximo possível. Desculpa, mas você vai ter que aceitar isso... Não dá pra você pegar um ônibus impulsivamente e viajar até o Canadá, como você fez sexta-feira para Belo Horizonte. E mesmo que você dê um jeito de comprar uma passagem de avião, isso só vai servir pra jogar o seu dinheiro fora e piorar ainda mais as coisas. O Rodrigo não está disposto a te desculpar neste momento. Ele já falou, ele já escreveu, ele até fugiu pra não ter que te encontrar. Se ele tivesse a menor intenção de te dar uma segunda chance, ele teria ficado por aqui, esperando você implorar pelo perdão dele. Mas, ao contrário, ele fechou todas as portas. E sei que é difícil aceitar, mas ele levou todas as chaves com ele... Por mais que tente, neste momento você não vai conseguir entrar no coração dele de novo. Por isso, o melhor que você tem a fazer é cuidar da sua própria vida. Ele já está cuidando da dele."

Ela então me abraçou e eu fiquei sem saber o que dizer, o que fazer. Eu não queria que ele cuidasse da vida dele e eu da minha! Eu queria que nós continuássemos a cuidar um do outro, como fizemos por tanto tempo... Sem ele, eu me sentia como um náufrago, boiando ao léu, sem rumo.

Sem ele eu não tinha a menor noção do lugar para onde a maré ia me levar.

56

Velha senhora: Aproveite o momento.
A vida é curta, acredite em mim.

(10 Things I Hate About You)

"Jura que você está bem, Pri? Sua mãe acreditou, mas a mim você não engana. Se fosse minha filha nunca teria te deixado dirigir nesse estado!"

Nós havíamos acabado de chegar na frente do prédio onde ela e o Arthur estavam morando, em Moema. Minha mãe ficou meio resistente em me emprestar o carro, pois eu realmente estava meio desorientada para dirigir, mas acho que no fim das contas aquela alternativa era melhor do que me ver voltar para a cama e passar várias outras semanas na escuridão.

"O que você acha que pode acontecer?", perguntei estacionando. "Acha que eu vou começar a chorar a ponto das lágrimas me impedirem de enxergar o caminho? Ou que vou furar algum sinal vermelho, por estar vendo o rosto do Rodrigo nele?"

Ela apenas respirou fundo, e eu percebi que eram exatamente coisas daquele tipo que ela temia.

"Pri, por favor, tente se animar...", ela falou, destravando o cinto de segurança. "Eu sei que só o tempo vai melhorar o que você está sentindo, mas deixe seu coração aberto..."

Aquilo me deixou até meio brava: "Samantha, se acha que alguém vai conseguir entrar aqui tão cedo, você está muito enganada!".

Ela sorriu, pegando a mão que eu tinha acabado de colocar no peito para sinalizar que aquele lugar estava fechado.

"Não quis dizer que é pra você se envolver com alguém... Eu também acho que está muito cedo para isso. Mas quero que você deixe seu coração livre para outras emoções, outras alegrias que existem na sua vida, que você pode acabar deixando passar por estar fechada pensando apenas em coisas que te fazem sofrer."

Dizendo isso, ela puxou a minha mão e pousou na própria barriga.

"A prova de que você não está enxergando nada além do seu problema é que eu te falei que queria contar um segredo, mas, depois de ouvir a minha suposição sobre o Rodrigo, você nem quis saber..."

Fiquei meio sem graça. Eu tinha me esquecido totalmente disso. Aquela possível mentira do Rodrigo tinha me afetado a tal ponto.

Comecei a pedir desculpas, mas ela apenas fez "shhhh". Em seguida, apertou a minha mão mais forte sobre a barriga e ficou bem quietinha. Um segundo depois senti algo se mover lá dentro.

Arregalei os olhos e puxei a minha mão, apenas por não estar esperando por aquilo. Ela sorriu e falou: "Acho que o neném gosta de você. Toda vez que escuta sua voz ele parece que dá uma festa aqui dentro! Não para de dançar!".

Eu nunca tinha sentido um neném se mover na barriga de alguém. Era tão mágico que eu mal podia acreditar! Pela primeira vez eu realmente estava visualizando uma vida ali dentro.

"Esse era o segredo?", perguntei colocando a mão novamente na barriga dela. Imediatamente senti o bebê se mexer.

Sorri para a Sam, que respondeu: "Não, isso não é mistério, contei pra todo mundo no segundo que começou a se mexer, já tem algum tempo. Você não ficou sabendo porque provavelmente estava ocupada demais cultivando seu sofrimento para prestar atenção na conversa dos seus pais".

Fiquei meio impaciente, mas ela na mesma hora disse: "O segredo de verdade está aqui. Eu e o Arthur gostaríamos que você fosse a primeira a saber".

Ela tirou da bolsa um envelope branco e me passou. Abri com cuidado e vi que era um ultrassom! No mesmo instante fiquei emocionada de ver a foto do meu sobrinho tão pequenininho. Ou seria sobrinha?

Subitamente, percebi o que ela estava querendo me contar.

"Espera! Deu pra ver o que é?", perguntei enquanto meus olhos percorriam cada centímetro do papel. No último ultrassom ainda não tinha dado para descobrir e eu estava me contorcendo de curiosidade.

Ela apenas sorriu e apontou para um cantinho.

Sexo: Masculino

"Um menininho?!", eu a abracei, percebendo então que ela estava certa. Eu tinha outros motivos para sorrir, que acabaria deixando passar, caso continuasse a focar apenas nas coisas negativas.

"Que bom que você gostou", ela falou rindo, e eu novamente pousei minha mão na barriga dela, que tornou a mexer no mesmo instante.

Fiquei sentindo aqueles movimentos por um tempinho e então falei: "Pelo visto esse mocinho vai ser um jogador de futebol!"

"Ou um lutador de boxe!", ela disse entrando na brincadeira.

Depois de um tempo, dei um beijinho na barriga dela. Não importava o que ele ia ser. Eu já o amava antes mesmo de conhecer.

57

> *Whitey: Sei o que você está passando.*
> *Eu também perdi o amor da minha vida.*
>
> (One Tree Hill)

Enquanto dirigia até a casa da Larissa, fui pensando nos últimos fatos. Tanta coisa havia acontecido nas últimas 24 horas, mas, no final das contas, nada tinha mudado. Minha vontade ainda era voltar para a minha cama e ficar lá pelo resto da vida. Mas conversar com a Samantha, como sempre, tinha me feito colocar tudo em perspectiva.

Provavelmente eu era mesmo a única culpada pelo término do meu namoro, e neste momento só me restava aceitar isso. O Rodrigo estava fora do meu alcance e não tinha nada que eu pudesse fazer de imediato. Eu sabia que teria dias bem difíceis pela frente e, exatamente por isso, sabia também que ia precisar de ajuda. Da minha família. E das minhas *amigas*. E foi exatamente aquele pensamento que me fez rumar para o meu antigo condomínio em vez de voltar para a minha casa atual, como eu havia planejado.

A Bruna tinha feito o maior esforço para me animar no dia anterior, e eu tinha certeza de que a Larissa teria feito o mesmo caso não estivesse viajando. Eu sabia que só estar com elas ali, onde havíamos crescido, me confortaria. Aquele condomínio tinha o poder de me fazer voltar à infância, quando tudo era mais leve e feliz. E era exatamente disso que eu precisava agora.

Porém, assim que cheguei à porta da casa da Lalá, fiquei em dúvida se tinha tomado a decisão certa. Ouvi risos e conversas e notei que tinha muito mais gente do que eu imaginava. Eu não estava mesmo no clima de fazer social, e provavelmente as pessoas iam me achar uma chata.

Eu ainda estava decidindo se entrava ou não, quando ouvi uma voz atrás de mim.

"A campainha está estragada, Pri?"

Eu me virei e dei de cara com a Luísa, que estava segurando um presente nas mãos. E apenas naquele instante me dei conta de que eu não estava trazendo nada para a Lalá...

"Oi, Lu!", me aproximei para cumprimentá-la com um beijinho, mas ela me puxou para um abraço, o que me deixou surpresa.

"Que saudade!", ela disse ainda me abraçando. "Você está mais magra? E esse rosto de quem parou nos 15 anos?"

Sorri para ela, dizendo que ela também estava igualzinha à última vez que eu a havia visto, aproximadamente três anos antes.

"Eu nem trouxe presente", falei me sentindo sem graça. "Tive uns problemas, não deu tempo de comprar."

Ela fez que sim com a cabeça, respirou fundo e falou: "Eu fiquei sabendo que você e o Rodrigo terminaram...".

Apenas olhei para o chão, assentindo. Eu teria que me acostumar com o fato de que, pelo visto, o mundo inteiro já sabia daquela novidade.

"As meninas me contaram que foi por causa do Patrick... Posso te falar uma coisa?" Minha vontade era responder que não, aquele assunto só me deixaria mais pra baixo. Mas, antes que eu respondesse, ela disse: "Vocês nunca me enganaram. Na própria viagem percebi que tinha rolado alguma coisa. Você mudou de repente e ele sumiu, nem se despediu da gente... E lembra que eu encontrei com ele na Disney novamente um ano depois, naquela viagem que fiz com a minha família? A expressão que ele fez quando perguntou sobre você, denunciou totalmente... E quando eu te contei que o vi, você só faltou morrer de vergonha! Pra te deixar tímida daquele jeito, tinha que ter algo por trás!"

"Eu realmente não quero falar sobre isso agora", falei séria, sentindo meu rosto ficar vermelho, novamente de vergonha, mas também por raiva do passado e por estar segurando a imensa vontade de chorar que aquela lembrança tinha me trazido.

Assim que eu disse isso, o sorriso da Luísa também morreu. Ela pediu desculpas rapidamente e tocou a campainha.

A Larissa abriu a porta toda sorridente e nos abraçou, o que fez com que aquele constrangimento diminuísse um pouco. Porém, durante a festinha inteira, a Luísa se manteve distante, e eu também não fiz a menor tentativa de aproximação.

A Bruna, por outro lado, não saiu de perto de mim. Apesar de ter jogado na minha cara no primeiro instante que tinha me avisado que aquela viagem impulsiva para BH ia terminar mal, ela fez questão de me entreter com outros assuntos. Consegui me distrair por umas duas horas, até que comecei a sentir muito sono e resolvi ir embora. Eu não tinha dormido quase nada desde o dia anterior e era um longo caminho até a minha casa.

Me despedi da Lalá, da família dela, da Bruna e de outros conhecidos que também estavam ali. Quando eu já estava saindo, avistei a Luísa do lado de fora, conversando no celular. Resolvi esperar que ela terminasse, pois eu queria dar tchau para ela, para que não achasse que eu havia ficado com raiva pelo comentário que ela tinha feito mais cedo.

Assim que ela desligou, me aproximei.

"Tchau, Luísa...", falei meio sem graça. "Foi bom te ver!"

Ela também pareceu meio sem jeito e, ao contrário de como fez na chegada, apenas me deu um beijo rápido, dizendo que também já estava de saída, pois tinha um encontro.

"Você está namorando, né?", puxei assunto, só para tentar derreter aquela barreira de gelo que tinha aparecido entre a gente. "A Bruna me contou que você está muito feliz."

Ela fez que sim com a cabeça e ia dizer alguma coisa, mas meu celular começou a tocar.

Peguei-o na bolsa depressa, sentindo o coração acelerado. Eu ainda tinha a mínima esperança de que pudesse ser o Rodrigo, mesmo sabendo que era praticamente impossível... Se eu estivesse em uma série de TV, certamente um acontecimento daqueles estaria prestes a ocorrer, mas eu sabia perfeitamente que aquilo não era um seriado. Era *vida*. Mesmo sabendo disso, senti uma fisgada de decepção ao olhar o visor. Realmente não era ele... Era a minha mãe.

Pensei em não atender, afinal eu estava indo pra casa e a encontraria em pouco tempo, mas fiquei com a consciência pesada de fazer isso, já que ela devia estar ligando preocupada, só para saber se eu estava bem...

Atendi já dizendo que eu estava chegando, mas parei no momento em que ouvi um choro abafado.

"Mãe? Você está chorando?", perguntei sentindo meu corpo inteiro gelar. O que poderia ter acontecido agora?

Ela ficou um tempo calada, percebi que estava segurando a respiração, provavelmente para eu não escutá-la fungando, mas então desistiu e falou entre muitas lágrimas: "Você já está chegando mesmo?".

"Mãe, o que houve?! Foi alguma coisa com a Sam? Com o neném? Fala logo!!", gritei, já fisgando a chave do carro na bolsa, enquanto a Luísa, que estava ouvindo tudo de olhos arregalados, me pedia para ter calma e ao mesmo tempo perguntava o que estava acontecendo.

"Não, a Samantha está bem! Desculpa, eu não queria te assustar. É o Chico...", minha mãe respondeu chorando ainda mais.

Assim que ela falou aquele nome, senti minhas pernas bambearem. Ele tinha melhorado, não tinha? A veterinária havia dito que ele ainda ia viver muito, apesar da idade!

De repente fiquei meio sem ar. Porque na verdade não tinha sido bem aquilo que ela tinha falado. O que ela havia falado é que ele ainda *poderia* viver muito... se eu desse para ele muito amor, carinho e atenção. O que eu não vinha fazendo já havia várias semanas. Desde o término com o Rodrigo. Por causa dos meus problemas, eu havia negligenciado o problema do meu bichinho.

"Ele morreu, mãe?", perguntei baixinho, completamente paralisada e sentindo meu rosto inteiro encharcar em questão de segundos.

"Quem morreu, Pri? Fala, pelo amor de Deus!", a Luísa me sacudiu, com os olhos também já cheios de água, compartilhando a minha dor.

Não consegui responder, mas entreguei meu celular para ela, pois senti que eu estava prestes a desmaiar. Eu estava exausta. Além da falta de sono, se eu estivesse de dieta mereceria os parabéns, pois não havia conseguido chegar perto de nenhum tipo de comida desde o dia anterior.

Sentei na rua, abraçando minhas pernas e colocando meu rosto entre elas. Eu não queria ouvir mais nada. Apertei os olhos com força, desejando que tudo aquilo fosse apenas um pesadelo, e que, ao acordar, tudo estivesse como era antes da minha volta para São Paulo, que foi quando minha vida começou a sair dos trilhos. Porém, ao tornar a abri-los, tudo que vi foi a Luísa, ainda com meu telefone no ouvido e assentindo com a cabeça, como se estivesse recebendo alguma instrução. Ao notar que eu estava olhando para ela, sussurrou: "Ele está vivo, Pri!", o que fez com que eu me levantasse em velocidade recorde. Tentei pegar meu celular de volta, mas ela desviou e fez sinal para que eu esperasse. Um segundo depois disse para a minha mãe: "Tudo bem, a gente já está indo para aí".

"Indo pra onde?", perguntei assim que ela me devolveu o telefone.

"O Chico teve uma hemorragia, Pri. Mas parece que os veterinários conseguiram controlar, apesar de o estado dele ser muito crítico. Sua mãe acha que ele pode se sentir melhor se te ver, por isso pediu pra você ir direto pro hospital veterinário."

Dei um abraço rápido na Luísa e fui abrir a porta do carro, mas ela entrou na frente.

"De jeito nenhum! Não vou deixar você dirigir nesse estado!"

"Luísa, você não entendeu? Ele precisa me ver! Aliás, mais do que isso... eu preciso ver ele!"

Ela então pegou a chave da minha mão e falou: "Sei que precisa, por isso mesmo eu vou te levar lá, sei onde é!".

Fiquei um momento calada, só olhando para ela, mas aí perguntei: "E o seu encontro?".

Ela apenas revirou os olhos, já abrindo a porta do lado do motorista e fazendo sinal para que eu entrasse pelo outro lado. Quando eu me sentei e coloquei o cinto de segurança, ela deu a partida e falou: "Eu posso remarcar o encontro, explico o que aconteceu. Se ele não entender é porque não daria certo mesmo... Já tem muito tempo que eu prefiro me cercar apenas de pessoas que entendam o valor de uma amizade verdadeira e também os sacrifícios que às vezes precisamos fazer por quem gostamos".

Comecei a sentir o nó no meu peito – aquele mesmo que já estava ali havia dias – apertar ainda mais. Me lembrei de anos antes, quando a Luísa se afastou e deixou um enorme vazio. Em vez de insistir para preencher aquele buraco, eu simplesmente deixei que ela fosse, sem fazer nada para trazê-la de volta. Agora eu via que na verdade ela nunca tinha partido. A minha amiga de infância continuava ali, disposta a me ajudar. A sacrificar os próprios interesses por mim.

"Desculpa, Lu", falei tentando conter o choro.

"Pelo quê?", ela perguntou sem desviar os olhos da rua.

"Por tudo", foi o que consegui falar antes que uma enxurrada de lágrimas invadisse meus olhos.

Aproveitando que paramos em um sinal vermelho, ela se virou para mim e disse: "Pri... Você não tem que pedir desculpas por nada. Tudo que aconteceu na minha vida fui eu que provoquei. Eu sabia as consequências dos meus atos, isso é uma coisa que todo mundo sabe, embora a gente sempre pense que vai sair imune... Quando me envolvi com seu irmão, anos atrás, eu tinha perfeita consciência de que aquilo poderia afetar nossa amizade. Mas mesmo assim eu não me contive, corri atrás, fiz acontecer. E depois, quando tudo deu errado, fui eu que me afastei. Mas apenas fiz isso porque eu conhecia o caminho de volta. E também porque sabia que, quando estivesse pronta, você ainda estaria me esperando..."

Ela me deu um sorriso tímido e eu então a abracei com força. Nós ficamos assim até que um carro buzinou e percebemos que o sinal já estava verde.

"Pri", ela continuou a falar depois de um tempo. "Sei que te falei isso na época, mas acho que agora, neste momento que está vivendo, você pode me entender melhor. Eu não queria, mas eu *tive* que me distanciar de você. Fiz isso apenas porque sabia que, se continuasse te vendo, eu nunca esqueceria o Arthur. E eu queria que isso acontecesse o mais rápido possível... Você e ele faziam parte da minha história desde a infância, então como eu poderia voltar atrás e recomeçar, se eu nem mesmo lembrava como era viver sem vocês? Em cada uma das minhas lembranças vocês dois estavam presentes. Eu não queria apagar a memória, mas percebi que precisava escrever novos capítulos, com outras pessoas, novas situações, para poder voltar a ser quem eu era. Para poder voltar a ser feliz. Só que, quando finalmente senti que não estava mais sofrendo, percebi que na verdade eu não era mais a mesma. Aquela antiga Luísa não existia mais... Era como se, ao recordar momentos do passado, eu estivesse espiando as lembranças de outra pessoa. E foi por isso que eu não te procurei. Além de saber que você já tinha colocado novas amigas no meu lugar, fiquei com receio de que você não gostasse dessa nova versão de mim...”

Olhei para ela dirigindo, irradiando confiança, e percebi duas coisas: primeiro, que ela realmente tinha mudado. Estava bem mais segura, mais sábia e até mais... leve. Ela costumava ser bastante séria antes. Mas, por trás disso, ela continuava a mesma. Lá no fundo ela ainda era a minha amiguinha de infância. Que, mesmo tão diferente de mim, me conhecia como ninguém e me oferecia os melhores conselhos. Como o que ela havia acabado de me dar, sem nem perceber.

“Lu, eu nunca coloquei ninguém no seu lugar. O seu espaço continua aqui, como sempre”, coloquei a mão em cima do coração.

Ela deu um sorriso triste, tirou uma mão do volante e apertou a minha.

Um pouco depois, tornei a falar: “Como faço para conhecer a ‘nova versão da Luísa’ que você mencionou? Gostaria de ser apresentada pra ela... Parece ser alguém de quem eu gostaria de me tornar amiga”.

Ela sorriu, balançou a cabeça e disse: “Acho que você vai ter bastante tempo para isso...”.

"Tipo, a vida inteira?", perguntei. "Porque, se depender da falta que senti, você vai ter que me aguentar pra sempre!".

Ela estacionou, sorriu e falou: "Sim, tipo a vida inteira, não vou mais deixar você sair de perto. Eu também senti muito a sua falta, Pri...". Eu a abracei mais uma vez, e depois de um tempinho ela disse: "Mas agora tem mais alguém que também quer sua presença".

Concordei com a cabeça, nós duas descemos do carro e fomos em direção à entrada do hospital.

58

*Burt: Sabe, quando você é criança,
os adultos te contam muitas coisas.
Mas eles se esquecem de mencionar
o quanto a vida pode ser triste.*

(Glee)

A primeira pessoa que vi quando entrei no hospital veterinário foi o meu pai. Ele estava na porta me esperando e, assim que me avistou, veio correndo e me abraçou.

"Ô, Pri...", ele falou me dando um abraço apertado, como se quisesse me proteger de tudo, e eu percebi que aquilo não era apenas pelo Chico...

"Oi, tio Luiz, como está o Chico?", a Luísa perguntou se aproximando.

"Luísa!", meu pai sorriu ao vê-la. "Quanto tempo! Como você está linda!"

Ela começou a agradecer, mas eu interrompi: "Pai, cadê o Chico?".

Ele fez uma cara meio desanimada, o que me fez perceber que as notícias não eram boas, mas falou que ele ainda estava vivo. *Ainda.*

"Sua mãe e o Arthur estão lá dentro com ele, no consultório da Dra. Angélica. Vim aqui pra fora porque, além de estar meio apertado lá, eu queria te esperar", meu pai explicou.

Comecei a andar em direção aos consultórios, mas meu pai segurou a minha mão, pedindo que eu esperasse.

"Tem uma coisa que você não sabe, Pri. O resultado da biópsia saiu na semana passada, e nela diz que o Chico está com um tumor maligno no pâncreas. Sua mãe não quis te falar porque você já estava deprimida o suficiente por causa do Rodrigo. Ela não queria que você ficasse ainda mais triste. Além do mais, o quadro do Chico era estável, não tinha razão pra te preocupar... Porém, hoje ele teve uma hemorragia interna e entrou em estado de choque. Agora ele está passando por uma transfusão de sangue. O procedimento mais indicado seria operar, só que, pela idade, a veterinária acha que, se fizer isso, provavelmente ele não vai resistir. Desculpa por ter que te falar isso..."

Eu não estava nem ouvindo mais e não tinha forças para brigar por eles terem escondido de mim o resultado da biópsia. Tudo que queria era ver o meu furão logo. Entrei na sala da veterinária, que eu já sabia onde era, sem nem bater à porta.

Minha mãe, meu irmão e a Dra. Angélica me olharam meio assustados, mas, sem dizer nada, fui direto para a mesa, onde vi que o Chico estava deitado em uma cestinha. Ele estava de olhos fechados, mas respirando.

"Como ele está?", perguntei, passando a mão bem de leve na cabecinha dele.

"Não muito bem...", a veterinária respondeu meio hesitante. "O tumor rompeu, e ele perdeu uma quantidade muito grande de sangue. Fizemos transfusão, mas, para ser sincera, não vai adiantar por muito tempo, pois a hemorragia vai continuar... Ele teria que operar, mas, infelizmente, com a idade que ele tem e no estado em que está, fraco e anêmico, ele não vai resistir..."

Comecei a chorar e minha mãe me abraçou, chorando também. Vi que o Arthur estava fazendo um grande esforço para não fazer o mesmo.

"O que eu recomendo é que vocês o levem pra casa, onde ele se sente à vontade, e deem muito amor, para que ele se sinta seguro e acolhido. É o melhor a se fazer neste momento."

"Quanto tempo de vida ele ainda tem?", perguntei enxugando os olhos.

"É imprevisível...", ela respondeu. "Pode ser um dia, uma semana... Mas acho difícil que passe disso. Ele tem nove anos, Priscila. É quase impossível um furão atingir os dez anos de idade."

A veterinária fez mais alguns exames e, em seguida, disse que ele já estava liberado, explicando que, por causa da sedação, ele ia dormir por pelo menos mais duas horas e que seria bom que alguém estivesse por perto quando ele acordasse, para observar como ele reagiria.

Eu falei que faria isso e carreguei a cestinha em que ele estava, enquanto minha mãe conversava um pouco mais com ela.

O meu pai foi pagar a consulta e o Arthur saiu comigo, para já irmos acomodando o Chico no carro da melhor maneira, e foi só quando chegamos ao estacionamento que me lembrei que a Luísa estava ali.

"Oi, Arthur", ela falou olhando para o meu irmão, mostrando uma segurança que eu achava que ela estava longe de sentir...

"Luísa...", ele ficou meio desorientado, mas logo se recompôs. "Nossa, quanto tempo!

Ela apenas assentiu e veio depressa para o meu lado, para ver como Chico estava. Depois de contar a ela o que a veterinária havia dito, falei que ia pedir para o meu pai levá-la de volta pra casa, mas o Arthur se ofereceu para fazer isso.

"Não precisa", ela falou um pouco mais alto que o necessário. "Meu namorado já está chegando pra me buscar, combinei de esperá-lo naquela farmácia ali da esquina". E, se virando para mim, completou: "Aqui está a chave do carro da sua mãe, Pri. Me dá notícias amanhã, tá? Se precisar de alguma coisa, pode me ligar a qualquer hora".

Ela me deu um beijinho e em seguida acenou com a cabeça para o meu irmão, dizendo: "Bom te ver, Arthur. Fiquei sabendo do bebê, parabéns!".

Ele agradeceu mecanicamente, já pegando a chave da minha mão e abrindo o carro para acomodarmos o Chico. Ela foi andando até a farmácia sem olhar nem uma vez para trás, e eu fiquei pensando se eu e o Rodrigo também seríamos tão frios um com o outro, caso nos encontrássemos dali a vários anos.

Balancei a cabeça para espantar aquele pensamento. Eu tinha passado algumas horas sem pensar (muito) nele, e – tirando a doença do Chico – estava até me sentindo um pouco melhor. A Luísa estava certa. Se eu não parasse de buscar o Rodrigo nas minhas lembranças a cada minuto, se eu continuasse a alimentar a tristeza, ela nunca mais iria embora. E isso acabaria fazendo com que eu decepcionasse também as outras pessoas da minha vida... Como a Sam, que claramente esperava que eu me empolgasse mais com o meu futuro sobrinho, como a Bruna e a Larissa, que esperavam que voltássemos a ficar mais próximas com o meu retorno a São Paulo (mas eu tinha feito com que ficássemos mais distantes do que quando eu morava em BH), como os meus pais, que estavam se afastando de mim por não aguentarem mais me ver sofrendo... Mas, especialmente, eu tinha decepcionado o Chico, com quem eu deveria ter passado muito mais tempo nas últimas semanas – em vez disso, me tranquei no meu quarto e o deixei exatamente como eu estava me sentindo: na solidão, doente, sem amor.

Quando meu pai e minha mãe chegaram ao estacionamento, me encontraram já dentro do carro dela, abraçando a cestinha do Chico como se a vida dele dependesse daquilo. Eles então resolveram deixar o carro do meu pai no estacionamento do hospital e buscá-lo depois, assim poderíamos ir todos juntos no mesmo veículo, como costumava ser nos velhos tempos.

De repente, me dei conta de que aquela era a primeira vez em que estávamos os quatro reunidos desde a reconciliação deles. Eu só lamentava que tivesse acontecido em uma hora tão triste... Porque, se fosse em outra ocasião, certamente aquele seria um momento para se guardar.

59

Kurt: Eu nunca vou dizer adeus pra você...

(Glee)

Dois dias. Foi exatamente esse o tempo que o Chico viveu, desde o momento em que o trouxemos do hospital veterinário.

Apesar de praticamente não ter saído do lado dele, de ter implorado que ele continuasse comigo, de ter feito tudo que eu pude, ele teve que partir.

Eu cheguei a acreditar que ele poderia viver mais. A veterinária tinha dado no máximo uma semana, mas eu pensei que algum milagre pudesse acontecer... No começo até achei que isso tivesse mesmo acontecido, pois, ao chegar em casa, talvez por ter sentido o cheiro familiar, ele andou e até tentou ficar em pé sobre as patinhas, apesar de não ter conseguido, pois estava muito fraco. Porém, só o fato de vê-lo novamente se movimentando me deixou eufórica, eu realmente achei que aquilo fosse apenas o começo de uma melhora maior...

Só que, mais tarde, liguei para a veterinária e ela me explicou que aquilo havia acontecido apenas por causa da transfusão de sangue. Após algumas horas, o nível novamente baixou, ele voltou a ficar prostrado, não quis mais se levantar e, o pior, não comeu nada.

E a partir daí eu já sabia o que estava para acontecer, mas mesmo assim não estava preparada.

Eu estava sozinha com ele no meu quarto, que foi onde eu o abriguei desde a volta do hospital, pois o queria o mais perto possível. Comecei a assistir a um seriado no computador, com ele bem ao meu lado, quando percebi que ele estava respirando mais devagar. Passei a mão nas costas dele e senti que estava um pouco frio, então o peguei no colo, para aquecê-lo.

Nesse momento, ele me olhou, e eu pude jurar que estava sorrindo. A expressão dele, que estava tão cansada e sofrida nos últimos dias, parecia bem mais leve.

Comecei a passar a mão bem devagar na cabecinha dele, recordando cada momento dos nove anos que havíamos passado juntos. Lembrei de quando eu e o Arthur o vimos, em uma feira de animais a que nossos pais nos levaram. Foi amor à primeira vista, eu precisava daquele bicho diferente, que era uma mistura de esquilo, porquinho-da-índia e gato! Porém, o meu irmão, que tinha acabado de completar 15 anos, começou a reclamar que não tinha animal nenhum, e que eu, com 10, já era dona de uma gata e de um papagaio. Eu comecei a chorar dizendo que ele só não tinha nenhum porque o deixaria morrer de fome, já que desde aquela idade o meu irmão tinha o hábito de passar o dia inteiro com o nariz grudado no computador. Só que o argumento do Arthur acabou sendo mais forte, pois os meus pais acabaram comprando o Chico de presente para ele, dizendo que eu poderia ensiná-lo a tomar conta do bichinho. Como consolo, me deram um peixinho dourado (eu batizei com o nome supercriativo de Dourado), que viveu apenas um mês.

Porém, apesar de o Arthur ser "legalmente" o dono, eu sempre considerei o Chico muito mais meu do que dele, e acho que todo mundo também... Todas as tardes depois da escola eu o tirava da gaiola e o deixava correr no quintal, mesmo que o Arthur só faltasse me matar por causa disso, pois achava que assim ele fugiria. Mas eu sabia que o Chico não faria isso, ao contrário, ele dava só umas voltinhas e em seguida corria de volta para mim, pois sabia que eu sempre tinha alguma surpresa para ele. Sim, eu adorava mimá-lo com castanhas, passas e outras comidinhas que eu sabia que ele gostava... E, depois, quando meu irmão se mudou para os Estados Unidos e eu o levei comigo para BH, ficamos ainda mais próximos. Eu o deixava solto na maioria do tempo, e ele adorava ficar correndo à minha volta, como se estivesse me chamando para brincar. Mas ele também brigava, caso eu demorasse para alimentá-lo... Uma vez eu estava descalça e ele chegou a morder o meu calcanhar, que até sangrou. Mas ao ver que eu estava chorando de dor, ele ficou imóvel e em seguida entrou na casinha dele, ficando lá por um tempão, como se estivesse sentindo culpa por ter me machucado.

Enquanto lembrava essas passagens e várias outras, fiquei falando para ele que nunca esqueceria aqueles momentos. Que eu lamentava por ele não poder ficar mais tempo, pois ele fazia a minha vida mais feliz.

Dei um beijo no focinho dele, e ele então fez um barulhinho que fazia apenas quando estava muito satisfeito. Ele se aconchegou mais no meu colo e levantou um pouco a cabeça para me olhar, como se estivesse prestando atenção nas minhas palavras.

"Prometo que sempre vou te amar, Chiquinho", falei tentando não deixar que minhas lágrimas molhassem o pelo dele. "Eu nunca vou te esquecer."

Nesse momento ele piscou lentamente duas vezes para mim e em seguida fechou os olhos. Definitivamente.

Então o abracei e vi que ele não estava mais frio. Ele tinha ido embora com o meu calor.

60

> _Tony: Eu tinha tudo o que queria e perdi. Doeu._
> _Mas vou conseguir tudo de volta aos poucos._
> _O que mais posso fazer?_
>
> (Skins)

A morte do Chico foi um marco para mim. Eu já havia precisado me despedir de alguns dos meus bichos antes, mas nenhum com o qual eu tivesse convivido por quase uma década. O que tinha me entristecido mais, até então, havia sido o Biju, meu hamster, que viveu apenas três anos. Mas com o Chico foi bem diferente...

Algumas pessoas não entendem o amor que tenho por animais, acham que eu deveria gastar o tempo que passo cuidando deles para fazer algo mais "útil" e que é errado dedicar tanto amor a seres _irracionais_. Pois, para mim, irracional é quem não consegue ver inteligência neles. E não só isso. Além de inteligentes, eles são espertos, sensíveis, amorosos, companheiros e, especialmente, puros. Se apenas animais habitassem o mundo, não haveria guerras, nem discussões, nem desilusões amorosas... Todos viveriam felizes e conviveriam bem no mesmo espaço.

Por isso, o vazio que o Chico deixou não era algo que pudesse ser preenchido com outro furão, como meus pais acabaram sugerindo depois de eu ter chorado quase por um dia inteiro. Não era como se ele fosse um brinquedo que tivesse quebrado e eles pudessem me distrair comprando outro, como faziam quando eu era criança... Eu não estava chorando por ter perdido um bichinho, afinal, eu ainda tinha a Duna, o Biscoito, o Pavarotti, a Snow, o Floquinho, o Rabicó e os coelhos. Eu estava triste pela saudade que já estava sentindo *dele*. Do Chico. E talvez também porque aquilo acabou simbolizando o cume de vários outros acontecimentos que, juntos, fizeram com que eu descobrisse que não estava vivendo como deveria...

Ao deixar os dias simplesmente me levarem em vez de escolher o que fazer com cada um deles, eu não estava percebendo que o tempo passa muito rápido e as pessoas (e os bichos e as coisas) que amamos podem ir embora a qualquer momento. E que, exatamente por isso, devemos aproveitar todos eles ao máximo enquanto estão por perto. Tanta coisa havia acontecido na minha vida em seis meses e eu por pouco não notei o que cada um dos acontecimentos queria me ensinar.

A começar por Los Angeles. Eu deveria viver todos os dias com aquele sentimento de liberdade e euforia que vivenciei lá, e não apenas em uma viagem. As possibilidades que vislumbrei para a minha vida naquele período rapidamente adormeceram com a volta da minha rotina... E, de repente, percebi que eu queria recuperar aquela sensação, aquele frio na barriga por não saber o que me esperava, por sentir que a felicidade estava logo ali na esquina e que eu podia estar caminhando em direção a ela.

Em Los Angeles, também descobri que a Fani poderia ter sido uma grande amiga, se eu tivesse ficado mais aberta, se tivesse percebido a timidez dela e feito a minha parte para nos aproximarmos. Mas eu simplesmente não fiz o menor esforço. Somos amigas, claro, mas a amizade maior que poderíamos ter tido na época de escola, aquela não teria como recuperar. E me peguei pensando em quantos amigos deixei de fazer durante a vida...

A mudança para São Paulo me mostrou que nenhum dos nossos passos está marcado. Tudo pode se transformar em um piscar de olhos e nos levar de volta a lugares para onde nem imaginávamos retornar. Não sei se acredito em destino, mas e se a separação dos meus pais aconteceu apenas para que eu pudesse ir para BH e encontrar o Rodrigo? Seria um ciclo? Será que o meu tempo com ele se resumia apenas ao período em que morei em Belo Horizonte? Será que eu o teria conhecido se não tivesse ido para lá? Mas se eu realmente tinha que conhecê-lo, qual o sentido do término, além de me fazer enxergar que um ato sem pensar pode gerar consequências sérias, a ponto de alterar uma vida inteira?

E então o encontro com a Luísa, que me fez perceber exatamente o contrário. Que separações não precisam durar uma vida inteira, apenas o tempo necessário para que as duas partes possam aprender a andar sozinhas, mudar, crescer... Mas se o sentimento for verdadeiro e recíproco, não importa o tempo. Ele apenas adormece e um dia acorda ainda mais forte.

Mais do que tudo, pude ver como todos esses acontecimentos estavam ligados. A morte do Chico, a viagem para Los Angeles, o término do namoro, a mudança para São Paulo, o reencontro com a Luísa. Tudo me fez concluir que eu não estava cuidando o suficiente de quem eu amo, que eu poderia fazer muito mais por todos eles. E que eu poderia fazer mais por mim também, vivendo cada dia plenamente e pensando no que ainda posso ter, em vez de me isolar em um quarto escuro me lamentando pelo que perdi...

E, exatamente por isso, ao contrário do que todos pensavam, na manhã seguinte à partida do Chico, resolvi que não queria mais viver daquele jeito, triste e solitária, fazendo o que todos esperavam de mim. Ao contrário, eu queria surpreender as pessoas. E surpreender a mim mesma também.

Abri as janelas, arrumei o quarto, tomei um longo banho. Escondi os retratos do Rodrigo, os presentes que ele havia me dado (menos o Rabicó e o Floquinho, claro, apesar de saber que não teria um dia em que eu os olhasse sem que me lembrasse do Rô) e até os seriados a que assistíamos juntos.

Então resolvi tomar algumas atitudes.

Em primeiro lugar, liguei o meu computador e mandei um e-mail.

De: Priscila <pripriscilapri@aol.com>
Para: Fani <fanifani@gmail.com>
Enviada: 15 de maio, 21:23
Assunto: Um tempo

Querida Fani,

Nem acredito que já se passaram mais de três meses desde que cheguei da Califórnia... A viagem foi tão marcante que em certos momentos ainda sinto como se tivesse acabado de voltar. Já te agradeci várias vezes por ter me convidado pra te visitar, mas acho que você nunca vai entender como esse período aí foi importante para a minha vida. Sei que fiquei menos de um mês, mas agora entendo algo que você me disse quando voltou do intercâmbio: que quando viajamos, cada dia parece um ano, pelo tanto que vivemos, conhecemos e aprendemos... Portanto, um mês aí foi praticamente uma vida... E que vida! Sinto muita saudade de todos os lugares e de todas as pessoas... Mande um beijo enorme para o Alejandro, para o Christian e para a Tracy. Sempre me lembro deles. E de você.

Aliás, nos últimos dias você não sai do meu pensamento. Acho que agora, mais do que nunca, entendo o que você sentiu quando o seu namoro com o Leo acabou. É... Você já deve saber (pois seu irmão namora a Natália, e ela deve ter contado pra ele e ele pra você) que o Rodrigo brigou comigo. Mais do que isso... Ele TERMINOU comigo. É tão difícil escrever isso, Fani... A Samantha, minha cunhada, se formou em Psicologia, e ela diria que eu estou em "negação", que essa é a primeira das cinco fases do luto. Mas eu acho que desta vez ela errou. Acredito que eu já esteja na fase da "aceitação", que é a última, pois certamente já aceitei que o perdi. Mais do que isso... Aceitei que mereci perdê-lo. Lembra daquele caso que te contei, daquele "acidente" que rolou em Orlando? Pois é. O Rodrigo ficou sabendo e não conseguiu me perdoar. Não o condeno, já que não sei se eu conseguiria, se estivesse no lugar dele.

Uma das coisas que mais me chateou quando você e o Leo terminaram foi o fato de que ele nem quis te ouvir! Achei um absurdo ele não te dar a chance de se defender... Mas quer saber? Foi melhor assim. Porque dessa forma você sempre pôde pensar que ele teria reagido diferente, caso tivesse permitido que você se explicasse...

Mas o Rodrigo me ouviu. Ele me deixou contar a minha versão dos fatos, e vê-lo sofrer a cada palavra que eu dizia fez com que eu me sentisse muito pior. Desejei que ele tivesse gritado, me mandado sair da frente dele, me expulsado, como o Leo fez com você. Mas ele me ouviu até o final... E ele não ficou bravo. Ele ficou triste. E isso acabou com o meu coração... Você teve sorte, Fani, acredite em mim.

Talvez eu ainda esteja um pouco em negação sim, caso contrário eu estaria aceitando bem o fato de ele ter se mudado para o Canadá. Sim, ele foi morar com os irmãos (que por sinal nunca gostaram de mim...). Ou seja, acabaram-se as minhas chances, se é que ainda havia alguma. E essa é outra coisa que eu ainda não consegui aceitar... E acho que não vou conseguir aceitar tão cedo.

Exatamente por isso, me dei conta de que não vou conseguir esquecer o Rodrigo se continuar me cercando de tudo que me faz lembrar dele. E isso é bem difícil, pois passamos praticamente seis anos juntos, ou seja, sabe o que o me lembra dele? TUDO.

Por isso, acordei hoje disposta a me despedir do que me faz sofrer. Guardei todas as recordações do Rodrigo que eu podia tocar e estou escondendo no fundo do coração as que ficaram na memória.

Porém, existe algo que eu quero preservar que inevitavelmente vai me trazer lembranças do namoro: as amizades. Sei que vou morrer de saudade do Rô ao falar com você, com a Nat, com o Leo, com a Gabi... E sei que, justamente por isso, talvez eu tenha que me afastar de vocês por um tempo, até que essa fase dolorida passe... Mas espero que continuemos amigos. Para sempre.

Espero te rever em breve. Aqui ou aí...

Um beijo enorme pra você e pra Winniezinha!

Pri

P.S.: Estou vendo uma série que você ia adorar. É inspirada naquele filme que você sempre fala: "10 coisas que odeio em você", e até o nome é o mesmo. Mas como é um seriado, as cenas são mais desenvolvidas, os acontecimentos são mais explicados e a gente pode conhecer melhor os personagens! Não falei que séries são bem melhores do que filmes? ;-)

Logo depois, peguei meu celular e mandei uma mensagem.

Luísa, obrigada pelo apoio nos últimos dias, foi muito importante pra mim. O que você vai fazer no próximo sábado? Que tal dar uma volta no shopping, como fazíamos antigamente? Podemos tomar um café, ir ao cinema, ou, quem sabe, chamar a Larissa e a Bruna também e depois sentarmos em um barzinho ou assistirmos a um seriado aqui em casa? Beijo! Pri

Em seguida, respirei fundo, pois o próximo passo seria o mais difícil. Nos últimos dias, eu havia percebido algo muito importante... Eu amo animais, mais que tudo na vida, mas exatamente por amá-los tanto, não tenho estrutura para vê-los sofrer. Lembro que, quando o Rodrigo me levou à ONG pela primeira vez, eu chorei muito, e fiquei admirada com como ele conseguia lidar com aquilo calmamente, pois a minha vontade era de me esconder para não ter que ver todas as maldades que aqueles cachorros e gatos haviam sofrido antes de serem levados para lá. Por mais que ele dissesse que não levava jeito, o Rodrigo deveria ser o veterinário, não eu! Ao entrar na faculdade, tive o mesmo sentimento de fraqueza, de impotência... E, com a morte do Chico, essa certeza se consolidou. Senti a maior admiração pela veterinária dele, pois ela tentou até não poder mais. Ela lutou até o ponto em que viu que todo o resto seria em vão. E então resolveu cuidar de mim, pois sabia que eu sentiria falta do meu bichinho. Me fez ir com ele para casa, para me despedir, para ficarmos juntos o máximo possível, até o final, que ela já tinha certeza de que estava bem próximo. Ela sabia que aqueles últimos momentos seriam valiosos. E realmente foram. O Rodrigo certamente também teria aquela percepção. Eu no lugar dela? Ficaria revoltada por não conseguir fazer mais nada pelo bicho, choraria por não ter conseguido salvá-lo, me desesperaria ao ver a dona dele sofrer e me culparia por aquilo pelo resto da vida.

E foi por isso que resolvi mudar de rumo. Se eu queria ajudar os animais teria que ser de outra maneira. Divulgando para o mundo os maus-tratos, incentivando as pessoas a adotarem, mostrando que elas poderiam fazer a diferença.

Então dei dois telefonemas. Primeiro para a minha faculdade. Perguntei o procedimento para trancar a matrícula. Eles me deram algumas informações, que eu anotei com o coração acelerado. Eu estava mesmo fazendo aquilo! Em seguida procurei na minha bolsa um cartão. Respirei fundo e liguei para o número que estava grifado de vermelho. Uma secretária atendeu e eu perguntei se poderia falar com o Ruy. Em poucos segundos ele atendeu.

"Ruy, aqui é a Priscila Panogopoulos, quer dizer Priscila Vulcano, quer dizer..."

"Oi, Priscila! Pensei que você tivesse se esquecido de mim! Já se passaram tantos meses..."

Fiquei envergonhada. Eu tinha ficado de dar uma resposta, mas não havia dado a menor satisfação... Bem, eu estava fazendo isso agora.

"É que eu fiquei pensando durante todo esse tempo e também aconteceram uns problemas na minha vida... Mas agora resolvi te procurar porque eu acho que quero tentar... Quer dizer, aquela coisa de ser atriz que você falou, se o seu convite para me ajudar com isso ainda estiver de pé e se ainda der tempo de eu aceitar..."

"Sem problemas, garota, claro que o convite ainda está de pé! Nunca é tarde pra se tornar uma estrela! Como vai o seu pai? Ele já sabe da sua decisão? Não quero causar nenhum desconforto familiar, e eu realmente gosto do Luiz Fernando..."

Engoli em seco. Eu ainda não tinha falado nada com ele nem com a minha mãe, porque tinha aproveitado o surto de coragem para ligar pra ele. Se aquele telefonema demorasse um pouco mais, era capaz de eu repensar a minha decisão...

"Hum, ele sabe", menti.

"Haha, já está atuando, ótimo! Mas precisa melhorar muito, nem por telefone conseguiu me convencer... Veja bem, eu estou saindo de férias hoje. Mas já vamos deixar uma reunião marcada para a minha volta? Dia 3 de junho, às 17h, no meu escritório. Venha com o seu pai e traga seu documento de identidade. Se tudo der certo, já assinamos o contrato na ocasião. E após a reunião saímos direto para comemorar! Você ligou em uma ótima hora, estou com um projeto de um seriado para o público jovem que é sucesso certo, queremos um rosto novo para a protagonista e pensamos exatamente em uma ruiva!"

Eu já ia protestar, mas resolvi deixar para lá. Nesse caso era melhor que ele pensasse que eu era mesmo ruiva, pois ele havia me ganhado ao pronunciar a palavra "seriado". Será que ele realmente estava dizendo que eu tinha chance de ser a atriz principal?

"Tudo bem, 3 de junho, às 17h."

"Perfeito, Priscila. Seu pai sabe o endereço do meu escritório, mas é o que está no cartão que te dei."

Começamos a nos despedir e, quando eu já ia desligar, escutei a voz dele dizendo: "Ah, Priscila, uma pergunta... você está com seu passaporte em dia? E como é o seu inglês?".

"Sim, está tudo certo. O meu inglês é... poderia ser melhor."

Resolvi não mentir desta vez. Ao visitar a Fani em Los Angeles, eu tinha percebido que o meu inglês, que até então eu achava que era mais ou menos, na verdade era péssimo! O tempo inteiro eu precisei que a Fani e o Alejandro traduzissem palavras para mim...

"Tudo bem, daremos um jeito. Até mês que vem, Priscila!"

Em seguida ele desligou. Fiquei com o telefone na mão por um tempo, pensando qual seria a razão daquela última pergunta. Mas resolvi deixar para me preocupar com isso só no dia da reunião. Agora eu tinha algo mais importante para fazer... Comunicar aos meus pais sobre o que eu pretendia fazer com a minha vida.

E me despedir de mais alguém...

61

> _Blaine:_ Existe um momento em que você diz pra si mesmo: "Oh, aí está você! Eu estava te procurando há séculos!"
>
> (Glee)

São Paulo, 16 de maio

Querido Rodrigo,

Sei que é bem possível que esta carta nunca chegue até você, mas é a minha única alternativa e última tentativa, já que você cancelou o seu e-mail, saiu das redes sociais e se mudou de país.

Você já ouviu tudo que eu tinha pra dizer, já te expliquei que, se eu tivesse a chance de voltar apenas um dia na minha vida, nada daquilo teria acontecido, pois eu teria feito tudo diferente. Na verdade, "tudo" é uma palavra que nem cabe nesse caso, pois, como eu te disse, aquilo não significou nada... Foi coisa de momento e, se eu tivesse pensando por três segundos, teria impedido, assim como realmente impedi, três segundos depois. Sim, você está me castigando por algo que durou três segundos, que eu fiz quando tinha acabado de completar 15 anos... O que temos, ou melhor, o que tínhamos, durou uma vida, Rodrigo. Se o meu sobrinho tivesse nascido quando te conheci, ele já estaria aprendendo a escrever. Ele já gostaria de esportes, de seriados, de animais e, certamente, teria adoração por você. Sim, pretendo influenciá-lo para que ele tenha as mesmas paixões que eu, pois quero que ele me faça companhia, já que quando você se foi eu perdi o meu companheiro preferido... E vou te confessar que a graça de todas as coisas pelas quais eu era apaixonada parece também ter sido partida ao meio...

Na verdade, desde que você foi embora, o sentido de tudo se foi com você. Tive dias bem tristes por aqui. Você já deve saber que eu recebi a sua carta, muito bem escrita por sinal, mas, infelizmente, sua mentirinha não colou. Sei que sua intenção de fazer com que eu te odiasse foi boa, dessa forma realmente seria bem mais fácil te esquecer. Mas eu te conheço, Rô... Você nunca faria aquilo comigo. Você é íntegro, é puro, é verdadeiro... E só de pensar que eu consegui perder alguém com todas as qualidades que eu mais admiro no mundo, tenho vontade de me castigar! Mas acho que esse arrependimento, essa dor que eu estou sentindo por dentro, já é castigo suficiente.

Rô, além de pedir desculpas mais uma vez (e eu faria isso pelo resto da vida, se soubesse que em algum momento você as aceitaria), estou escrevendo para te dar uma notícia triste. O Chico foi pro céu... Sei que você deve estar me achando muito infantil por achar que ele está em lugar cheio de anjos, mas eu não consigo acreditar que ele simplesmente se foi. Para mim, ele está mesmo no céu dos bichinhos, brincando com o Biju e novamente com toda a sapequice que ele tinha quando era mais novo. Ele estava com um tumor, que acabou estourando, e com isso teve uma hemorragia... Confesso que no final eu fui muito egoísta, desejei com todas as forças que ele ficasse mais tempo comigo. Porém, nos últimos dias ele mal conseguia andar. E isso para ele, que sempre foi tão ativo, devia ser uma tortura... Mas mesmo assim eu implorei, barganhei com Deus (inclusive falando de você, expliquei que eu não daria conta de perder dois amores em tão pouco tempo...). Mas acho que Ele sabia que eu daria conta sim, pois o Chico partiu mesmo assim. Ele morreu no meu colo, e, antes, lançou um último olhar para mim, como se estivesse se despedindo, agradecendo por eu ter ficado com ele até o final. Você deve imaginar como foi doloroso, sem dúvidas um dos dias mais tristes da minha vida. Eu daria tudo pra você ter estado comigo naquele momento, pois no seu abraço os meus problemas sempre pareceram menores... Mas infelizmente você não estava lá.

Como disse, sei que o Chico está muito melhor agora, e é nisso que tenho me apegado. E sei que você também está em um lugar muito bom, eu pesquisei tudo sobre Vancouver. Não é estranho o fato de, em seis anos, eu nunca ter procurado saber da cidade onde seus irmãos moravam e onde você passou parte da sua infância? Mas, ao pensar sobre isso, cheguei à conclusão de que não era falta de interesse, e sim medo de descobrir que essa cidade pudesse ser muito boa a ponto de ser uma ameaça para mim... Acho que eu sempre soube que eu poderia perder você para ela.

Pois bem. Esse momento chegou. E, como aceitei a partida do Chico, chegou a hora de aceitar a sua também. Para isso, vou ter que começar uma vida nova, pois estava sendo muito doloroso andar para qualquer lugar que tivesse algum vestígio seu. Estou me despedindo não só de você, mas dos últimos seis anos, de tudo que vivi nesse tempo, das pessoas que conheci, dos lugares por onde passei.

Sei que, daqui a um tempo, serei capaz de rever essas temporadas da minha vida sem que as cenas delas dilacerem meu coração, mas neste momento preciso de uma série nova, com um novo cenário, com novos personagens, com outra trilha sonora. Só assim poderei reaprender a sorrir. Porque, além da saudade de você, eu também estou com muita saudade de mim mesma... daquela pessoa pra cima e sorridente que eu costumava ser. Tomara que eu consiga reencontrá-la em breve...

Rô, espero que você seja muito feliz. Que seu sorriso lindo seja a razão do sorriso de outras pessoas. Que sua música encante multidões. Que seu coração puro contagie muita gente, pois no dia em que tivermos mais de você no mundo, ele será muito melhor.

Te amo e sempre vou te amar. Até algum dia, quem sabe...

Priscila

62

> *Cam: Existem sonhadores e realistas neste mundo. O certo seria cada um ficar com seu semelhante, mas, quase sempre, ocorre o contrário. Sonhadores precisam dos realistas para não voarem muito perto do sol. E os realistas... bem, sem os sonhadores, provavelmente nunca levantariam voo.*
>
> (Modern Family)

De: Daniela <danica@mail.com.br>
Para: Priscila <pripriscilapri@aol.com>
Enviada: 22 de maio, 20:29
Assunto: Carta

Pri, recebi sua carta. Pode deixar, te garanto que ela vai chegar às mãos do Rodrigo, eu vou dar um jeitinho! Sei que você me disse que a escreveu apenas para colocar um "ponto final" na sua história com ele, mas eu continuo torcendo para que sejam apenas "reticências", como uma frase inacabada, esperando para ser concluída. Não só porque agora vai ser bem difícil aguentar as festas da família Rochette sem você pra me fazer companhia, mas também porque eu ainda acho que essa história não terminou...

O Bombril e a Estopa estão ótimos, eles ainda sentem falta do Rodrigo, mas o Daniel meio que assumiu o papel de "pai" deles, e eu também ajudo nos finais de semana. A dona Lúcia e o Maurício estão ótimos, mas acho que já estão sentindo muita saudade do Rô. Eles estão até planejando visitá-lo no Canadá em breve (quer dizer, não só ele, a Sara e o João Marcelo também... Mas sei bem que o motivo da viagem é o Rodrigo, eles querem ver como ele está se saindo lá). Acho ótimo, eu e o Dani vamos ficar com o apartamento inteiro só pra nós dois! :)

Por falar nisso, o namoro está ótimo, a cada dia mais firme, e já começamos até a conversar sobre o futuro, se é que me entende... Estou tão feliz, amiga! E sempre lembro que foi você que me apresentou essa felicidade quase três anos atrás. Nunca vou deixar de te agradecer por isso!

Pri, quando você mandou o e-mail pra falar da carta que ia enviar, você quis saber como estavam os cachorros e também a família inteira do Rodrigo... mas não me perguntou sobre ele. Não sei se foi intencional, mas apenas em caso de ter se esquecido, saiba que o Rô está bem, já se adaptou. Pelo menos é o que ele diz quando a dona Lúcia liga pra Sara e a obriga a passar o telefone pra ele. Só assim pra ele dar notícias! Nas poucas vezes que ele e o Dani conversaram, o Rô não falou muito sobre si mesmo, apenas perguntou dos cachorros, da banda e de todo mundo... Quer dizer, menos de você. Ele nunca mais falou de você. E acho que essa é mais uma razão para eu achar que algum dia vocês ainda vão se acertar. Você está evitando falar dele e ele de você. Acho que isso é uma fuga, né? Sinal de que ainda estão muito presentes no coração um do outro. Quem sabe esse término não aconteceu por alguma razão? Talvez no futuro a gente entenda que razão é essa... Eu acredito muito em destino, você sabe. E se vocês dois não foram feitos um para o outro, então eu não sei de mais nada!

Espero que você venha logo a BH para visitar sua avó. Ai de você se não me ligar nem que seja pra gente ver um seriado! Tem algum novo para me apresentar? Você tinha razão, "One Tree Hill" é perfeito, totalmente viciante!

Um beijo enorme!

Daniela

Oi, Pri, me passa o telefone daquela veterinária que você gostou? O Joe está meio passando mal... Será que foi porque eu dei bolo de chocolate pra ele? Nossa saída hoje à noite está de pé, ok? Vamos naquele barzinho que eu te falei que fica lotado às quintas-feiras! Beijos! Anna Vic

PRI, AQUI É A MANU, MINHA MÃE TROUXE DE TÓQUIO UM CELULAR DE PRESENTE PRA MIM E ELA ME ENSINOU A MANDAR MENSAGENS! ☺☺☺ ELA TROUXE TAMBÉM UNS BISCOITOS QUE EU NÃO GOSTEI, MAS ACHO QUE A DUNA E O BISCOITO VÃO AMAR, TEM GOSTO DE RAÇÃO DE CACHORRO... PODEMOS PASSEAR COM ELES AMANHÃ? TE ADORO! ♥

Pri, confirmado o karaokê no sábado? A Lalá e a Bruna já toparam. Beijinhos. Lu

Oi, Priscila, a sala está um tédio sem você! Mas que bom que você vai no churrasco da faculdade no domingo, falei pro pessoal aqui e todo mundo ficou feliz! Até lá! Pietra

Pri, sumida!!! Estou morrendo de saudade, já tem duas semanas que você não dá notícia. Sei que você está querendo cortar o vínculo com tudo que te lembre de uma certa pessoa, mas não me inclui nessa, ok? Beijinhos!! Nat

De: RV Casting <rvcasting@mail.com.br>
Para: Priscila <pripriscilapri@aol.com>
Enviada: 30 de maio, 11:33
Assunto: Reunião

Prezada Priscila,

Aqui é a secretária do Sr. Ruy. Ele me pediu para escrever confirmando sua reunião com ele na próxima segunda-feira, 3 de junho, às 17h.

Atenciosamente,

Cleide

RV Casting

De: Arthur <arth56473890@netnetnet.com.br>
Para: Priscila <pripriscilapri@aol.com>
Enviada: 06 de junho, 14:25
Assunto: Favor

Pri, será que você pode fazer companhia pra Samantha hoje à noite? É o único dia da semana que eu dou aula nesse horário, mas fico com pena de deixá-la sozinha, ela não lida bem com o tédio, você sabe... Então, se puder dar uma passada lá em casa para entretê-la vai ser ótimo! E quando eu chegar você janta com a gente!

Beijos

Arthur

63

Mitchell: Não tem um jeito fácil de perguntar isso, mas você está drogada?

(Modern Family)

Toquei a campainha do apartamento do Arthur e da Sam e imediatamente ouvi a voz dela dizendo lá de dentro: "Até que enfim! Quero saber tudo, Prica! Se você me deixar curiosa seu sobrinho vai nascer com cara de ponto de interrogação!".

Eu tinha ido jantar com eles, pois a Sam, que estava com sete meses de gravidez, não podia sair de casa. O médico havia aconselhado que ela ficasse de repouso o máximo possível – por que, pelo visto, o neném estava louco para nascer – e ela estava fazendo isso completamente indignada... A Samantha não era do tipo de pessoa que conseguia ficar parada por muito tempo.

Ela abriu a porta e eu até assustei. A barriga dela tinha crescido muito nos últimos dias! Eu não aguentava mais esperar para ver o rostinho do bebê, que eu tinha certeza de que ia ser o mais lindo do mundo...

"Não tem mais nada pra contar além do que eu disse no telefone...", falei já entrando. "Assinei o contrato e agora o Ruy é meu empresário. Isso significa que ele vai investir em mim, divulgar, arrumar trabalhos... e depois vai receber uma porcentagem sobre tudo que eu ganhar..."

"Olha isso direito, Pri! Não quero ninguém te explorando!"

Balancei a cabeça e expliquei para ela que o meu pai tinha lido cada detalhe do contrato junto com um advogado. Essa tinha sido a condição dele quando eu contei que ia trancar a faculdade de Veterinária e dar uma chance para aquela proposta maluca... Ele me fez jurar que eu nunca assinaria ou aceitaria nada antes de mostrar para ele. Além disso, o fato de já conhecer o Ruy desde a época da faculdade e o considerar muito honesto ajudou. Mas acho que no fundo ele só aceitou mesmo por causa da possibilidade de me ver novamente empolgada com alguma coisa.

"E Nova York, vai rolar mesmo?", ela perguntou um pouco depois, quando nos acomodamos no sofá.

Sorri ao me lembrar do momento em que o Ruy propôs aquilo. Se eu ainda não tivesse concordado em assinar aquele contrato, teria aceitado naquele momento!

"Sim, ele explicou que é melhor que eu já apareça no 'mundo artístico' com um ótimo currículo. Como eu nunca estudei teatro nem trabalhei profissionalmente como atriz, ele quer que eu fique uma temporada em Nova York estudando e fazendo pequenos papéis. Nas palavras dele, eu já 'nasci pronta para os palcos', mas ele não quer que as pessoas pensem que eu tive algum tipo de proteção, por nunca ter feito nada e já começar em uma grande produção... Ele acha que se eu voltar pro Brasil depois de ter estudado e trabalhado no exterior, o público e as pessoas da área vão me respeitar muito mais..."

"Já te falei que sou fã desse Ruy, né?", a Sam falou se levantando novamente. "Será que ele não quer contratar também uma acompanhante para a *estrela em ascensão*? Imagina nós duas em Nova York, Pri? Íamos arrasar na Times Square!"

Eu ri, pois sabia que era brincadeira. A Samantha estava adorando ter voltado para o Brasil e estava completamente confortável no papel de futura mãe. A única queixa dela no momento realmente era ter que ficar mais quieta... o que eu percebi é que ela não estava obedecendo nem um pouco...

"Ô, Sam, você não deveria estar deitada? Pelo que sei, o médico disse que não é bom você ficar andando de lá pra cá, como está fazendo! Aliás, o que você está *fazendo*? Ficou louca?", perguntei me levantando depressa para ajudá-la a abrir uma porta no alto de uma estante. Ela estava na ponta do pé, a ponto de dar pulinhos para conseguir pegar alguma coisa lá dentro.

"Só quero achar um álbum de retratos de quando eu e seu irmão fomos a Nova York! Tenho que lembrar o nome de um restaurante que você não pode deixar de ir... O cardápio de lá é especializado em chocolate e... Ai, meu Deus!"

"O que foi?", perguntei preocupada.

"Fiz mousse de chocolate!", ela disse já correndo para a cozinha. "E esqueci no congelador! Vai virar sorvete!"

Balancei a cabeça sem acreditar. Ela tinha que ficar deitada e em vez disso havia cozinhado?

"Sam, que horas o Arthur chega?", perguntei sentindo que precisaria de reforços!

Ela olhou para o relógio da cozinha, depois de tirar o doce do congelador, e disse que ele chegaria em meia hora.

"Mas por que a pergunta? Você já está com fome?"

Neguei, mas mesmo assim ela tornou a abrir a geladeira e começou a tirar algumas coisas das prateleiras, inclusive das mais baixas.

"Nós vamos pedir a pizza assim que ele chegar, mas eu posso preparar uma tábua de frios de tira-gosto pra você... Na verdade eu não estou com muito apetite, fiquei meio enjoada a tarde inteira."

"Samantha, pelo amor de Deus, por que você está elétrica desse jeito?", perguntei segurando o braço dela, tentando fazê-la parar de se mexer tanto. "Nem antes de ficar grávida você era assim, por que exatamente agora, que deveria estar quieta, você está nessa agitação toda? Até parece que tomou um energético!"

De repente ela parou de falar, com um pedaço de queijo em uma mão e um vidro de azeitonas em outra.

"Você tomou um energético?", perguntei franzindo a testa, desejando ser médica para saber se aquilo poderia afetar o bebê de alguma forma.

Em vez de responder, ela apenas colocou o queijo e a azeitona de volta na geladeira, a fechou e, em seguida, pegou um frasco de remédio que estava em cima da mesa.

"O que está escrito aqui?", ela perguntou com a voz aflita.

Achando aquilo muito estranho, afinal, a Samantha sabia ler muito bem, falei devagar o nome do remédio, que pelo visto havia sido preparado em uma farmácia de manipulação: "Salbutamol".

"Não está escrito Subultiamina?", ela meio que gritou.

Completamente tensa, repeti. Ela então foi depressa até o quarto, colocou uns óculos grossos, tomou o frasco da minha mão e chegou o rosto bem perto dele. Em seguida o jogou no chão, fazendo com que vários comprimidos se esparramassem pela cozinha.

"O que foi isso, Sam?", perguntei meio desesperada, já ligando para o meu irmão para mandar que ele viesse o mais rápido possível. Porém, caiu na caixa postal.

Em vez de responder, ela começou a andar pelo apartamento como uma barata tonta, olhando para todos os lados, e então parou em frente a uma mesinha do lado da estante.

"Achei", ela falou respirando fundo e se abanando. "Eu tomei o remédio errado!"

"Calma, Sam", segurei-a pelos dois braços e fiz com que ela se sentasse. Na verdade, eu estava bem nervosa também, mas não podia demonstrar, pelo menos uma de nós tinha que manter o controle. "Aquele remédio que você tomou... serve pra quê?"

"Não sei!", ela falou começando a chorar. "É do Arthur! Dentro de casa eu fico com preguiça de usar lentes de contato e aí, na hora de tomar minha vitamina, vi aquele frasco na cozinha e achei que era ele, enxerguei o nome meio borrado, mas não conferi, fiquei com preguiça de pegar os óculos também... Certamente o Arthur aproveitou que foi à farmácia de manipulação mandar fazer essas vitaminas que o médico falou pra eu tomar e também pediu algum remédio pra ele! E eu acabei tomando esse remédio! O que será que vai acontecer com meu neném? Será que ele vai morrer??? Nunca vou me perdoar se eu perder o meu filhinho só porque estava com preguiça!"

Ela começou a entrar em pânico, e eu – para não entrar também – liguei correndo para o meu pai, explicando o caso. Ele disse que ia ligar para o médico e para o Arthur, e que era para eu tentar acalmá-la nesse meio-tempo.

"Sam, presta atenção", falei devagar. "O Arthur não tem doença nenhuma, então o remédio não deve ser perigoso... Provavelmente é uma vitamina, igual à sua..."

Sem parar de chorar, ela explicou que tinha certeza de que era um remédio forte, porque foi depois que ela o tomou que começou a ficar muito ansiosa, e que exatamente por isso ela estava inquieta.

"Aliás, foi você ter perguntado se eu tinha tomado alguma coisa, por estar tão agitada, que me fez perceber que realmente tinha algo errado! Meu coração está muito disparado, estou com vontade de correr, de lavar as janelas, de..."

Ela parou de falar e fez a maior cara de desespero.

"Sam, o que foi agora?"

Em vez de responder, ela abraçou a barriga e começou a chorar ainda mais. Tentei ligar para o meu pai de novo, mas o telefone estava ocupado.

"Eu vou matar o Arthur!", ela gritou de repente.

"Sam, mas ele não tem culpa!", tentei defender meu irmão, no fundo querendo também assassiná-lo friamente, para ele aprender a não deixar um remédio tão parecido com o dela à vista! Será que ele não sabia que ela era míope?!

"Ele é totalmente culpado por esse neném estar dentro de mim!"

Nesse momento percebi que ela não estava mais chorando, e sim se contorcendo de dor, por isso estava xingando o meu irmão! Coloquei a mão na barriga dela e vi que estava completamente dura. E aquilo fez com uma lembrança subitamente viesse à minha cabeça... Quando a Duna estava para ter filhotes, o Rodrigo pegou a minha mão e colocou na barriga dela, me explicando que ela estava rígida porque a minha cachorra estava tendo *contrações*. Ele havia aprendido aquilo na ONG.

Resolvi não esperar pelo meu pai. Peguei o telefone e dessa vez liguei direto para o pronto-socorro, falando que precisava de uma ambulância para uma grávida entrando em trabalho de parto.

Percebendo que a Samantha estava um pouco melhor, perguntei onde estavam a mala dela e a do bebê, já me levantando.

"Que mala?", ela perguntou se levantando também.

"Para você ir pro hospital, eu acho que o bebê vai nascer!"

"Eu ainda não fiz mala nenhuma!", ela falou andando em direção ao quarto. "O médico falou que se eu ficasse quieta ainda ia demorar um mês, pensei que teria tempo..."

Tive vontade de rir. *Se* ela ficasse quieta, coisa que ela não tinha feito o dia inteiro...

"Sam, senta de novo, por favor...", falei tentando convencê-la a voltar para o sofá. "O que você quer levar? Eu vou fazer as malas pra você!"

"Eu posso fazer...", ela pegou uma mochila e começou a jogar umas roupas lá dentro, mas de repente uma nova expressão de dor surgiu em seu rosto. Voltei a me lembrar do Rodrigo e da Duna. Ele havia me explicado que o intervalo entre as contrações dela iam começar a diminuir, até que ela estivesse pronta para ter os filhotes. Será que com humanos acontecia o mesmo? Havia se passado uns 10 minutos desde que a barriga da Samantha ficara daquele jeito pela primeira vez... Marquei a hora, fiz com que ela se deitasse e fui para o quarto do bebê. Comecei a colocar em uma bolsa várias roupinhas, fraldas, chupetas... tudo que eu achava que um recém-nascido poderia precisar. Enquanto fazia isso, avisei para a minha mãe que estava levando a Samantha para a maternidade. Ela respondeu que meu pai ainda não tinha conseguido falar com ninguém, mas que os dois iam me encontrar no hospital.

Logo depois, o interfone tocou e eu pedi para o porteiro deixar os paramédicos subirem.

"Sam, você não quer ligar para sua mãe e avisar que seu bebê está nascendo?", perguntei fechando a mochila que ela tinha começado a arrumar.

"Eu não estou em trabalho de parto, Priscila!", ela falou abraçando a barriga. "Você não vê? Eu estou perdendo o bebê, por causa do remédio que tomei! Não quero que minha mãe saiba que fui tão imprudente..."

Ela começou a chorar de novo e bem nessa hora os paramédicos chegaram.

Expliquei rapidamente o que havia acontecido e também que ela estava tendo contração aproximadamente de 10 em 10 minutos.

"Não deixa o meu neném morrer, moço...", ela disse com o rosto meio contorcido, e percebi que estava começando a sentir dor de novo.

Um dos paramédicos então pediu para ela se deitar, a examinou, e falou: "Moça, seu bebê não está morrendo... Ele está *nascendo*. Se vocês tivessem demorado cinco minutos a mais pra chamar a ambulância, ele nasceria aqui mesmo!".

Em seguida eles a colocaram em uma maca, eu peguei depressa a mochila dela e a bolsa do neném, e entrei com eles no elevador.

64

Whitey: O mais importante é não se tornar amargo por causa das decepções da vida. Aprender a deixar o passado pra trás. E entender que nem todo dia será ensolarado. Mas, quando você se encontrar perdido na escuridão e no desespero, lembre-se: é somente na escuridão da noite que podemos ver as estrelas. E são essas estrelas que o guiarão de volta para casa. Então não tenha medo de cometer erros. Ou de tropeçar e cair. Pois, na maioria das vezes, as melhores recompensas vêm quando se faz aquilo que você mais teme. Talvez consiga tudo o que deseja. Talvez consiga mais do que jamais tenha imaginado... Quem sabe aonde a vida te levará? A estrada é longa. E, no fim das contas, a jornada é o destino.

(One Tree Hill)

"Mas afinal, o remédio que ela tomou era para quê?", o pai da Samantha perguntou enquanto esperávamos na maternidade. Parecia até que um príncipe ia nascer, aquele lugar estava lotado. O médico tinha permitido que apenas o Arthur assistisse ao parto, mas do lado de fora estavam os pais e os avós dela, o irmão e a irmã, os meus pais, alguns amigos e eu.

"Era pra asma", expliquei. "O Arthur desde pequeno tem asma quando fica nervoso. Ele falou que estava se sentindo meio ansioso por causa da proximidade do nascimento do bebê e comprou aquele remédio por precaução... E ele realmente teve a maior crise quando soube que a Samantha tinha tomado, teve que largar o carro dele no estacionamento da faculdade e vir de táxi pra cá! Quando chegou até colocaram um balão de oxigênio nele..."

Todo mundo riu, mas então uma amiga da Sam perguntou: "Foi por causa do remédio que ela entrou em trabalho de parto?".

Balancei a cabeça negativamente e expliquei o que tinha acontecido. Na verdade, o remédio por si só não faria mal nem pra ela nem pro bebê. Só que, como ela tomou sem ter asma nenhuma, ele fez com que o coração dela batesse mais rápido, provocando aquela ansiedade toda que ela estava sentindo.

"E por estar muito ansiosa, ela ficou toda agitada", continuei a explicar. "Isso sim provocou o início das contrações. E o fato de ter ficado nervosa, exatamente por ter percebido que tinha tomado o remédio errado, estimulou ainda mais."

"Por que será que está demorando tanto?", minha mãe perguntou estalando os dedos. "Olha, Priscila, você não inventa de ter filho tão cedo, viu? Não tenho preparo para essa agonia toda! Quando eu tive tanto o seu irmão quanto você, foi muito mais fácil! Me deram uma anestesia e eu fiquei tão sonolenta que, quando me dei conta, vocês já estavam nascendo! Bem que podiam dar uma anestesia para as avós de primeira viagem também, né?"

Nesse momento o Arthur apareceu chorando e por um segundo foi como se o mundo tivesse congelado. Alguma coisa tinha dado errado? Meu coração estava quase pulando pela boca e eu percebi que o de todo mundo estava assim também.

Mas então ele abriu um sorriso e falou: "Nasceu! Ele é lindo e perfeito!".

Eu pulei no pescoço dele e acho que todas as pessoas tiveram a mesma ideia, porque de repente parecíamos um time de futebol quando um jogador faz um gol!

"Podemos ver?", perguntei morrendo de curiosidade.

"Ainda não..." o Arthur respondeu. "Como o neném é prematuro, ainda vão fazer alguns exames. E a Sam está se recuperando. Só vim mesmo pra avisar que deu tudo certo, já vou voltar pra ficar com ela no bloco cirúrgico."

E, dizendo isso, ele voltou lá para dentro, nos deixando novamente apreensivos, mas bem mais calmos. Pelo menos já sabíamos que tinha corrido tudo bem.

Mais meia hora se passou até que um médico apareceu. Todos nós olhamos tão avidamente que, no lugar dele, eu teria saído correndo... Porém, ele devia estar acostumado, pois apesar dos olhares vorazes, ele sorriu e falou: "A Samantha e o bebê estão ótimos. Apesar de ter nascido com 33 semanas, ele já estava com mais de 2 kg. Os dois devem receber alta nos próximos dias. Ela vai ficar só mais um pouquinho em observação e logo depois vai pro quarto. Além do Arthur, que está lá dentro, só mais uma pessoa pode entrar agora..."

A mãe dela na mesma hora falou que ia, pois estava louca para conhecer o neto, mas o médico completou: "E ela pediu que essa pessoa fosse a Priscila".

Todos me olharam como se eu tivesse cometido um crime. Fiquei meio sem graça por ela ter me chamado antes dos pais, mas quando eu já estava entrando com o médico, ouvi minha mãe dizer: "Acho muito justo, se não fosse pela Priscila, não teria dado tempo de chegar ao hospital e sabe-se lá o que teria acontecido...".

Eu ainda não tinha pensado naquilo. Fiquei me sentindo meio importante e agradeci mentalmente por ter tido aquela "aula de trabalho de parto" com o Rodrigo... Se ele não tivesse me explicado, provavelmente eu não teria identificado que a Samantha estava tendo contrações. Dei um suspiro e lamentei não poder falar com ele... Eu adoraria contar que o meu sobrinho havia nascido e que ele tinha ajudado de alguma forma... Ele certamente gostaria de saber.

Aquele pensamento me deixou um pouco triste, por isso resolvi me concentrar no meu sobrinho, que eu estava prestes a conhecer.

"Pri, obrigado mais uma vez!", meu irmão me abraçou assim que me viu. "Ainda bem que você estava lá em casa com a Sam!"

Perguntei se a asma dele tinha melhorado, ele riu, falou que estava ótimo e me levou até a maca onde a Sam estava deitada.

"Priprica, você me salvou!", ela falou chorando assim que me viu. "Você não deveria ser atriz, deveria ser médica!"

Eu ri, mas senti um arrepio só de olhar para aquela sala branca cheia de aparelhos! Eu tinha desistido da Veterinária por não querer ver os animais sofrerem... Imagina ver pessoas assim? Não, obrigada. Ainda bem que existiam pessoas com vocação para realmente salvarem vidas...

"Eu não fiz nada...", falei dando um beijinho na testa dela. "Qualquer pessoa teria percebido que você estava prestes a ganhar o neném. Mas faz um favor? Da próxima vez que mandarem você ficar em repouso, vai para um *spa* bem monótono, sem nada pra fazer, tá?"

Ela e meu irmão riram e nesse momento uma enfermeira chegou com um bebê no colo, todo enroladinho. Senti meu coração disparar no mesmo instante.

"É ele?", perguntei meio emocionada.

A enfermeira fez que sim e já ia colocá-lo no braço da Samantha, mas ela disse: "Apesar de já estar com saudade dessa fofura, vou deixar a madrinha dele segurar um pouquinho agora...".

A moça sorriu, o colocou com cuidado nos meus braços e então eu olhei pela primeira vez para o meu afilhado. Ele estava dormindo, mas, talvez por ter mudado de colo, abriu um pouco os olhinhos, e a primeira coisa que percebi é que ele tinha um olhar triste... Como alguém que eu costumava conhecer.

Ele então deu um bocejo e dormiu novamente.

"Ele é tão fofinho...", falei sentindo meus olhos encherem de água. Era o bebê mais bonito que eu já tinha visto. De repente percebi um detalhe... "Ei, ele é ruivo?!"

A Sam e o Arthur riram, e aí ela falou: "Um pouco, acho que puxou uma tia que ele tem...".

Fiquei pensando por um momento. Ele tinha apenas duas tias. A irmã da Sam, que era tão loura quanto ela, e eu... Subitamente entendi o que ela quis dizer.

"Ei!", falei franzindo a testa.

Os dois riram ainda mais, mas a Sam aos poucos ficou séria e falou: "Pri... e se eu te disser que eu e seu irmão conversamos e chegamos à conclusão de que, como madrinha, sua primeira função deve ser escolher o nome do seu afilhado?".

Fiquei uns três segundos parada, querendo me certificar de que eu tinha escutado direito. A Samantha e o Arthur iam me deixar escolher como o filho deles ia se chamar?

"Mas e se eu escolher um nome que vocês não gostam?", perguntei realmente preocupada.

Ela me deu uma piscadinha e falou levantando uma sobrancelha: "Confiamos muito no seu bom gosto e sabemos que você vai escolher com muito carinho um nome que traga uma boa energia pra ele. Espero que você se inspire em alguém inteligente, bondoso, gentil, responsável e lindo, pois é exatamente assim que eu quero que meu filhinho seja".

Olhei para o bebê nos meus braços e dei um suspiro, dizendo que ia pensar. Mas pela expressão dos dois, eu sabia que eles tinham certeza do nome que eu ia escolher...

Na vida inteira, eu só tinha conhecido uma pessoa com todas aquelas qualidades que a Sam havia citado. E mesmo distante, mesmo tentando apagar da memória, ele continuava tão presente nos meus dias que eu sabia que não importava quanto tempo se passasse, ele ia continuar sempre ali, dentro do meu peito. Porque ele não havia me ensinado apenas a cuidar dos animais, a saber quando eles precisavam de ajuda ou mesmo a reconhecer uma contração... Ele também me ensinou a me envolver mais com os outros, a me preocupar com o planeta, a pensar em todos os seres vivos... a ser uma pessoa melhor.

Com ele eu aprendi o que existe de mais importante no mundo...

Ele me ensinou a amar.

Epílogo

Klaus: Tem um mundo inteiro lá fora esperando por você. Cidades fabulosas, arte e música, beleza genuína. E você pode ter isso tudo, você pode ter mais mil aniversários. Tudo o que você tem que fazer é desejar...

(The Vampire Diaries)

"Feliz aniversário, Pri dorminhoca!"

"Acorda pra ver a surpresa que preparamos pra você!"

"Se preferir ficar dormindo, tudo bem, mas a gente vai comer tudo!"

Abri os olhos meio sonolenta, mas assim que viram que eu havia acordado, aquelas três vozes começaram a cantar parabéns. Sorri para a Luísa, que estava deitada do meu lado, e em seguida para a Larissa e a Bruna, que estavam em colchonetes no chão do meu quarto, segurando um grande bolo de brigadeiro e um presente, que pelo formato eu percebi que era um DVD.

Dei um bocejo, esfreguei os olhos e, quando estava me preparando para soprar as velas, a Bruna falou: "Acho melhor você nem fazer pedido nenhum desta vez. Sua vida está ótima e, pelo que sei, seus pedidos costumam virar tudo de pernas pro ar...".

Ela estava certa. A minha vida estava mesmo boa e eu podia dizer que me sentia até... feliz.

Desde o meio do ano, os meus dias começaram a ficar tão agitados que nem tive mais tempo para ficar me lamentando e cultivando tristeza por causa do Rodrigo. Claro que eu ainda me lembrava dele, praticamente o tempo todo. Eu tinha vontade de chegar em casa e telefonar para contar a ele tudo que estava acontecendo.

E quanta coisa tinha acontecido nos últimos seis meses...

Trancar a faculdade e assinar o contrato com o meu, agora, *empresário* foi apenas o primeiro passo. Assim que aquilo foi feito, comecei a seguir as instruções dele, com o apoio dos meus pais, que estavam adorando me ver animada novamente.

Em primeiro lugar, entrei em um superintensivo de inglês, bem "super" mesmo, com uma professora particular que me dava aula quatro horas por dia! Eu comecei até a sonhar em inglês... Mas tanto estudo compensou, pois ao final de quatro meses acabei atingindo a pontuação necessária no Toefl, teste de proficiência em inglês, para ser aceita no curso de teatro em Nova York, que começaria já em poucos dias. Eu ia ficar lá por um semestre. Nos primeiros três meses, estudaria interpretação. E no restante faria cursos de teatro musical e dança. E exatamente por isso, também comecei a fazer cursos de canto e jazz, para me preparar, pois já tinha mais de um ano que eu havia parado por causa dos estudos para o vestibular.

Quando comecei a preencher os papéis para a admissão, fiquei meio apreensiva, pensando se estava preparada para uma mudança tão grande na minha vida. Mas à medida que fui ouvindo o depoimento de outros brasileiros que já tinham feito cursos de teatro no exterior, fui me empolgando, e agora eu mal podia esperar!

O único problema seria ficar sem o meu afilhadinho. Ele estava com sete meses agora e era difícil passar um dia sem visitá-lo! Eu não sabia como faria para ficar tanto tempo longe...

"Vai passar depressa, Pri!", a Samantha sempre repetia. "E prometo que te mando vídeos todos os dias, para você acompanhar o crescimento dele. Quem sabe a gente não vai até te visitar em Nova York?"

Só mesmo aqueles argumentos para me consolarem, porque eu sabia que realmente ia morrer de saudade! Como era possível que alguém que tinha nascido havia poucos meses já pudesse controlar os meus atos e mandar totalmente na minha vida sem nem ao menos falar? Mas era assim que eu me sentia. Eu daria tudo por ele...

E foi pensando nisso que soprei aquelas 20 velinhas que já estavam derretendo em cima do bolo. Desejei viver muitos anos para poder ficar muito tempo com o meu sobrinho. E, olhando para as minhas amigas, pedi também que as três continuassem a passar meus aniversários comigo, mesmo quando a quantidade de velas fosse maior que o tamanho do bolo.

"Agora abra o presente!", a Luísa falou me entregando o embrulho. "Algo me diz que você vai se identificar... É aquela série de TV que conta sobre quatro amigas que de repente começam a receber mensagens no celular e..."

"Sem *spoilers*, não tive tempo pra ver essa ainda!", falei já rasgando o papel e comprovando que na capa do DVD tinha mesmo quatro garotas. O título era *Pretty Little Liars*. Tive que segurar a vontade de começar a assistir àquela série imediatamente, pois sabia que teria um longo dia pela frente...

"Nem acredito que depois de tantos anos nós quatro estamos juntas novamente nesta data...", a Larissa falou me distraindo. "Quando morávamos no condomínio, dormir na sua casa na véspera do seu aniversário era uma espécie de tradição... Coitada da sua mãe, sofria com a gente!"

"Sofria, mas adorava! E estou amando presenciar a tradição ganhando vida outra vez!"

Olhamos para a porta e vimos minha mãe, com uma cestinha cheia de pães de queijo fumegantes, exatamente como ela costumava trazer para nós de manhã, quando as meninas dormiam na minha casa na época em que éramos crianças. Desde o meu aniversário de 13 anos, quando nós duas nos mudamos para Belo Horizonte, aquilo não tinha mais acontecido. E agora eu percebia o quanto havia sentido falta... As lembranças da infância sempre me traziam uma sensação boa de aconchego, como se nenhum mal nunca pudesse acontecer perto da minha família e das minhas amigas.

"Tia Lívia, fica aqui com a gente!", a Luísa fez sinal para ela se sentar na cama. "Vamos partir o bolo!"

"Ah, isso é uma grande novidade! Quando vocês eram crianças odiavam que eu ficasse por perto. Era como se fosse uma sociedade secreta, ninguém tinha permissão para entrar..."

Nós rimos, lembrando que era exatamente assim que encarávamos o nosso grupo. Nós quatro nos bastávamos e não admitíamos "intrusos".

"Agora você é super bem-vinda! Ainda mais com esses pães de queijo deliciosos!", a Bruna se levantou, deu um beijo nela, pegou a cestinha e se sentou novamente.

Minha mãe riu, veio para o meu lado na cama, me abraçou e disse: "Adoraria participar da conversa, mas só vim mesmo dar um beijo na minha filhinha. Vinte anos, Pri? Estou me sentindo uma velha! Não bastava o Arthur ter me tornado avó, agora você também resolve sair dos anos *teen*? Quando essa vida começou a passar tão rápido? Daqui a pouco vocês vão me internar em um asilo!"

As meninas começaram a rir, chamando minha mãe de exagerada e dizendo que era dali que tinha vindo o meu drama...

"Para com isso, mãe", falei retribuindo o abraço. "Bem que eu queria ficar mais tempo na adolescência. Mas não se preocupe, ter feito 20 anos não vai me tornar adulta da noite pro dia, acho que vou precisar do seu apoio, conselho e broncas por muito mais tempo...".

"Espero que sim, mocinha!", ela disse colocando o dedo na frente do meu rosto. "E por falar nisso, terminem logo esse café da manhã, porque já são 9h30. Seu pai já está tomando banho e eu também vou começar a me aprontar. Acho bom que vocês quatro não enrolem muito... O batizado é às 11h e a madrinha não pode atrasar!"

Em seguida ela saiu, deixando nós quatro sozinhas. Não perdemos tempo para atacar os pães de queijo e o bolo, e em seguida já começamos a nos arrumar para o batizado.

O fato de ser bem no dia do meu aniversário foi uma coincidência. A Samantha preferia esperar que o filho já tivesse alguns meses, pois queriam fazer uma pequena comemoração depois da igreja e gostariam que ele passasse um tempo maior acordado. Por isso, resolveram marcar para o meu último sábado no Brasil... que caiu bem no dia do meu aniversário!

O batizado foi lindo. O padre explicou que, em caso da falta dos pais, a madrinha e o padrinho – que era o irmão mais velho da Samantha – são os responsáveis por ele. Eu me senti muito importante com o meu sobrinho no colo, e, quando o padre perguntou para a Sam e o Arthur qual nome eles haviam escolhido para a criança, os dois sorriram para mim ao responder: *Rodrigo*.

Sim, era esse o nome dele. Quando a Samantha pediu que eu escolhesse, passei algum tempo pensando, mas nenhum nome parecia tão certo quanto aquele... Por isso, perguntei o que ela achava. A Sam disse que achava lindo, mas quis saber os motivos daquela escolha e se eu não ficaria triste a cada vez que o pronunciasse, já que por vários meses eu havia feito questão de me distanciar de tudo que me lembrasse do término do meu namoro. Eu respondi que seria exatamente o contrário. Chamando o meu sobrinho de Rodrigo, aquele nome deixaria de ser triste e se tornaria novamente o mais lindo do mundo. E que, apesar de não estar mais namorando, eu gostaria que aquela criança fosse também tão sensível, inteligente, talentosa e doce quanto o "meu" Rodrigo costumava ser... A Sam então conversou com o meu irmão e os dois me disseram que não podiam pensar em um nome melhor.

Logo depois, voltamos para casa, pois a minha mãe havia feito um almoço para comemorar o batizado, o meu aniversário e também a minha despedida, já que no dia seguinte eu partiria para Nova York. Por isso, a minha casa estava bem cheia, com os familiares da Samantha e os nossos. A minha avó paterna tinha vindo de Paraty no dia anterior e meus avós maternos, a minha tia e a Marina haviam acabado de chegar de BH! Além disso, a Bruna, a Larissa e a Luísa tinham chamado os namorados.

O almoço acabou durando o dia inteiro e depois ainda fui terminar de arrumar a minha mala, pois minha mãe ameaçou cancelar a minha viagem se eu deixasse para fazer isso nos últimos minutos.

Apenas bem mais tarde, já na hora de dormir, foi que eu consegui checar meu e-mail e olhar os recados de aniversário que haviam deixado para mim nas redes sociais.

Porém, assim que liguei o computador, mal pude acreditar na primeira mensagem que recebi...

De: Patrick <patrick@a+turismo.com.br>
Para: Priscila <pripriscilapri@aol.com>
Enviada: 03 de janeiro, 12:23
Assunto: Quanto tempo!

Querida Priscila,

Não sei se você ainda se lembra de mim, já tem muitos anos que a gente não se fala. Porém, ontem aconteceu uma coisa que me fez pensar em você e fiquei muito curioso pra ter notícias suas, a ponto de te procurar no Facebook... Acabei te encontrando lá há poucos minutos e vi que exatamente hoje é seu aniversário! Meus parabéns!!!

Eu ainda tinha o seu e-mail guardado, por isso achei melhor te cumprimentar por aqui em vez de fazer isso através de uma rede social. Não sei como anda a sua vida, não gostaria de te trazer problemas caso aquele seu antigo namorado (ou algum novo) quisesse saber quem é esse tal Patrick no seu mural...

Mas, em primeiro lugar, se você realmente não estiver se lembrando de mim, acho que uma palavra pode refrescar sua memória: DISNEY.

Espero que seja o suficiente...

E aí, Priscila? Tudo bom com você? Acho que sim, pois tive notícias suas recentemente e, pelo que vi, você está ótima... Sim, eu te vi, ainda que por vídeo. E foi por esse motivo que te procurei.

Acho que cheguei a te contar que eu me mudei para Orlando. Meus pais abriram uma filial da nossa agência de turismo lá, e desde o começo fiquei tomando conta dela. Mas nós crescemos muito nos últimos anos e agora fazemos excursões para várias outras cidades dos Estados Unidos. Por isso, estou com um grupo em Los Angeles. Normalmente eu fico apenas em Orlando, pois atualmente supervisiono as excursões diretamente do escritório, e só acompanho os passeios quando os monitores têm algum problema. E foi o que aconteceu essa semana. Temos uma guia que pegou dengue e por isso não pôde viajar. Acabei vindo para LA no lugar dela. Aproveitando a viagem, ontem fui até a coordenação da Disneyland para solicitar alguns vídeos de divulgação para turistas, e eles fizeram questão de me mostrar alguns novos que tinham feito há pouco tempo. Foi aí que te vi...

Parece que a Disney realmente está cruzando o nosso caminho, né? Confesso que demorei um pouco para te reconhecer, aquela menina linda com cara de sapeca me lembrava alguém, mas eu não conseguia descobrir quem podia ser... Afinal, apesar de você ser perfeita para o papel, nunca imaginaria que fosse te ver vestida de sereia... Acabei perguntando se os coordenadores sabiam o nome da atriz que estava interpretando a Ariel, e alguns deles começaram a rir, falaram que dezenas de garotas se revezam nesse papel todos os meses e que era impossível decorar todos os nomes. Mas uma senhora que estava lá disse na mesma hora que daquela Ariel ela se lembrava perfeitamente, pois aquele tinha sido o único dia que ela havia participado, apenas para preencher o lugar de uma outra que tinha faltado. E a tal senhora ainda fez questão de frisar que no fim das contas a substituta interpretou bem melhor do que qualquer outra, que a menina tinha nascido pra ser Ariel e que por isso até tinha tirado uma foto dela e a convidado para participar do elenco fixo do parque. Porém a garota teve que recusar, por ser de outro país.

"The girl's name is Priscila",* ela disse me mostrando sua foto no celular e fazendo com que eu abrisse o maior sorriso ao me lembrar de você! Ela ficou tão feliz de saber que eu te conhecia, Priscila! Até pediu pra eu te avisar que a Tammy mandou um "oi" e que, quando quiser voltar, você não precisa fazer prova de elenco, é só procurá-la diretamente.

Enfim, acho que você não está interessada em trabalhar na Disney, mas devo dizer que você tem mesmo jeito (e corpo) de sereia. E que está ainda mais linda do que eu me lembrava...

Se algum dia vier aos Estados Unidos, não deixe de me avisar, tá? Além da Flórida e da Califórnia, estamos também com excursões pra Nova York. Caso viaje para alguma dessas cidades, posso te encontrar, eu adoraria te ver de novo... Esse vídeo realmente me deixou com saudade, ainda bem que me deram uma cópia!

Um grande beijo,

Patrick

P.S.: Caso não tenha nenhum namorado ciumento atualmente, pode me adicionar no Facebook?

---

* O nome da garota é Priscila.

Reli aquele e-mail umas quatro vezes, com sentimentos contraditórios.

Primeiro, tive uma certa raiva... Exatamente por causa daquele garoto, eu havia perdido o Rodrigo. Mas em seguida fiquei meio arrependida de estar jogando a responsabilidade nele. Só havia uma pessoa culpada ali: *eu*. Apenas eu era comprometida na época, o Patrick era livre, não devia nada a ninguém... A única culpa que ele carregava era de ter sido tão irresistível, a ponto de me fazer perder a cabeça!

E, então, fui atingida pela curiosidade. Será que ele continuava com aquele charme todo? Provavelmente sim, pois só pelas palavras escritas eu já estava toda derretida...

Mas, além de tudo, senti meu coração acelerar por causa da sensação de *liberdade* que aquele e-mail tinha me proporcionado. Eu havia namorado tantos anos, desde o início da adolescência, que nem sabia o que era ser livre para olhar para outros garotos. Sim, eu havia olhado para o Patrick, mas em nenhum momento tinha esquecido que o Rodrigo existia, eu sempre soube que o que estava fazendo era errado. Mas agora o Rô não estava mais na minha vida e subitamente entendi que qualquer decisão que eu tomasse seria a certa, pois eu só devia satisfação a mim mesma.

Reli o e-mail mais uma vez, praticamente ouvindo aquela voz bonita que ele tinha, e sorri, ao constatar que ele continuava sedutor...

Desde o término do meu namoro, eu não havia me relacionado com ninguém, por dois motivos: primeiro porque eu ainda tinha esperança de que o Rodrigo voltasse para o Brasil e me procurasse. E a segunda razão era exatamente por achar que não estava preparada para me envolver com mais ninguém. Porém, o Rodrigo nunca mais tinha aparecido... E agora aquele frio na barriga estava me dizendo que talvez eu precisasse viver aquilo para terminar de curar o meu coração.

E, ao me lembrar que tinha a possibilidade de o Patrick ir para Nova York, meu coração até acelerou... Por isso resolvi não pensar demais. Apenas cliquei em "responder".

De: Priscila <pripriscilapri@aol.com>
Para: Patrick <patrick@a+turismo.com.br>
Enviada: 03 de janeiro, 21:25
Assunto: Re: Quanto tempo!

Oi, Patrick!

Adorei ter notícias suas! Muito obrigada pelos parabéns. Está sendo um dia muito especial, em grande parte pelas surpresas que tenho recebido (inclusive por e-mail...).

Nem acredito que você me viu de sereia!! Pode me mandar esse vídeo? Adoraria ver também! Aquele foi um dia muito divertido. E muito obrigada por me dar o recado da Tammy, com certeza se nada mais der certo eu me mudo para a Disney pra viver feliz para sempre!

Também gostei muito de saber que a agência dos seus pais tem crescido. Como vai sua mãe? Espero que esteja bem, estou com saudade dela!

Patrick, também tenho novidades... Minha vida nos últimos meses mudou completamente. É muita informação para um único e-mail, mas quem sabe eu não te conto tudo pessoalmente em breve? Resumindo, vou morar seis meses em Nova York, ganhei um curso de teatro de um semestre, e já viajo AMANHÃ! Não é o máximo? Quem sabe a gente se encontra, caso você vá acompanhar alguma excursão em NY? Eu também adoraria te ver de novo!

Beijo grande,

Priscila

P.S.: Claro que te aceito no Facebook...

Assim que mandei, senti a ansiedade aumentar. Será que eu devia mesmo ter feito aquilo? Porém, poucos minutos depois, quando eu estava lendo os recados de aniversário que meus amigos tinham deixado para mim nas redes sociais, recebi um novo pedido de amizade. Aceitei de imediato e fui logo ver as fotos dele. Sorri ao ver que continuava igualzinho...

Eu ainda estava olhando as fotos, quando de repente apareceu uma mensagem privada:

> Teatro em Nova York? Você não está fácil, hein? Pensei que ia usar seu dom de atuar apenas como sereia, para encantar os corações de alguns pobres marujos, mas parece que a coisa é séria! Você não ia ser veterinária? Se bem que agora estou lembrando que te vi cantar na excursão e você arrasou fazendo isso! Tem planos de seguir carreira em musicais? Realmente precisamos conversar muito, estou completamente desatualizado! Olhei aqui na agenda e a próxima excursão para NY vai ser na época do Carnaval, no começo de fevereiro, ou seja, daqui a um mês. Já coloquei no sistema da agência que vou acompanhar essa viagem e espero que você reserve uma noite para jantar comigo... Não aceito um "não" como resposta! Sei que essa vida de atriz da Broadway é cheia de compromissos, mas não pode deixar os velhos amigos de lado...
>
> Até lá vamos mantendo contato por aqui, ok? Beijo grande!
>
> Patrick

Em vez de responder, me deitei na cama, enfiei a cara nos travesseiros e abafei um grito. A Snow pulou da cama e a Duna pulou para a cama, sem entenderem se o meu surto era um aviso para fugir ou um convite para brincar.

Me levantei novamente, fiz carinho nas duas e resolvi voltar a arrumar a minha mala até a hora de dormir, desta vez com bem mais empolgação...

Enquanto separava alguns seriados que eu queria levar, comecei a pensar que no mundo das séries de TV existem dois tipos de final: quando a série é finalizada e quando ela é cancelada.

O cancelamento acontece quando os seriados (geralmente os melhores) são bruscamente interrompidos por algum motivo, como falta de audiência, problema com os atores... Porém, isso acontece sem uma conclusão que agrade os telespectadores, sem uma preparação prévia, sem que ninguém esteja esperando. Não temos tempo de nos despedir dos personagens que aprendemos a amar e tudo que resta é uma sensação de vazio, como se assistir à série até ali tivesse sido em vão...

Já quando a série é finalizada, o último episódio é muito bem produzido, às vezes tem até duração maior, para que dê tempo de esclarecer cada detalhe, mostrar a conclusão da história de cada personagem...

Na época em que o Rodrigo terminou comigo, senti como se fosse um cancelamento. Porém, agora começo a perceber que a série da minha vida não foi interrompida, muito pelo contrário. Ela apenas teve um final de temporada dramático, mas ainda está longe de ser finalizada... O cenário agora será outro, novos personagens vão aparecer (e talvez alguns antigos voltem) e os próximos episódios com certeza serão mais leves e felizes. Afinal, é exatamente como de repente eu percebia que estava me sentindo.

É exatamente assim que a série da minha vida deve ser...

Toronto, 3 de janeiro

Oi, Priscila.

Já tem muitos meses que não tenho notícias suas, mas tenho certeza de que você está bem. Você tem esse dom, de fazer tudo a sua volta dar certo e tornar as pessoas mais felizes...

Estou escrevendo pra te dar parabéns. Bem que eu tentei esquecer, mas foram muitos anos sabendo que o terceiro dia do ano tinha uma dona... Então essa foi a primeira coisa que lembrei hoje quando acordei. E por isso resolvi escrever, embora eu saiba que, quando você receber essa carta, seu aniversário já vai ter passado há semanas.

Mas por falar em carta, recebi a sua, meses atrás. Na época eu não quis responder, mas quero que você saiba que fiquei muito triste com a notícia do Chico. Espero que você tenha ficado bem logo, ele certamente gostaria de te ver sempre feliz.

Eu me mudei de Vancouver. Não que você esteja perguntando alguma coisa, mas, sei lá. É estranho te escrever e imaginar que você vai ler sem ter ideia do lugar de onde estou escrevendo... Bem, estou em Toronto. Vim para cá já tem três meses. Apesar de ter gostado de ficar um tempo com a Sara e o João Marcelo, senti a necessidade de ter meu espaço, de encontrar meu próprio caminho, sem que os dois me dissessem o tempo todo o que fazer. Você conhece bem os meus irmãos... De qualquer forma, sou muito grato aos dois por terem me convidado para vir pro Canadá. Se eu tivesse ficado no Brasil certamente teria sido muito mais difícil... Não que não tenha sido difícil mesmo assim. Não mesmo.

Na verdade, algumas vezes ainda é complicado. Acordo meio sem saber onde estou. E isso de vez em quando acontecia aí, mas no mesmo instante eu lembrava de você.

E então eu sabia que o lugar não importava, desde que você estivesse comigo. Naquela época eu pensava que nós andaríamos de mãos dadas pelo resto da vida.

Bem, como vê, seu dia me deixou nostálgico. É estranho não ter que ficar semanas imaginando o que te dar de presente e inventando alguma surpresa para te deixar mais feliz. Mas tem algo que eu ainda quero te dar. Um poema que fiz nos meus primeiros meses no Canadá, quando eu ainda pensava muito em você, mas já conseguia fazer isso sem tanta raiva e mágoa... Apesar de ainda continuar sentindo isso ocasionalmente, já consigo relembrar os momentos que vivemos. Por vários meses abafei as lembranças quando elas tentavam vir à minha mente, pois faziam com que eu me sentisse muito mal. Porém, agora, elas me deixam apenas com saudade.

Por favor, não pense que estou tendo uma recaída ou algo assim, não estou! Eu segui com a minha vida e espero que você tenha feito isso também. Mas é que você foi muito importante pra mim. Independente do que tenha acontecido, você vai ser pra sempre a minha primeira namorada, meu primeiro amor. E quando me lembro da minha adolescência, você está sempre presente. Acho que, se tentar te apagar, não vai sobrar quase nada...

Pri, espero que você esteja bem. Lembro que na carta que você me mandou, perguntou se eu nunca iria te perdoar... Sinceramente, acho que você não precisa do meu perdão e eu não sou um padre para perdoar os pecados de alguém. Mas se isso ainda for importante pra você, sim, considere-se perdoada. Continuo sem entender, continuo achando que você deveria ter me contado, mas não quero que você siga pela vida pensando que eu te odeio ou coisa parecida, pois não é verdade. Apesar de tudo, não abriria mão dos anos que passei com você. Como disse, você fez parte da minha vida. E, por bastante tempo, me fez muito feliz. Acho que devo te agradecer por isso.

Bem, aqui está o seu (último) poema.

O último poema

Ainda olho para outras pessoas e vejo você,
Ainda escuto sua voz sem querer,
Ainda penso no seu rosto sem perceber,
Ainda tento fazer tudo isso sem sofrer.

Não consigo acreditar no que aconteceu.
Será que o erro foi seu, ou todo meu?
Que acreditou demais, que se envolveu,
E que, apesar de tudo, ainda quer um beijo seu...

O tempo vai passando e eu no mesmo lugar,
Escutando músicas repetidas, vendo o mundo girar.
As horas passam e outras ainda vão passar.
E sinto que não posso mais te segurar.

Dia após dia, sua imagem vai desaparecendo.
Viver sem você, estou reaprendendo.
E, pouco a pouco, vou compreendendo...
Que a minha vida continua acontecendo.

Por isso, a partir de agora, vou mudar de cena.
Chega de ficar de quarentena.
Porque a vida tem que voltar a valer a pena.
Deixo aqui então o seu último poema...

Um beijo, feliz aniversário, espero que seu dia seja fora
de série. Como você sempre foi. Como você é.

Rodrigo

Você pode escolher se quer culpar o destino ou a má sorte. Ou as escolhas erradas. Ou você pode lutar... As coisas nem sempre serão justas na vida real. É assim que acontece. Mas na maioria das vezes, você recebe o que dá. O resto da sua vida está sendo definido agora mesmo. Com os sonhos que você persegue, as escolhas que faz. E com a pessoa que decide ser. O resto da vida é um longo tempo... E o resto da sua vida começa bem agora.

(One Tree Hill)

LEIA TAMBÉM, DE **PAULA PIMENTA**

MINHA VIDA FORA DE SÉRIE
1ª TEMPORADA
408 páginas

MINHA VIDA FORA DE SÉRIE
2ª TEMPORADA
424 páginas

MINHA VIDA FORA DE SÉRIE
4ª TEMPORADA
448 páginas

FAZENDO MEU FILME 1
A ESTREIA DE FANI
336 páginas

FAZENDO MEU FILME 2
FANI NA TERRA DA RAINHA
328 páginas

FAZENDO MEU FILME 3
O ROTEIRO INESPERADO DE FANI
424 páginas

FAZENDO MEU FILME 4
FANI EM BUSCA DO FINAL FELIZ
608 páginas

**FAZENDO MEU FILME
LADO B**
400 páginas

**FAZENDO MEU FILME
EM QUADRINHOS 1**
ANTES DO FILME COMEÇAR
80 páginas

**FAZENDO MEU FILME
EM QUADRINHOS 2**
AZAR NO JOGO,
SORTE NO AMOR?
88 páginas

**FAZENDO MEU FILME
EM QUADRINHOS 3**
NÃO DOU, NÃO EMPRESTO,
NÃO VENDO!
88 páginas

**APAIXONADA
POR PALAVRAS**
160 páginas

**APAIXONADA
POR HISTÓRIAS**
176 páginas

UM ANO INESQUECÍVEL
400 páginas

CONFISSÃO
80 páginas

Este livro foi composto com tipografia Electra LT e impresso
em papel Off-White 70 g/m² na Gráficas Rede.